# Los pastores y el rebaño

## Una perspectiva reformada de la iglesia y la misión

HUMBERTO CASANOVA ROBERTS

**World Literature Ministries**

**LOS PASTORES Y EL REBAÑO**

Esta obra primero circuló en forma anillada dentro de la Iglesia Presbiteriana Nacional de Chile (1993). Después fue revisada para ser publicada en forma de fascículos por la Iglesia Presbiteriana Evangélica (Santiago-Chile, 1994). La presente edición ha sido significativamente revisada y aumentada.

Cubierta: *The Procession of the Faithful* por el Dr. Edgar Boevé.

World Literature Ministries es un ministerio de CRC Publications, la casa de publicaciones de la Iglesia Cristiana Reformada de Norteamérica, Grand Rapids, Michigan, EE.UU.

Publicado por

LIBROS DESAFÍO
World Literature Ministries
2850 Kalamazoo Ave SE
Grand Rapids, Michigan 49560
EE.UU.

©1996 Derechos reservados

ISBN: 1-55883-105-3

*A la memoria de mis padres:*
*Humberto Casanova*
*y*
*Felicita Roberts*

# Presentación

No hay capítulo de la teología en el que los evangélicos latinoamericanos somos más deficitarios que en el de la eclesiología. Mientras que en el mundo católico (especialmente con el aporte de teólogos tan destacados como Leonardo Boff), abundan las publicaciones sobre este tema, en el mundo evangélico se hace difícil encontrar literatura que se ocupe del mismo. No es este el lugar para aventurar una explicación de este fenomeno, pero sospechamos que la ausencia casi total de la eclesiología en círculos evangélicos en América Latina es sólo una consecuencia lógica del énfasis individualista que prima entre nosotros. En contraste, basta un somero análisis de la enseñanza bíblica para demostrar que el próposito de Dios no es la salvación de individuos como tal, sino la formación de una *nueva humanidad* que glorifique su nombre. Desde esta perspectiva, la iglesia tiene una importancia capital: es los primeros frutos de la gran cosecha, es la manifestación histórica del propósito eterno de Dios. Hablar de la iglesia es hablar de la comunidad en que ha comenzado a tomar forma el gran proyecto divino de una nueva creación y de una nueva humanidad.

Dada la pobreza de nuestra eclesiología y en vista de la importancia fundamental que la iglesia tiene desde el punto de vista bíblico, no podemos menos que saludar la publicación de *Los pastores y el rebaño*. Aunque, como el subtítulo lo indica, esta obra enfoca el tema desde *una perspectiva reformada*, se trata de un aporte teológico que enriquecerá también a lectores de tradiciones eclesiásticas diferentes de la del autor. La razón es obvia: aparte de ofrecer una eclesiología muy a tono con la de los grandes documentos de doctrina reformada (tales como la Confesión y el Catecismo de Westminster, el Catecismo de Heidelberg, la Confesión Belga, la Confesión de Augsburgo), que se citan generosamente, Humberto Casanova articula una eclesiología enraizada en las *Escrituras*, para lo cual utiliza constantemente las herramientas de la exégesis. En efecto, bien podría ser que sus interpretaciones de textos bíblicos, en las cuales a veces disiente con los traductores de diferentes versiones de la Biblia, resulten para muchos de sus lectores el aspecto más interesante de su aporte. Si así fuese, el autor habrá logrado algo que no cuadra del todo con sus advertencias, tales como la que precede su Excursus sobre 1 Corintios 12:13, donde advierte: «Si el lector no se interesa en el problema exegético, puede saltarse esta sección», consejo que se repite en más de una ocasión. El lector hará bien en no acatar la sugerencia. Por el contrario, debe esforzarse por seguir al autor por los vericuetos del análisis exegético, pues tales esfuerzos se verán ampliamente recompensados.

La motivación que indujo a Humberto a escribir este libro se aclara de entrada en su Prefacio: esta obra es el resultado de su ministerio docente como pastor en dos congregaciones de Chile. Por cierto, la única teología cristiana que tiene razón de ser es la que surge de una praxis eclesial y que tiene como propósito el cumplimiento de la voluntad de Dios en todo aspecto de la vida y misión de la iglesia. Cuando la teología se divorcia de la iglesia, pierde su razón de ser. Lo menos que podría decirse del autor de esta obra es que reune un requisito fundamental para escribirla: es un pastor que hace teología y un teólogo que está al servicio de la pastoral en congregaciones de carne y hueso. Y eso por sí solo avala su obra, aparte de todas las otras cualidades que se reflejan en ella, tales como su pericia exegética y su profundo conocimiento de la tradición teológica dentro de la cual se ubica.

C. René Padilla
Secretario de publicaciones
Fraternidad Teológica Latinoamericana
Buenos Aires, agosto de 1996

# Prefacio

Este libro empezó como la recopilación de una serie de conferencias que entregué a los pastores y ancianos de la Iglesia Presbiteriana Nacional (IPNA, Chile). Después revisé el material para compartirlo con el Presbiterio del Norte Chico de la Iglesia Evangélica Presbiteriana (IEP). La presente publicación es resultado de una larga reflexión que me llevó a corregir imprecisiones, a profundizar conceptos y a darle al texto un alcance más amplio. Algunos capítulos fueron completamente reorganizados.

Sin embargo, estas páginas no brotaron como texto de laboratorio. Sus capítulos surgieron en respuesta a necesidades determinadas en el transcurso de mi labor pastoral en dos congregaciones: «Iglesia Presbiteriana Nacional» de Los Andes e «Iglesia Presbiteriana Nacional Santísima Trinidad» de Santiago. Desde sus comienzos, su contenido se dirigió a congregaciones y consistorios de carne y hueso. Es por esto que escogí un título que hable al consistorio (los pastores) en medio de la tarea de cuidar y edificar a la iglesia (el rebaño) en el cumplimiento de la misión.

La labor pastoral termina enseñando que la iglesia olvida con mucha facilidad las cosas más básicas de su fe. En la práctica uno ve que el rebaño intuye la verdad, habiendo algún movimiento hacia donde deberían marchar. Pero como la intuición no basta, el accionar de la congregación se vuelve lento e inseguro. Para poder empezar cualquier labor pastoral efectiva, la congregación primero debe tener, por lo menos, tres cosas en claro: **1.** Qué *es* la iglesia (naturaleza), **2.** Cuál es el *fin* para el que existe (misión), y **3.** Dentro de qué *estructura* debe funcionar (forma de gobierno). La ausencia de cualquiera de estas tres cosas básicas trae desconcierto y anarquía. El presente libro toca sólo los primeros dos puntos (naturaleza y misión). He querido mostrar aquí un camino a seguir, para que esa verdad que se intuye deje de ser sólo una idea vaga. Pido al Señor que en Cristo la fuerza del *Espíritu* nos lleve hacia el objetivo de lo que es ser iglesia. En todo aquello que haya sido fiel a la verdad del Evangelio, quiera el Señor usar estas palabras para edificar también a otros.

A la hora de agradecer, surge una multitud de personas a las que uno no puede dejar de mencionar. Empiezo por Viviana, mi esposa, con la cual he dialogado estas páginas y de quien he recibido un incondicional apoyo, revisando el manuscrito y dando sugerencias. Gracias también a las dos congregaciones que me permitieron reflexionar desde su realidad. Mi gratitud a los colegas que colaboraron con su crítica y sus ideas. La hna. Ida Gaete colaboró como secretaria en la primera publicación (IPNA) y el pbro. José Carvajal fue pieza clave en la segunda publicación (IEP). En esta oportunidad, mi agradecimiento a todo el personal de DESAFÍO y al Dr. Edgar Boevé por darnos permiso para usar su pintura «la procesión de los fieles».

Conciente de que todo lo he recibido como un *carisma* del Señor, a Él sea la gloria por los siglos de los siglos.

Rev. Humberto Casanova Roberts
Grand Rapids, Michigan, 1996

# Contenido

# Abreviaturas

BAGD      Bauer, Walter. *A Greek-English Lexicon of the New Testament and Other Early Christian Literature*. Traducido por W.F. Arndt, F.W. Gingrich y F.W. Danker. Chicago: The University of Chicago Press, 1979

BDF      Blass, F. y A. Debrunner, R.W. Funk. *A Greek Grammar of the New Testament and Other Early Christian Literature*. Chicago: The University of Chicago Press, 1961

BJ      Biblia de Jerusalén. Bilbao: Desclée de Brouwer, 1975

BP      Biblia del Peregrino. Bilbao: Ediciones mensajero, 1993

CB      La Biblia de la Casa de la Biblia. Salamanca: Sígueme, 1992

CI      Sagrada Biblia. F. Cantera y M. Iglesias. Madrid: BAC, 1975

DM      Dana, H.E. y J.R. Mantey. *Gramática griega del Nuevo Testamento*. El Paso: CBP, 1975

*DTNT*      Coenen, L y E. Beyreuther, H. Bietenhard. *Diccionario Teológico del Nuevo Testamento*. 4 vols. Salamanca: Sígueme, 1985

EGT      *The Expositor's Greek Testament*. 5 vols. Nicoll, W.R. (editor). Grand Rapids: Eerdmans, s.f.

*EQ*      *Evangelical Quarterly*

HA      Nuevo Testamento Hispano Americano. Sociedades Bíblicas en América Latina

ICC      Serie The International Critical Commentaries Edimburgo: T & T Clark

Liddell-Scott  Liddell, H.G. y R. Scott. *A Greek-English Lexicon*. Oxford: Clarendon, 1940

| | |
|---|---|
| LT | La Biblia. J. Levoratti y A.B. Trusso. Madrid-Buenos Aires: Ediciones Paulinas, 1990 |
| LXX | La Versión griega de los Setenta |
| MM | Moulton, J.H. y G. Milligan. *The Vocabulary of the Greek Testament*. Grand Rapids: Eerdmans, 1930 |
| Moulton | Moulton, J.H. *A Grammar of the New Testament*. 4 vols. Edinburgo: T & T Clark, 1908-1976 |
| NBE | Nueva Biblia Española. A. Schökel y J. Mateos. Madrid: Cristiandad, 1975 |
| NC | Sagrada Biblia. E. Nácar y A.Colunga. Madrid:BAC, 1965 |
| NCB | Serie The New Century Bible. Londres: Marshall, Morgan & Scott |
| NICNT | Serie The New International New Testament Commentary. Grand Rapids: Eerdmans |
| NTT | Nuevo Testamento Trilingüe. J.M. Bover y J. O'Callaghan. Madrid: BAC, 1977 |
| NVI95 | Nueva Versión Internacional 1995 (Las ediciones anteriores a esta sólo fueron una traducción de la *New International Version*. La NVI95 es en realidad otra versión, es una traducción directa de los idiomas originales por un equipo de biblistas evangélicos de América Latina.) |
| Robertson | Robertson, A.T. *A Grammar of the Greek New Testament in the Light of Historical Research*. Nashville: Broadman, 1934 |
| RV60 | Santa Biblia. Versión Reina-Valera, revisión 1960. Sociedades Bíblicas Unidas |
| RV77 | Santa Biblia. Versión Reina-Valera, revisión 1977. CLIE |
| RV89 | Santa Biblia. Versión Reina-Valera Actualizada, revisión 1989. Editorial Mundo Hispano |
| RV95 | Santa Biblia. Versión Reina-Valera, revisión 1995. Sociedades Bíblicas Unidas |
| *TDNT* | Kittel, G. y G. Friedrich. *Theological Dictionary of the New Testament*. Grand Rapids: Eerdmans, 1964-1976 |
| TE | Traducción española |

| | |
|---|---|
| TNTC | Tasker, R.V.G. *Tyndale New Testament Commentaries*. Leicester: IVP |
| TR | Textus Receptus |
| VM | Versión Moderna. Sociedades Bíblicas en América Latina |
| VP | Versión Popular (1983). Sociedades Bíblicas Unidas |

En las citas bíblicas, usamos este paréntesis en punta < > para indicar que hemos introducido palabras que, si bien no están en el texto original, se sobreentienden.

# CAPÍTULO 1

# La iglesia

## LA POSICIÓN ROMANA OFICIAL

Al hablar de la naturaleza de la iglesia, ¿qué justificación habría para empezar ocupando espacio en lo que la iglesia romana piensa? ¿Acaso no sería mejor abordar directamente el concepto reformado de la iglesia? Me parece que no. La razón para exponer primero algunas características fundamentales de la eclesiología romana está en que los protestantes de América Latina (=AL) vivimos en países fuertemente romanistas. Notemos que con sólo mencionar el nombre de América *Latina*, ya estamos reconociendo nuestro *trasfondo romano*. Y a pesar del triunfalismo de algunos sectores, la verdad es que en AL los protestantes todavía somos minoría. AL ha sido desde sus orígenes un pueblo formado y guiado por el romanismo. Toda la cultura, educación, política, poder económico, etc., que nos llegó desde Occidente, vino principalmente en la forma del romanismo español. Por tanto, sería ingenuo y fatal pretender pensar acerca de la iglesia sin, a la vez, abordar el *contexto* romano en el que nos movemos. Esto también se aplica a los hispanos que viven en los Estados Unidos de Norte América, ya que la gran mayoría no ha sido alcanzada por el protestantismo, manteniendo una mentalidad romana. No obstante la importancia del tema, sólo lo trataremos hasta donde sirva como trasfondo a nuestro estudio. El propósito de este libro no es entrar en controversia con Roma ni servir de manual de apologética.

Los siglos XVI y XVII registraron grandes controversias dentro de la iglesia, y uno de los puntos más neurálgicos de la discusión se centró en torno al tema de la eclesiología. La pregunta fundamental era: "¿Qué *es* esencial y principalmente la iglesia?" En el calor del debate, Roma respondió que la iglesia es en su esencia misma una *sociedad monárquica visible*, la cual tiene como cabeza y monarca al Papa de Roma. Hay que aclarar que cuando se afirma que la iglesia romana es una monarquía, no se habla

15

figuradamente. El Vaticano es verdaderamente un Estado monárquico con territorio, embajadores, etc. Ahora pasemos a analizar algunos de los elementos que constituyen este concepto de iglesia, a fin de mostrar que el centro y corazón de la doctrina romana de la iglesia está en la doctrina del papado.

## 1. El Papa como fundamento de la iglesia

La doctrina del papado es el punto central de la eclesiología romana:

«El Pastor eterno . . . decretó edificar la Santa iglesia . . . Ahora bien, a la manera que envió a los Apóstoles . . . ; así quiso que en su Iglesia hubiera pastores y doctores *hasta la consumación de los siglos* [Mt. 28:20]. Mas para que el episcopado mismo fuera uno e indiviso y la universal muchedumbre de los creyentes se conservara en la unidad de la fe . . . ; al anteponer al bienaventurado Pedro a los demás Apóstoles, en él instituyó un principio perpetuo de una y otra unidad y un fundamento visible, sobre cuya fortaleza se construyera un templo eterno . . . quienquiera que sucede a Pedro en esta cátedra, ése, según la institución de Cristo mismo, obtiene el primado de Pedro sobre la Iglesia universal . . . Por esta causa, fue siempre necesario que a esta Romana Iglesia, por su más poderosa principalidad, se uniera toda la Iglesia, es decir, cuantos fieles hay, de dondequiera que sean . . . La Santa Sede Apostólica y el Romano Pontífice poseen el primado sobre todo el orbe, y que el mismo Romano Pontífice es sucesor del bienaventurado Pedro, príncipe de los Apóstoles, y verdadero vicario de Jesucristo y cabeza de toda la Iglesia, y padre y maestro de todos los cristianos, y que a él le fue entregada . . . plena potestad de apacentar, regir y gobernar a la Iglesia universal . . . ».[1]

«22. Así como, por disposición del Señor, San Pedro y los demás Apóstoles forman un solo Colegio apostólico, de modo análogo se unen entre sí el Romano Pontífice, sucesor de Pedro, y los Obispos, sucesores de los Apóstoles . . . El Colegio . . . de los Obispos . . . no tiene autoridad, a no ser que se considere en comunión con el Romano Pontífice, sucesor de Pedro, como cabeza del mismo, quedando totalmente a salvo el poder primacial de éste sobre todos, tanto pastores como fieles. Porque el Romano Pontífice tiene sobre la Iglesia . . . plena, suprema y universal potestad, que puede ejercer

---

[1]Sesión IV (Julio de 1870) de Vaticano I, según E. Denzinger. *El Magisterio de la Iglesia* (Barcelona: Herder, 1963), pp. 421ss.

libremente . . . El Señor estableció solamente a Simón como roca y portador de las llaves de la Iglesia (Mt. 16:18-19) . . . 23. El Romano Pontífice, como sucesor de Pedro, es el principio y fundamento perpetuo de unidad así de los Obispos como de la multitud de los fieles. Por su parte, los Obispos son . . . el principio . . . de unidad en sus iglesias particulares . . . ».[2]

## 2. La salvación sólo está en la iglesia romana

El dogma del papado lleva necesariamente a la doctrina de que la salvación sólo está dentro del redil Romano. Cuando Roma se une a toda la cristiandad para declarar que la salvación se encuentra *sólo* dentro de la iglesia, y que fuera de ella no hay posibilidad de salvación,[3] los romanistas interpretan esta afirmación como refiriéndose *única y exclusivamente* a su propia y específica institución monárquica visible. Esto es así, porque según el oficialismo romano los sacramentos son medios imprescindibles de salvación y éstos son efectivos y legítimos, siempre y cuando sean administrados por sacerdotes ordenados por un obispo sujeto a Roma. ¿Pero por qué la necesidad de un sacerdote ordenado por Roma? La ordenación al ministerio es un *sacramentum*, lo que Roma define como una señal y medio de gracia (*media gratiae*) que imprime un *character*, marca o cualidad indeleble en el alma del que la recibe. Pero según el romanismo, Cristo legó su poder de salvación y reinado a una cadena de sucesores en línea ininterrumpida, comenzando desde el apóstol Pedro. Sólo la imposición de manos de los sucesores de Pedro y de los obispos sujetos al Papa tiene la capacidad de conferir la ordenación (*ordinis sacerdotalis*) como un sacramento y don espiritual.[4] Por tanto, sólo los sucesores de Pedro, y los autorizados por ellos, son los *únicos* dispensadores de la salvación:

«19. El Señor Jesús . . . eligió a doce . . . ; a estos Apóstoles (cf. Lc. 6:13) los instituyó a modo de colegio, es decir, de grupo estable, al frente del cual puso a Pedro . . . Los envió . . . para que . . . hiciesen discípulos de El a todos los pueblos y los santificasen y los gobernasen . . . 20. Esta divina misión . . . ha de durar hasta el fin del mundo . . . Por esto los Apóstoles se cuidaron de establecer sucesores en esta sociedad jerárquicamente organizada. 21. Para realizar estos

---

[2]Capítulo III del documento *Lumen gentium* de Vaticano II, según aparece en *Documentos del Vaticano II* (Madrid: BAC, 1967), pp. 58ss.

[3]Sobre la forma en que la Reforma entendió la afirmación de que la salvación sólo se encuentra dentro de la iglesia, véase más adelante el capítulo VI, Testimonio confesional.

[4]Cf. Sesión XXIII (Julio de 1563) del Concilio de Trento en E. Denzinger. *Op. cit*, pp. 272ss.

oficios tan excelsos, los Apóstoles fueron enriquecidos por Cristo con una efusión especial del Espíritu Santo . . . , y ellos, a su vez, por la imposición de las manos, transmitieron a sus colaboradores este don espiritual (cf. 1 Ti. 4:14; 2 Ti. 1:6-7), que ha llegado hasta nosotros en la consagración episcopal . . . La consagración episcopal . . . confiere . . . oficios . . . , los cuales, sin embargo, por su misma naturaleza, no pueden ejercerse sino en comunión jerárquica con la Cabeza y los miembros del colegio. Pues según la Tradición . . . es cosa clara que por la imposición de las manos y las palabras de la consagración se confiere la gracia del Espíritu Santo y se imprime el sagrado carácter, de tal manera que los Obispos, de modo visible y eminente, hacen las veces del mismo Cristo, Maestro, Pastor y Pontífice, y actúan en lugar suyo. Pertenece a los Obispos incorporar, por medio del sacramento del orden, nuevos elegidos al Cuerpo episcopal».[5]

De tal manera que, para participar de la salvación es imprescindible estar dentro de esa organización visible que es la iglesia de Roma. Para alcanzar la salvación debemos recibirla de mano de quienes son los *únicos* dispensadores de la salvación aquí en la tierra. Esta monarquía es, como organización visible y externa, la única depositaria de los bienes celestiales; es esta institución como tal la poseedora de las arcas y tesoros de la salvación. Todos los que estén fuera de ella están perdidos por la eternidad.

## 3. Sólo la iglesia Romana es la verdadera y única iglesia de Cristo

La doctrina del papado también obliga a pensar que sólo la iglesia romana es la única y verdadera iglesia de Cristo, pues si el Papa es el vicario de Cristo, cabeza y fundamento único de la iglesia, pastor, legislador y juez supremo, entonces:

«no hay otra Iglesia Católica, sino la que, edificada sobre el único Pedro, se levanta por la unidad de la fe y la caridad . . . ».[6]

---

[5]Capítulo III del documento *Lumen gentium* de Vaticano II, según aparece en *Documentos del Vaticano II* (Madrid: BAC, 1967), pp. 54ss. Cf. «Por medio de su Cura, el católico sabe que se halla en comunión con el Obispo, y por medio del Obispo con el Papa, sucesor de San Pedro . . . En comunión con el sucesor de S. Pedro, el cristiano puede repetir con gran satisfacción de su alma aquella celebre sentencia de S. Ambrosio: *Ubi Petrus, ibi Ecclesia* [esto es], en donde está Pedro, allí está la Iglesia». J. Weninger, *Catolicismo, Protestantismo, Racionalismo* (Barcelona: Montserrat, 1903), p. 25.

[6]Pío IX, en E. Denzinger. *Op. cit,* § 1686.

«La Iglesia es una por su unidad de doctrina, como por su unidad de gobierno y, a la vez, católica, y pues Dios estableció su centro y fundamento en la cátedra del bienaventurado Pedro, con razón se llama Romana; pues donde está Pedro, allí está la Iglesia».[7]

El documento *Lumen gentium* (aprobado el 19 de noviembre de 1964 por Vaticano II), a lo sumo reconoce que en las denominaciones que estamos fuera del rebaño romano hay elementos que son característicos de la iglesia, pero no nos reconoce nuestra calidad de tal. El documento insiste en que la iglesia verdadera:

« . . . subsiste en la Iglesia católica, gobernada por el sucesor de Pedro y por los Obispos en comunión con él, si bien fuera de su estructura se encuentren muchos elementos de santidad y verdad que, como bienes propios de la Iglesia de Cristo [entiéndase: la iglesia romana], impelen hacia la unidad católica».[8]

Observemos que la última parte de este texto indica que aquellos elementos característicos de la verdadera iglesia, que se dice tenemos los protestantes, deberían impelernos a unirnos a Roma, la única y verdadera iglesia. Para Roma los grupos protestantes de ninguna manera pueden ser «iglesias» (por carecer de la Orden sacerdotal y, por tanto, de la verdadera y completa eucaristía) y en el decreto *Unitas redintegratio* se nos califica de «comunidades eclesiales», debido a que dentro de los protestantes existen esos «muchos elementos de santidad y verdad». Pero sólo somos «comunidades eclesiales», pues fuera de la sujeción al Papa es imposible que seamos iglesia en forma acabada y completa:

«Porque únicamente por medio de la Iglesia católica de Cristo, que es el auxilio general de salvación, puede alcanzarse la total plenitud de los medios de gracia. Creemos que el Señor encomendó todos los bienes de la Nueva Alianza a un único Colegio apostólico, al que Pedro preside, para constituir un único Cuerpo de Cristo en la tierra, al cual es necesario que se incorporen plenamente todos los que de algún modo pertenecen ya al pueblo de Dios».[9]

De tal manera que, el ecumenismo propiciado por Roma es el ecumenismo que nos invita a todos los hermanos separados a volver a la

---

[7] León XIII, en E. Denzinger. *Op. cit.,* § 1976.

[8] *Documentos,* p. 41s.; los corchetes son míos.

[9] *Documentos,* p. 541.

única y verdadera iglesia, la romana. Es por esto que lo primero que hace el supuesto decreto «ecuménico» *Unitas redintegratio*, es fijar los principios sobre los cuales Roma practica el ecumenismo, y al hacerlo surge otra vez la cantinela de que Cristo formó un colegio con Pedro a la cabeza, etc.[10]

## 4. La forma de gobierno como parte de lo que *es* la iglesia

La doctrina romana de la iglesia hace imperativo que la *forma de gobierno* jerárquico o episcopal se tenga como parte esencial y necesaria de la naturaleza misma de la iglesia, al punto de creer que si este Estado monárquico visible con su forma específica de gobierno dejara de existir como tal, la iglesia también dejaría de existir, así como feneció el Imperio Asirio o el Babilónico en el período veterotestamentario. Aquí también es la doctrina del papado la que hace imposible otra forma de gobierno, que no sea una institución jerárquica episcopal. Sólo el Papa es el manantial de la salvación, así que de él bajan las aguas de la salvación que se canalizan a través de los obispos y sacerdotes. Sólo el Papa es el poseedor de la Orden (*ordinis sacerdotalis*), del sacramento del único sacerdocio. Por tanto, sólo aquellos sacerdotes *subordinados* al Papa reciben el *character sacramentalis* y pueden así comunicar a los fieles la salvación a través del bautismo y la eucaristía. Ahora bien, lo que venimos diciendo clarifica que no es el sistema episcopal propiamente tal lo que hace horrenda la doctrina romana de la iglesia, no es la forma de gobierno jerárquica *en sí* lo malo. La iglesia Metodista, por ejemplo, también tiene una forma episcopal de gobierno, y no por eso anida en su seno un cáncer semejante al de Roma. Es la doctrina del papado la que convierte al sistema episcopal Romano en una aberración. Es la creencia en una *sucesión apostólica* la que crea todo el sectarismo y prepotencia de Roma.

## 5. Externalismo e institucionalismo

Otra consecuencia que en aquel entonces se desprendió de este concepto institucionalista es la tendencia a creer de que para pertenecer a la iglesia basta con hacer una profesión externa de la fe romana, participar de los sacramentos y someterse al único vicario plenipotenciario de Cristo, que es el pontífice romano. Clásicas son las afirmaciones del cardenal jesuita, Roberto Bellarmino, quien después de mencionar las ideas que los reformadores tuvieron de la iglesia, afirma que la diferencia que hay entre la posición romana y la reformada radica en que los reformadores:

---

[10]Cf. el Cap. I en *Documentos*, pp. 538ss.

"todos requieren virtudes internas para que un hombre se constituya en miembro de la Iglesia; y por tanto, hacen invisible a la verdadera Iglesia. Por nuestra parte, nosotros también creemos que todas las virtudes, como la fe, la esperanza, el amor, etc., se encuentran en la Iglesia. Sin embargo, sostenemos que no se necesita virtud interna alguna, a fin de que se diga que un hombre es, en cierto sentido, parte de la verdadera Iglesia de la que habla la Escritura, sino que sólo se requiere una profesión externa de la fe y la comunión de los sacramentos, los cuales se reciben por los sentidos. Porque la Iglesia es un cuerpo de hombres tan visible y palpable como es la asamblea del pueblo romano, el reino de Francia o la república de Venecia".[11]

Reparemos, pues, en que según esta opinión basta que alguien profese la fe, participe en los sacramentos y acepte el gobierno del clero con el Papa a la cabeza, para que sea miembro de la iglesia, *etiamsi reprobi, scelesti et impii sint*, esto es, "aun cuando sean réprobos, criminales e impíos".[12]

Preguntémonos ahora si con los años la iglesia romana ha llegado a admitir un concepto menos institucionalista de la iglesia. Vimos que al debatir con la Reforma, la iglesia romana negó que hubiese una iglesia invisible. Pero el surgimiento del romanticismo (entre 1775 y 1815), hizo que dentro del catolicismo se empezase a hablar de la iglesia en una forma más orgánica y espiritual, como cuerpo místico de Cristo. Más adelante, el florecimiento de los estudios bíblicos, durante los siglos XIX y XX, también suscitó en su seno nuevos conceptos sobre la iglesia, que Roma solo trata de detener mediante el oficialismo que se aferra a la doctrina del papado.

Con la llegada de Vaticano II se impuso un concepto espiritual de la iglesia. Su primera constitución dogmática, *Lumen gentium*, se refiere a la iglesia en estos términos:

"Mas la sociedad provista de sus órganos jerárquicos y el Cuerpo místico de Cristo, asamblea visible y comunidad espiritual, la Iglesia terrestre y la Iglesia enriquecida con los bienes celestiales, no deben ser consideradas como dos cosas distintas, sino que más bien forman una realidad compleja que está integrada de un elemento humano y otro divino".[13]

---

[11] *Opera*, tomo II, lib. iii. cap. 2.

[12] *Ibid*.

[13] Cap. I. art. 8, en *Documentos*, p. 41.

Esto es todo un progreso. Pero no pequemos de ingenuos. A pesar de los tremendos cambios que por dentro sigue sufriendo el romanismo, su oficialismo hace que todavía sea del todo cierto lo que Möhler decía:

«los católicos enseñan: la iglesia visible es primero, sólo entonces viene la invisible, la primera da a luz la segunda. Por otra parte, los luteranos dicen lo contrario: la Iglesia visible emerge de la invisible, pues ésta última es el fundamento de la otra. En esta aparentemente poco importante oposición se esconde una tremenda diferencia».[14]

Lo más importante es que todavía persiste el infranqueable problema de que para el oficialismo romano la única iglesia espiritual y celestial es sólo y nada más que la iglesia romana. Para el Vaticano II la iglesia institucional específica de Roma con su gobierno monárquico es todavía:

«la única Iglesia de Cristo, que en el símbolo confesamos como una, santa, católica y apostólica».[15]

Por más que Roma hable ahora de una iglesia invisible o espiritual, *el papado* es su único garante para poder conservar el monopolio de la salvación y el supuesto derecho exclusivo al título de «Iglesia de Cristo». Roma no puede abandonar su pretensión de que la única iglesia verdadera «establecida y organizada en este mundo como una sociedad, subsiste en la iglesia católica, gobernada por el sucesor de Pedro y por los Obispos en comunión con él».[16] Sabemos bien que cada vez que se presione a la iglesia romana con el argumento de la iglesia invisible, ellos reconocerán que en el fondo sólo los regenerados por el Espíritu, sólo los que han ejercido una fe viva y un arrepentimiento verdadero son hijos de Dios y miembros de su iglesia. Pero tan pronto como dejen de tener en frente de sí las dificultades y objeciones a su doctrina, volverán a subrayar e inculcar su teoría institucionalista y monárquica de la iglesia, la que no sólo tiende a imprimir en la gente la idea de que basta con ser un profeso nominal para ser parte de la iglesia, sino que afirma tajantemente que la salvación sólo se encuentra dentro del círculo romano. Por el contrario, nosotros afirmamos que lo

---

[14]Citado en J. Bannerman. *The Church of Christ* (1869, reimpreso por Edimburgo: Banner of Truth, 1960), p. 38. Bannerman también cita al romántico F. Schleiermacher, que dice: «El protestantismo hace que la relación que el individuo tiene con la Iglesia dependa de su relación con Cristo, el católico romano, en cambio, hace que la relación que el individuo tiene con Cristo dependa de la Iglesia».

[15]Cap. I. art. 8, en *Documentos*, p. 41.

[16]*Ibid.*

substancial es haber sido llamado eficazmente por el Señor. Lo que importa es haber ejercido verdadera fe y arrepentimiento. El Señor mira los corazones y dará su Espíritu sólo a aquellos que realmente creen. Por esto es que Pedro afirmó: *"y el Dios conocedor de corazones testificó en favor de ellos, dándoles el Espíritu Santo, lo mismo que a nosotros, y no hizo ninguna diferencia entre nosotros y ellos, purificando por la fe sus corazones"* (Hch. 15:8s.). Allí estaban los judíos preocupándose de lo visible y externo, de si los gentiles eran o no circuncisos (Hch. 15:1s.), mientras que Pedro coloca el acento en el estado del corazón. El mismo principio guiaba a Pablo, el que en su ministerio se preocupaba de agradar a Dios, *"que examina los corazones"* (1 Ts. 2:4; cf. 2 Ti. 2:19).

## 6. Consecuencias de una doctrina institucionalista de la iglesia

**a.** El institucionalismo tiende a fundamentar la salvación en la mera pertenencia a una denominación o iglesia local, olvidándose de que la salvación sólo se encuentra cuando uno se une a Cristo por la fe y el arrepentimiento. Es Cristo quien por su sacrificio nos libra de la condenación que nuestros pecados merecen y es él quien envía su Espíritu a nuestras vidas, santificándolas para Dios.

**b.** Junto con ésto, la gente que opera con estos parámetros tenderá a pensar que su vida cristiana tiene que ver sólo con aquello que concierne a su participación en la institución, como por ejemplo ir al culto, visitar a algún enfermo, preparar la Santa Cena, etc. De esta forma, poco y nada tendrá que ver mi cristianismo con los demás aspectos de mi vida. Mi trabajo, mi familia, mis pasatiempos, etc. estarán desconectados de lo que es mi "vida cristiana". Pero lo cierto es que la iglesia como institución no agota ni monopoliza el significado de mi vida como cristiano.

**c.** El institucionalismo hace que la iglesia se preocupe más de su propia seguridad, pompa y riqueza que de su razón de ser: convertir al mundo para Cristo. La institución se convierte en un fin.

**d.** Dentro de este esquema la gente de la iglesia se inclinará a entregar la tarea de la evangelización de los pecadores al "personal contratado".

**e.** Esta tendencia tiende a retener declaraciones y formas, pero despojadas del trasfondo y riqueza espiritual que las sustenta. De esta manera, las declaraciones de la Fe y la Doctrina pierden su significado, se convierten en afirmaciones huecas, que nada dicen ni comunican. La liturgia se convierte en formas vacías que se llevan a cabo por la costumbre. El culto se vuelve una experiencia agobiante y aburrida.

**f.** Cuando la iglesia aparta la fe de Cristo, para ponerla en la institución, ocurre otra cosa: tenderá a reinterpretar su fe y misión en la forma de un humanismo social. Ser cristiano es tan solo promover la moral y las buenas costumbres. El contenido de la predicación se convierte en un llamado a ser buenas personas, a amar al prójimo, a buscar el progreso social. Se olvida, sin embargo, que todo esto no es más que una consecuencia del poder de Dios que actúa a través del evangelio.

## LA POSICIÓN DE LA REFORMA

La Reforma enseñó que el ser humano es un ser caído, y que la única forma de liberarlo de la culpa (condenación) y del poder (corrupción) del pecado es a través de la justificación por Cristo y la morada del Espíritu Santo. Sobre esta base, la Reforma también afirmó que todo hombre que haya creído con fe viva y genuino arrepentimiento, producto del llamamiento eficaz, es partícipe de la justificación y del Espíritu Santo, mostrando en su vida los frutos de la salvación.

Ahora bien, si la Reforma partió del supuesto de que todo hombre está bajo el poder del pecado (*potestas peccati*), si sostuvo que la salvación se manifiesta sólo en aquellos que con fe viva y arrepentimiento genuino se unen a Cristo, y si afirmó que sólo ellos reciben el Espíritu, entonces no podía más que concluir que ninguna persona que carezca de esta fe y arrepentimiento podrá jamás ser justificada o poseer el Espíritu. Esta posición fuerza a concluir irremediablemente que tal persona no es parte del cuerpo de Cristo, la verdadera iglesia del Señor. Podrá ser miembro de la iglesia como institución, pero su nombre no está inscrito en los cielos.

## 1. El llamamiento eficaz[17]

Empecemos definiendo qué es el llamamiento eficaz. En este contexto la palabra «llamamiento» no apunta a la invitación que un humano hace a la gente por medio de la predicación del evangelio (*causa instrumentalis*). El término apunta más bien a una acción exclusivamente divina. Apunta a aquella *"obra realizada por el Espíritu de Dios, por la cual, convenciéndonos de nuestro pecado y miseria, iluminando nuestras mentes en el conocimiento de Cristo y renovando nuestra voluntad, nos persuade y capacita para abrazar a Jesucristo, quien nos es libremente ofrecido en el Evangelio".*[18]

---

[17]Aquí examinamos la doctrina del llamamiento desde la perspectiva fundacional de la acción soberana de Dios (*causa libera et efficiens*). Más adelante, en el Capítulo V, la abordaremos desde la perspectiva de la acción humana.

A la pregunta "¿Qué es la iglesia?", la Reforma ha respondido preguntándose primero cómo es que una persona llega a ser cristiana. Al volverse a la Escritura, la Reforma halla que la manera en que uno se convierte en hijo de Dios, no es mediante una mera profesión nominal y externa de la fe, ni tampoco por el bautismo (cf. 1 Co. 1:17), sino en virtud del llamamiento eficaz (*vocatio efficax*). Es este llamamiento el que nos hace parte de la congregación de los santos (*congregatio sanctuorum*). Por esto, cuando Pablo se dirige a los creyentes, los designa como *"santos en virtud de vuestro llamamiento"* (Ro. 1:7; 1 Co. 1:2).[19] No pasemos por alto que Pablo usa estos apelativos precisamente en el lugar donde se precisa la identidad del *destinatario* de la carta. En Romanos 8:28ss. Pablo usa el término "llamado" para referirse a quienes han sido destinados a llevar la imagen de Cristo, siendo precisamente este llamamiento el que crea en principio el nuevo hombre: *"los predestinó a reproducir la imagen de su Hijo"* (8:29). El texto añade que sólo los llamados son justificados y glorificados (8:30). Más adelante, en Romanos 9:23ss., Pablo afirma que Dios no sólo preparó de antemano a sus vasos de misericordia,[20] sino que también (=καί) los llamó de entre (=ἐξ) los judíos y los gentiles. En otras palabras, tanto la elección como el llamamiento eficaz hace de los hombres pueblo de Dios, esposa amada e hijos del Dios viviente (Ro. 9:23-26).[21] Todos estos privilegios surgen

---

[18] *Catecismo menor de Westminster*. Preg. 31. Cf. *Confesión de Westminster*. Cap. XII. Los pasajes que veremos en un momento nos llevarán a concluir que: "En el uso paulino καλεῖν [=llamar] denota el llamamiento eficaz de Dios: los κλητοί [=llamados] son aquellos que han sido llamados eficazmente, que han sido llamados por Dios y que han respondido a ese llamado". C.E.B. Cranfield. *Romans* (Serie ICC. Edimburgo: T & T Clark, 1975). vol. I, p. 69.

[19] O como traduce BJ *"santos por vocación"*. Literalmente el texto griego sólo dice: *llamados santos* (NC, κλητοῖς ἁγίοις, detrás de esta expresión se esconde el hebreo *miqra' qodes*, "santa asamblea"). La traducción "llamados a ser santos" (RV60, RV95, CI, LT, NTT, VM; cf. BP) no es exacta, pues la adición de *a ser* podría dar a entender un sentido volitivo o télico que no es del todo correcto: llamados con el fin de que ellos se santifiquen. La idea es más bien: santos en virtud de que fueron llamados por Dios. De la misma forma, Pablo es apóstol en virtud de su llamamiento (κλητὸς ἀπόστολος). El énfasis recae en la acción divina, "porque no es por naturaleza, sino por el llamamiento divino que los cristianos son ἅγιοι; ellos deben su membresía dentro de la santa comunidad cúltica al llamamiento de la gracia divina en Cristo" (O. Procksch, *TDNT*, vol. I, p. 107). O como dice Plumer, "*llamados*, no sólo denominados, sino llamados eficazmente y así hechos *santos*, santos al Señor, en un corazón y vida rendidos a Dios". W.S. Plumer, *Commentary on Romans* (1870, reimpreso por Grand Rapids: Kregel, 1971), p. 38.

[20] Los genitivos *"de ira"* (ὀργῆς v. 22) y *"de misericordia"* (ἐλέους v. 23) son objetivos (cf. DM § 90 (5)*b*, BDF § 163), esto es: vasos que reciben la ira y la misericordia de Dios respectivamente, lo cual a su vez se ejemplifica en su destino: *"para destrucción"* (εἰς ἀπώλειαν v. 22) y *"para gloria"* (εἰς δόξαν v. 23).

del hecho de que el llamamiento nos une a Cristo: *"fuisteis llamados en unión a* (εἰς) *su Hijo"* (1 Co. 1:9). Dos cosas hay que notar en este texto. Primero, el verbo *"fuisteis llamados"* (ἐκλήθητε) es lo que se ha llamado un "pasivo teológico".[22] Dios el Padre es el agente de la acción, él es quien nos llama: *"fuisteis llamados* [por Dios]*".* Segundo, la acción divina por la cual somos llamados produce y tiene como fin nuestra unión con Cristo: *"en unión a* (εἰς) *su Hijo".*[23] Es por esto que, cuando Judas especifica cuál es el destinatario de su epístola, también usa el término "llamado", pues describe claramente la identidad de quienes recibirán su carta: *"a los llamados: amados*[24] *en Dios Padre y preservados para Jesucristo"* (Jd. 1).[25] Judas define a estos llamados en términos del amor y protección de Dios.[26] En 1 Corintios 1:22-24 Pablo contrasta a los "llamados" con los judíos y gentiles que rechazan el evangelio. La predicación los invitó a todos a recibir a Cristo (*vocatio externa sive generalis*), así que allí no está el contraste. La diferencia entre la gente nombrada en los vv. 22-23 y la mencionada en el v. 24 radica en que unos han sido llamados eficazmente (*vocatio specialis sive evangelica*), los otros no. Son los llamados los que responden positivamente al evangelio. Para ellos Cristo es el poder y sabiduría de Dios. En 2 Tesalonicenses aparece de nuevo la misma diferencia: Primero el apóstol presenta el negro panorama de los condenados (2:7-12). Después, en contraste con esa desdichada situación, los vv. 13-14 introducen el destino de los creyentes (ἡμεῖς δέ= *"Nosotros, en cambio . . . "*, NVI95), como un regalo de Dios por el cual dar gracias:

---

[21]Cf. *"Os llamó <fuera> de las tinieblas a su luz admirable"*, 1 P. 2:9. Véase también 2 Ti. 1:9 donde se vuelve a conectar el llamamiento eficaz con la elección.

[22]"'Pasivo teológico' es el nombre dado al uso de la voz pasiva, cuando [por respeto] se quiere evitar nombrar a Dios directamente como el agente de una acción". M. Zerwick, *Biblical Greek* (Roma: Scripta Pontificii Instituti Biblici, 1963), § 236. En estos casos hay que suplir mentalmente al agente de la acción, como en: *". . . porque ellos serán consolados* [por Dios] . . . *serán saciados* [por Dios], etc. (Mt. 5:4ss.).

[23]No pasemos por alto que la unión con Cristo, que el llamamiento lleva a cabo, se menciona aquí en 1 Co. 1:9 con el fin de introducir un elemento de seguridad respecto a la promesa de que Dios perfeccionará hasta el final su obra en los creyentes. La fidelidad de Dios, la cual nos asegura su continuo obrar en nosotros hasta el fin, se centra precisamente en que estamos unidos a Cristo. Cf. Ro. 11:29; 1 Ts. 5:24.

[24]La lectura *"santificados"* (RV60 y RV95) descansa sobre manuscritos inferiores.

[25]Otra posibilidad es traducir: *"a los llamados: amados por Dios y preservados por Jesucristo".*

[26]En el original la frase τοῖς . . . κλητοῖς (=a los llamados) encierra a *amados* y *preservados.*

« . . . *porque Dios os escogió para salvación como primicias,*[27] *<la cual salvación se opera> por medio de*[28] *la santidad producida por el Espíritu y por medio la fe en la verdad. Al cual estado os llamó por medio de nuestro evangelio».*

Aquí se afirma que el llamamiento nos introduce a un estado de salvación caracterizado por la santidad y la fe. Otro texto paulino nos dice que el llamamiento de Dios nos introduce en *"su reino y gloria"* (1 Ts. 2:12). 1 Timoteo 6:12 también nos habla de que hemos sido llamados o introducidos en *"la vida eterna"*.

Una mirada a textos como estos nos demuestra que la iglesia está compuesta *exclusivamente* de aquellos que verdaderamente han creído y se han arrepentido, pues son los que fueron llamados eficazmente *fuera de* las tinieblas, para ser introducidos *en* la comunión con Cristo y su reino (Col. 1:14). Por tanto, la verdadera iglesia no está compuesta de personas que simplemente profesan externamente que son cristianas. La iglesia no está compuesta por cristianos nominales, sino por los llamados, aquellos que sí han sido introducidos y unidos a Cristo.

Es en base a este entendimiento de la salvación, que la *Confesión Belga* declara:

«Creemos que esta fe, que se obra en el hombre por oír la Palabra de Dios y por la operación del Espíritu Santo, lo regenera y lo convierte en un nuevo hombre, haciéndolo vivir una nueva vida y liberándolo de su esclavitud al pecado . . . Por tanto, es imposible que esta fe santa sea infructífera en el hombre . . . ».[29]

## 2. El Espíritu y el cuerpo de Cristo

Efesios 1:22 dice que Dios constituyó a Cristo como cabeza de la iglesia (*caput ecclesiae*), la cual es su cuerpo. El NT habla de la iglesia como cuerpo de Cristo, principalmente porque ella es morada del Espíritu. La iglesia posee el Espíritu Santo, porque en cada creyente habita el Espíritu, siendo éste el factor que une a todos los creyentes en un cuerpo. Como dice Pablo:

---

[27] Seguimos la lectura *aparjēn* (ἀπαρχήν = *"como primicias"*, BP, CI, NTT, NBE) y no *ap' arjēs* (ἀπ᾽ ἀρχῆς = *"desde el principio"*, RV60, RV95, BJ, NVI95, NC, LT), que no ocurre en Pablo. Con todo, ambas lecturas tienen el mismo apoyo manuscrito.

[28] La preposición griega *en* (ἐν) es aquí instrumental. Cf. BAGD p. 640, no. III.1.a.

[29] Art. XXIV.

*«Mas vosotros no estáis en la carne,*
  *sino que en el Espíritu,*
  *puesto que el Espíritu de Dios mora en vosotros.*
*Y si alguno no tiene el Espíritu de Cristo, no es de él»*
(Ro. 8:9).

Otro pasaje que habla de lo mismo es 1 Corintios 12:13, que dice:

*«porque todos nosotros,*
  *ya seamos judíos o griegos, esclavos o libres,*
*fuimos bautizados con un solo Espíritu,*
  *para así ser incorporados a un solo cuerpo,[30]*
*y a todos se nos dio a beber un solo Espíritu».*

### EXCURSUS SOBRE 1 CORINTIOS 12:13

Tenemos que evaluar y rechazar aquí dos traducciones erróneas. Si el lector no se interesa en el problema exegético, puede saltarse esta sección. **1.** Las versiones RV60, (RV77, RV89, RV95) y NVI95 traducen: *«por* un solo Espíritu fuimos todos bautizados». Esta traducción es equívoca, pues podría comunicar que el Espíritu es el *agente* que nos bautiza; el Espíritu sería el Bautizador. Esto es un descuido que debe rechazarse definitivamente. Empecemos por decir que cuando la voz pasiva quiere apuntar al *agente* que lleva a cabo una acción (sujeto lógico), por lo general usa la preposición ὑπό: *«He sido informado por los de Cloé»* (1 Co. 1:11), lo que quiere decir «los de Cloé me han informado» (CB).[31] Pero en 1 Corintios 12:13 encontramos la expresión: ἐν ἑνὶ πνεύματι ἡμεῖς πάντες εἰς ἓν σῶμα ἐβαπτίσθημεν. La preposición griega ἐν se usa con un verbo en voz pasiva en sentido instrumental (semitismo): *«con qué será salada»* (ἐν τίνι ἁλισθήσεται, Mt. 5:13), *«es purificado con sangre»* (ἐν αἵματι . . . καθαρίζεται, Heb. 9:22, cf. DM §157.3). Esto nos dice que el *por* de la RV60 realmente quiere decir *«por medio del Espíritu»*, Dios nos bautiza usando al Espíritu. Para evitar la polisemia, lo mejor es traducir: *«con el Espíritu».[32]* Véase también los casos presentados en BDF §219 y BAGD p. 260 (ἐν III.1.a. y b.), donde los ejemplos personales son instrumentales (imitando a ב) y no registran la voz pasiva (como, e.g., *«por medio del príncipe de los demonios*

---

[30]El griego lee *eis hen sōma* (εἰς ἓν σῶμα = lit. *«hacia el interior de un solo cuerpo»*). Como lo reconocen NBE, CI y BJ, la preposición *eis* (εἰς) señala tanto la dirección como el resultado de haber sido bautizados con el Espíritu: *«de tal forma que de esa manera pasamos a ser incorporados a un solo cuerpo».*

[31]Aunque también aparecen ἀπό (Hch. 2:22), διά (1 Co. 1:9) o παρά (Lc. 1:45) indicando al agente. Cf. BDF §210.2, 223.2, 232.2, Robertson *Grammar*, pp. 615, 820.

[32]Véase A. Oepke, *TDNT* vol. II, p. 541; E. Schweizer, vol. VI, p. 418.

*echa fuera los demonios»*, Mt. 9:34).[33] **2.** La BJ también registra una traducción deficiente: «Porque *en* un solo Espíritu hemos sido bautizados». Pero la idea no es aquí que a los cristianos se les introduce *en* el Espíritu. En el presente contexto, el Espíritu es claramente el elemento *con* el cual se nos bautiza. La idea es que el Padre (pasivo teológico, véase la nota 22) nos bautiza *con* el Espíritu, para de esta manera ser introducidos *en* el cuerpo de Cristo (cf. las Versiones NBE y CI). Usando el lenguaje bautismal en forma metafórica, el texto afirma que el Espíritu es aquí el agua con la que se nos bautiza, convirtiéndose así en el elemento de unión. Esto implica también que en este versículo los términos «bautizar» y «dar a beber» no apuntan a los sacramentos. En otras palabras, el texto no habla del Bautismo con agua y tampoco se refiere a la Santa Cena. Los términos son usados en forma figurada para referirse a la recepción del Espíritu por parte de todos los cristianos en su conversión. Lo que realmente nos hace uno no es el Bautismo, sino que el Espíritu. El texto habla de la realidad del Espíritu con el lenguaje de su signo y sello. Finalmente, la traducción que hemos propuesto (*"fuimos bautizados con un solo Espíritu"*), armoniza con la tradición: *"él os bautizará con [ἐν] Espíritu Santo"* (Mt. 3:11), *"este es el que bautiza con [ἐν] Espíritu Santo"* (Jn. 1:33), *"seréis bautizados con [ἐν] Espíritu Santo"* (Hch. 1:5). Caben aquí dos observaciones: Primero, en Mateo 3:11 y Juan 1:33 *"con Espíritu"* (ἐν πνεύματι) se usa en contraste con la expresión *"con agua"* (ἐν ὕδατι). Segundo, en un contexto menos semítico, Marcos 1:8; Lucas 3:16 y Hechos 1:5 usan sólo el dativo ὕδατι (sin la preposición ἐν), lo que ratifica el sentido *"con agua"*. Con el simple dativo, no hay espacio para «en agua». Como dice F.F. Bruce, «ἐν es instrumental, representando al arameo *bĕ*, el cual en este sentido también es representado por el dativo simple, como en ὕδατι».[34]

---

[33]En 1 Co. 6:2 la RV60 otra vez se descuida y traduce: «el mundo ha de ser juzgado por vosotros» (καὶ εἰ ἐν ὑμῖν κρίνεται ὁ κόσμος). Aunque κρίνεται es pasivo, la prep. ἐν no apunta al agente, sino que se trata del «ἐν forense», como dice H. Conzelmann, *1 Corinthians* (Philadelphia: Fortress, 1975), p. 103, nota 4. Cf. BDF § 219.1, que traduce: «delante del tribunal de» (cf. Hch. 17:31). Véase también Moulton, vol. I, *Prolegomena*, p.103; vol. III, *Syntax*, p. 253; Robertson *Grammar*, p. 587.

[34]F.F. Bruce, *The Acts of the Apostles: The Greek Text with Introduction and Commentary* (Leicester: IVP, 1952), p. 69. Al hablar del uso instrumental del dativo, BDF § 195 clasifica la expresión βαπτίζειν ἐν como «bautizar con», junto con otras como «matar con la espada», «sasonar con», «quemar con fuego», etc. Véase también C.F.D. Moule, *An Idiom-Book of the New Testament Greek* (Cambridge: Cambridge University Press, 1959), p. 77. Todo lo visto nos dice que Gordon Fee anda desencaminado, cuando insiste que en el NT la expresión βαπτίζειν ἐν siempre quiere decir bautizar «en agua». G.D. Fee, *Primera Epístola a los Corintios* (Grand Rapids: Nueva Creación, 1994), p. 685 y nota 33 de la misma página.

De manera que, el elemento que nos une como cristianos es el Espíritu Santo, se trata de *«la unidad creada por el Espíritu»*[35] (Ef. 4:3). No importa cuál sea nuestra raza, lengua, cultura, posición social, situación económica, *todos* nosotros, dice Pablo, formamos un solo cuerpo en Cristo. Estos textos nos dicen que la morada del Espíritu en cada cristiano es la característica distintiva y determinante de todos aquellos que son miembros del cuerpo de Cristo. Cada creyente es habitado y guiado por el Espíritu. Pero todas estas afirmaciones sólo pueden predicarse de los *verdaderos* creyentes y jamás de la masa humana que profesa ser cristiana. En otras palabras, ninguna denominación u organización eclesiástica externa y visible con todos sus miembros y actividades es *idéntica y coextensiva* con el cuerpo de Cristo. Ninguna denominación o entidad institucional visible (sea ésta presbiteriana, metodista, bautista, romana, etc.) es como tal y en todas sus esferas morada del Espíritu y cuerpo de Cristo, ni tampoco participante de la vida y gloria futura. Muy por el contrario, la experiencia nos dice que las denominaciones están compuestas por gente creyente y no creyente. El NT confirma la experiencia, afirmando claramente de que dentro de la iglesia como institución hay falsos hermanos.[36]

## 3. La santidad de la iglesia

Si es cierto que la iglesia es el domicilio del Espíritu, entonces su presencia producirá *santidad* en cada creyente verdadero. La iglesia tiene al Espíritu y éste producirá una iglesia santa. Charles Hodge lo ha expresado diciendo que la iglesia es santa:

> «no sólo porque su fundador, sus doctrinas y sus instituciones son santas, sino porque sus miembros son santos en lo personal. Ellos son y así deben ser: santos, santificados en Cristo Jesús, amados de Dios . . . ; decir que la iglesia es santa es afirmar que el grupo de hombres y mujeres que la componen es santo. Es, por tanto, una contradicción afirmar que "todo tipo de gente", ladrones, asesinos, borrachos, impíos, avaros, codiciosos forman parte en la composición de una sociedad cuyo atributo esencial es la santidad. Decir que un hombre es injusto, es afirmar que no es santo, y decir que no es santo, es afirmar que no pertenece a la compañía de los santos».[37]

---

[35] El genitivo *del Espíritu* (τοῦ πνεύματος) es subjetivo. Cf. DM §90(5)*a*.

[36] Cf. 2 Co. 2:17; 10:12; 11:4,13ss.; Ga. 2:4; Fil. 3:18; Col. 2:8ss.; 1 Ti. 4:1ss.; 2 Ti. 3:1ss.; 2 P. 2:1ss.; 1 Jn. 2:9ss., 18s.; 3 Jn. 9s., etc.

[37] *Church Polity* (New York: Charles Scribner's Sons, 1878), p. 18.

Al hablar de la *santidad de la iglesia* nos damos cuenta que en este caso tampoco es posible predicar este atributo respecto de cualquier organización como tal, sea ésta una denominación o iglesia local. No existe denominación que como tal sea santa y pura. Las que hallamos son más o menos puras en este período y más o menos corruptas en este otro período o lugar.[38] Abramos bien los ojos y no nos engañemos, dentro de la iglesia concebida como una institución visible (*ecclesia visibilis*), se encuentran muchos inconversos que aparentan ser cristianos. Cuántos casos no conocemos de pastores que más bien son lobos, cuántos casos se dan de estafas, robos, fornicación, incesto, mentira, envidias, etc. Sin embargo, todo esto no significa que la santidad no exista. La Escritura nos enseña que Cristo amó a la iglesia y se dio a sí mismo por ella, *"para santificarla"* (Ef. 5:25ss.). La obra de Cristo no se frustra ni trae sobre los creyentes una santidad simbólica o figurada, sino que una santidad genuina; y ésto por la sencilla razón de que el evangelio no sólo nos libra de la culpa y la condenación (*iustitia imputata*), sino que también nos libera de la corrupción del pecado (*iustitia inhaerens*). Pablo afirma claramente que Dios nos salva *"mediante la santificación que el Espíritu lleva a cabo[39] y mediante la fe en la verdad"* (2 Ts. 2:13). Por cierto que no tendría ninguna gracia que la salvación sólo fuese alguna esperanza futura de gloria celestial, mientras Dios nos deja en esta vida atrapados en nuestra corrupción. Hagamos, pues, desde el principio la aclaración de que existe un abismo de diferencia entre la santidad imperfecta y la vida carnal en pecado (1 Jn. 3:5ss.). Esto es bueno aclararlo, pues muchos son los que tratan de justificar una vida atrapada por el pecado, usando el argumento de que en esta vida sólo podemos aspirar a una santidad imperfecta. No nos equivoquemos, la iglesia se compone *exclusivamente* de aquellos regenerados y santificados por el Espíritu, aquellos que son los creyentes verdaderos. Lamentablemente en la iglesia concebida como institución se encuentra tanto el trigo como la cizaña. Con todo, la Reforma se negó a darle a la cizaña los atributos y características del trigo.

Hemos dicho que es el Espíritu quien produce la *unio cum Christo* y que esta unión trae santidad. Romanos 6 añade que el bautismo también nos

---

[38]Es esta realidad la que lleva a la Confesión a reconocer que "Las iglesias más puras bajo el cielo están sujetas tanto a mezcla como a error; y algunas han degenerado hasta llegar a no ser más iglesias de Cristo, sino sinagogas de Satanás" (*Confesión de Fe de Westminster.* Cap. XXV. § v). Cuán cierto es esto respecto a tantas denominaciones y congregaciones protestantes hoy en día.

[39]En la expresión *"santificación del Espíritu"* el genitivo *pneumatos* (πνεύματος) es subjetivo. Cf. DM § (90)*a*.

une a Cristo, y en particular nos une a su muerte y resurrección. Así como Adán es la cabeza de una humanidad en la que se introdujo el pecado y la muerte (Ro. 5:12ss.), Cristo es cabeza federal de una nueva humanidad en la que se introdujo la muerte *al pecado* (Ro. 6:2,11). En virtud de su unión con Cristo, la nueva humanidad ha roto con el pecado, ha muerto al pecado, y participa de *una nueva manera de vivir* (Ro. 6:4). La nueva humanidad participa de la calidad de vida del Resucitado por estar unida a él.[40] Textos como estos no hablan de una santidad figurada, porque por medio de la fe, el creyente conoce la promesa de: *«el pecado no se enseñoreará de vosotros»* (6:14). Sin embargo, también sabemos que tal bienaventuranza no la comparte la masa promiscua de cristianos. Promesas y realidades como éstas sólo pertenecen a los verdaderos creyentes, en quienes mora la fe y el Espíritu. No es posible hacer una ecuación que identifique a cualquier institución o denominación cristiana con el cuerpo de Cristo, la nueva humanidad redimida. Lo cierto es más bien que cada institución es la iglesia de Cristo y posee los *atributa ecclesiae* (unidad, catolicidad, santidad, apostolicidad, etc.) sólo en la medida que sus miembros en forma *personal* hayan sido realmente convertidos al Señor y transformados por el poder de su Espíritu.

Bien dice Hodge que lo pernicioso del énfasis institucional, sostenido por la doctrina romana, radica en que: en la medida que dejemos de hablar de que la salvación depende de mi entrega y fe *personal* para con Cristo, a fin de sustituir este énfasis por mi lealtad y sujeción a cierta organización (sea romana, anglicana, reformada, etc.), en esa misma medida estaremos insinuando o enseñando de que la salvación depende de circunstancias o instituciones humanas, olvidándonos del estado de nuestro corazón y del carácter de nuestra vida. Estos conceptos destruyen tanto la religión como la moral, pues en la medida que las promesas de salvación se conciban como destinadas a los que profesan la fe por el simple hecho de estar dentro de una organización eclesiástica, estaremos perdiendo de vista el hecho de que la salvación se promete sólo a los creyentes arrepentidos y santos. El énfasis institucionalista falsamente prometerá salvación a quienes Dios promete perdición. Esto a su vez producirá una falsa seguridad en aquellos que están dentro de la institución. Y de esta manera el impío queda dentro de la iglesia sin ser para nada molestado, seguro de estar a salvo, sin importarle mucho el estado de su corazón o su forma de vida.[41]

---

[40]Más adelante tendremos oportunidad de analizar con más detención el texto de Ro. 6. Cf. el capítulo II, Cristo como origen y paradigma de la misión de la iglesia.

[41]C. Hodge, *op. cit,* pp. 32ss., 53.

## 4. La perpetuidad de la iglesia

Toda la cristiandad cree que la iglesia nunca dejará de ser, y que siempre habrá una iglesia en el mundo, sin interrupción ni laguna que haga su presencia intermitente.[42] Pero surge, entonces, la pregunta: ¿Qué cosas son esenciales a la iglesia? ¿Qué cosas no pueden faltarle sin que de inmediato deje de ser iglesia?

Si estas preguntas se responden desde una perspectiva romana, tanto el Papa, la forma de gobierno episcopal y la institución saltarán de inmediato como partes esenciales del *ser* de la iglesia (*esse ecclesiae*). Porque si la iglesia es *en su esencia* una monarquía terrenal, compuesta de profesos que se sujetan a los obispos en comunión con Roma, entonces la perpetuidad de la iglesia depende de la continuidad de dicha organización visible, organizada en la forma jerárquica en que lo está. Para que la iglesia siga siendo iglesia, Roma afirma que deberá poseer siempre obispos legítimos y un Papa en línea ininterrumpida con San Pedro. La Reforma, en cambio, dejó la forma de gobierno *fuera* de aquello que se considera esencial al ser y naturaleza de la iglesia. La Reforma afirmó que en su esencia la iglesia es sólo y nada más que la asamblea de los creyentes (*coetus fidelium*), la congregación de los llamados (*congregatio vocatorum*), la comunión de los santos (*communio sanctorum*). Las Confesiones protestantes definen a la iglesia como una comunidad espiritual en estos términos:

**a.** *Confesión de Augsburgo*: "La iglesia es la congregación de los santos [la asamblea de todos los creyentes]".[43]

**b.** A la pregunta sobre qué cree el cristiano acerca de la iglesia, el *Catecismo de Heidelberg* responde: "[Creo] que el Hijo de Dios, de toda la raza humana y desde el principio hasta el fin del mundo, congrega, protege y preserva para sí, mediante su Espíritu y Palabra y en la unidad de la verdadera fe, una comunidad elegida para vida eterna. Y [creo] que de ésta [comunidad] yo soy un miembro vivo, y así permaneceré por siempre".[44]

---

[42] Cf. "La iglesia visible tiene el privilegio: de estar bajo el especial cuidado y gobierno de Dios, y de ser protegida y preservada en todas las épocas, no importa la oposición de todos los enemigos". *Catecismo Mayor de Westminster*. Preg. 63. El *Catecismo de Heidelberg* también habla de que Dios "congrega, protege y preserva" a su Iglesia. Preg. 54.

[43] El original lee: *"Est autem Ecclesia congregatio sanctorum [Versammlung aller Gläubigen]"*. Art. VII *De Ecclesia*.

[44] "Daß der Sohn Gottes aus dem ganzen menschlichen Geschlechte sich eine auserwählte Gemeinde zum ewigen Leben, durch seinen Geist und Wort, in Einigkeit des wahren Glaubens, von Anbeginn der Welt bis ans Ende versammle, schüße und erhalte; und daß ich derselben ein lebendiges Glied bin, und ewig bleiben werde". Frage 54.

**c.** *Confesión Francesa*: "Afirmamos, por tanto, según la Palabra de Dios, que es la compañía de los fieles que acuerdan seguir su Palabra".[45]

**d.** *Confesión Belga*: "Creemos y profesamos una iglesia católica o universal, la cual es una congregación santa y una asamblea de verdaderos cristianos creyentes, que esperan su salvación en Jesucristo, siendo lavados por su sangre, santificados y sellados por el Espíritu Santo".[46]

**e.** *Confesión Escocesa*: "Así como creemos en un sólo Dios, el Padre, el Hijo y el Espíritu Santo, así también debemos creer siempre que desde el principio ha habido y ahora hay y habrá hasta el fin del mundo, una iglesia, esto es, una compañía y multitud de seres humanos elegidos por Dios, que adoran correctamente y lo abrasan con fe verdadera en Cristo Jesús".[47]

**f.** *Confesión de Westminster*: "La iglesia católica o universal, que es invisible, consiste en el número total de elegidos que han sido, son y serán reunidos en uno, bajo Cristo su cabeza; y <la iglesia> es la esposa, el cuerpo, la plenitud de Aquel que lo llena todo en todo".[48]

No se ve en estas definiciones a creyentes nominales, no hay cabida para la hipocresía, para la fe fingida y la santidad simulada. Más bien se reitera que la iglesia es la congregación de los *santos, los creyentes, los fieles, de los verdaderos creyentes*, de los que han sido *lavados, santificados y sellados*. En las Confesiones protestantes no se encuentra ni la más mínima insinuación de que la forma de gobierno y la institución como tal sean parte

---

[45] "Nous disons donc, suivant la parole de Dieu, que e'est la compagnie des fidèles qui s'accordent à suivre cette Parole". Art. XXVII.

[46] "Nous croyons et confessons une seule Èglise catholique ou universelle, laquelle est une sainte congrégation et assemblée des vrais fidèles Chrétiens, attendant tout leur salut en Jésus-Christ, étant lavés par son sang, et sanctifiés et scellés par le Saint-Esprit". Art. XXVII.

[47] "As we beleve in ane God, Father, Sonne, and haly Ghaist; sa do we maist constantly belleve, that from the beginning there hes bene, and now is, and to the end of the warld sall be, ane Kirk, that is to say, ane company and multitude of men chosen of God, who richtly worship and imbrace him be trew faith in Christ Jesus". Art. XVI *Of the Kirk*.

[48] "The catholic or universal Church, which is invisible, consist of the whole number of the elect that have been, are, or shall be, gathered into one, under Christ the head thereof; and is the spouse, the body, the fulness of Him that filleth all in all. Chap. XXV *Of the Church*, Art. I. Por la influencia de Westminster, la Confesión Bautista o de Philadelphia (de 1688) define a la Iglesia en términos casi idénticos: "La Iglesia católica o universal que (en cuanto a la obra interna del Espíritu y a la verdad de la gracia) puede ser llamada invisible, consiste en el número total de elegidos, que han sido, son y serán reunidos en uno bajo Cristo, su cabeza: es la esposa, el cuerpo y la plenitud de aquel que lo llena todo en todo".

de la esencia de la iglesia. No, la iglesia es en su esencia «la comunidad de los santos».

Pues bien, si esto es la iglesia, entonces todo lo que es esencial para su perpetuidad es que siempre haya creyentes. La organización tiene de hecho una importancia *suprema*, pero por más importante que sea la forma de gobierno y todo el aspecto institucional, la Reforma considera que no son parte esencial de la iglesia. Ahora recurramos a una conocida ilustración: Supongamos que algún poder terrenal persigue de tal manera a la iglesia, que termina con todos sus templos, propiedades y pastores, quedando sólo algunos pocos creyentes esparcidos por el mundo. Según la iglesia romana esto sería el fin de la iglesia. La Reforma, en cambio, sostiene que mientras haya creyentes hay iglesia, pues no es esencial para su existencia una línea ininterrumpida de obispos legítimos, ni tampoco un Papa o Estado monárquico. Al igual que en el tiempo de Elías, los cristianos podrían ser reducidos a unas siete mil personas perseguidas y solitarias, pero en tanto sean creyentes verdaderos, en quienes mora el Espíritu, la iglesia existe. Si el lazo esencial entre los creyentes es Cristo, el Espíritu y sus frutos, entonces no importará que dispersemos a los creyentes por todo el mundo, seguirán siendo la iglesia de Cristo.[49]

La única iglesia que es una, católica, santa, apostólica y perpetua es la compuesta por los verdaderos creyentes. Son los creyentes los que forman la iglesia, no la institución; y como la iglesia se compone de creyentes fieles y santos, entonces la iglesia puede resistir los naufragios de las instituciones o formas de gobierno. Frente a toda la apostasía que hoy se advierte, ante tanto pastor incrédulo y mundano, ante toda la maldad que se ve en algunas congregaciones, esta verdad debe mantenernos de pie, pues a pesar de la impiedad generalizada, todavía se puede reconocer el fruto del Espíritu en algunos creyentes; todavía se puede advertir que hay verdaderos creyentes, aunque sean una minoría hostigada y reprimida. Por supuesto que en estas condiciones la iglesia no es tampoco lo que debería ser como institución *visible* y testimonio al mundo. Una denominación o congregación que más parece sinagoga de Satanás que iglesia de Jesucristo es una iglesia agonizante.

Por lo general se objeta que en el NT se llama *iglesia* a todos los que así lo profesaban en alguna localidad dada (sea Roma, Corinto, Efeso, etc.). De

---

[49] Es obvio que, a fin de que el punto quede muy claro, la ilustración lleva las cosas al extremo. Si sucediera lo que la ilustración presenta, la iglesia de ninguna manera estaría en una situación normal y sana.

aquí se deduce, entonces, que la iglesia está compuesta sólo de profesos, sean sinceros o hipócritas. Sería necio negar que el NT llama *iglesia* a congregaciones enteras, pero esto desvía el punto en cuestión y nada tiene que ver con lo que la Reforma afirma. Charles Hodge ha despejado el asunto en forma admirable:

> "La pregunta no es si un hombre que profesa ser cristiano, puede en propiedad ser llamado y tratado de ese modo, el punto en cuestión es más bien si la mera profesión puede hacer de alguien un cristiano verdadero. La pregunta no es si podemos o no considerar y llamar iglesia a una comunidad de cristianos profesos, sino que la pregunta es si el solo hecho de su profesión hace que dicha comunidad sea parte real del cuerpo de Cristo. El punto central de todo es la sola pregunta: ¿Cuál es el sujeto de los atributos y prerrogativas del cuerpo de Cristo? ¿Es el grupo externo de profesos o la compañía de creyentes? Si llamar a un hombre cristiano no implica necesariamente que sea poseedor del carácter y la herencia de los discípulos de Cristo, . . . entonces llamar iglesia a los profesos de la verdadera religión, tampoco implica que sean cuerpo de Cristo".[50]

En suma, la Reforma niega tajantemente que alguien sea cristiano con sólo profesarlo, con sólo ser un cristiano nominal. De esta manera se saca a todos los hipócritas de su cómoda condición, y se enfrenta a todos los impíos con la realidad de textos como 1 a los Corintios 6:9ss., donde se dice que:

> *"fornicarios* [o: inmorales], *idólatras, adúlteros, afeminados, homosexuales, ladrones, avaros* [o: codiciosos], *borrachos, injuriadores y rapaces no heredarán el reino de Dios".*

¿Por qué Pablo le habla así a una comunidad que ya definió como santa (1 Co. 1:2)? Porque a esa congregación había que recordarle que la iglesia no está compuesta de cristianos nominales, sino de quienes han sido verdaderamente *"lavados, . . . santificados, . . . justificados en el nombre del Señor y por el Espíritu de nuestro Dios"* (1 Co. 6:11). La Reforma anunció a la gran mayoría de cristianos nominales que, a menos que se arrepientan y crean en el Señor Jesucristo, están condenados a la perdición (cf. Ga. 5:19-21).

## 5. La iglesia visible e invisible

Hemos venido usando las palabras visible e invisible en relación con la iglesia. Es hora de aclarar estos conceptos. En la Reforma se habló de una

---

[50] C. Hodge, *Op. cit.*, p. 62.

*ecclesia visibilis* y una *ecclesia invisibilis*. Por «iglesia visible» se entiende la institución, por «iglesia invisible», el cuerpo de Cristo. Debemos reconocer que los términos que se escogieron no fueron los más acertados y que se podrían prestar para malos entendidos. Por esto, partiendo de Romanos 2:17-29, ahora quisiera precisar cuáles son las ideas que están detrás de las expresiones «iglesia visible» e «iglesia invisible». En los vv. 17-20, Pablo empieza hablando de los privilegios y ventajas que uno obtenía con el sólo hecho de ser parte del pueblo de Dios *como una nación visible:*

> *«Mas si*[51] *tú te dices judío,*
> *y descansas en la ley*
> *y te jactas en Dios,*
> *y conoces su voluntad y,*
> *como eres instruido por la ley,*
> *puedes aprobar lo mejor,*
> *y estás convencido de que eres:*
> *guía de los ciegos,*
> *luz de los que están en tinieblas,*
> *instructor de los ignorantes,*[52]
> *maestro de niños,*
> *ya que tienes en la ley la representación misma*
> *del conocimiento y de la verdad»* (Ro. 2:17-20).

El sólo mencionar la palabra «judío» hacía venir a la mente un sin número de privilegios y bendiciones.[53] Era como nuestra palabra «cristiano». Sin embargo, Pablo mostrará que no basta haber nacido dentro del pueblo de Dios o dentro de la iglesia, no basta gozar de los privilegios que nos confiere el estar dentro del sistema o la institución, no basta una afirmación formal de que la Biblia es *«la representación misma del conocimiento y de la verdad»* (Ro. 2:20). Si el judío estaba tan orgulloso de su tradición, si tenía tantos privilegios y podía dar cátedra sobre lo que Dios quiere, ¿qué pasaba que carecía del *poder* para aplicar toda la teoría a su propia vida? La abismante contradicción que se ve en los vv. 21-23 pone de relieve el fracaso

---

[51] La condición es del tipo real: *«dado que tú te dices judío».* Cf. DM § 275 (1), BDF § 372. Pero frente a tan larga prótasis (vv. 17-20), Pablo prefiere incurrir en anacoluto y replantearla (οὖν) otra vez en el v. 21 mediante participios. De esta forma se asegura una prótasis no debilitada y obtiene un fuerte reproche: *«tú, pues, que enseñas. . . ».* Las preguntas que vienen después en los vv. 21-23 conforman la esperada apódosis.

[52] O: corrector de los insensatos, disciplinador o tutor de los imprudentes.

[53] En Ro. 3:1s.; 9:4s. Pablo menciona más privilegios.

de la «ortodoxia» muerta, que sólo se contenta con teorizar y hacer gala de su doctrina, sin haber realmente experimentado su eficacia:

> *"Tú, pues, que enseñas a otro,*
> *¿no te enseñas a ti mismo?*
> *Tú que proclamas que no se debe robar ¿robas?*
> *Tú que afirmas que no se debe cometer adulterio*
> *¿cometes adulterio?*
> *Tú que aborreces a los ídolos*
> *¿saqueas sus templos?*
> *<En suma>, tú que presumes de la ley*
> *¿deshonras a Dios quebrantando la ley?»*
> (Ro. 2:21-23).

Aquí se nos demuestra que el pertenecer al pueblo de Dios, tener la Biblia o estar bien instruido en ella no es suficiente. Todas estas cosas por sí solas no tienen el poder de cambiar nuestra vida. Al igual que los judíos de aquel tiempo, hoy en día son muchos los cristianos bautizados, que con su conducta hacen que los incrédulos blasfemen el nombre de Dios. Así, se les puede aplicar las palabras de Pablo: *"el nombre de Dios es blasfemado entre los gentiles por causa de vosotros"* (v. 24).[54]

Una de las cosas más importantes y uno de los motivos de orgullo más grandes dentro de la comunidad judía era la circuncisión. Pablo destroza la confianza en lo ritual e institucional, cuando demuestra que esta señal externa, tan querida y valorada, no sirve de nada, si la vida no ha sido transformada por el Espíritu. Pablo agrega:[55]

| Romanos 2:25 | Actualización |
|---|---|
| *"Por cierto que la circuncisión es útil, siempre y cuando pongas en práctica la ley, pero si eres transgresor de la ley, tu circuncisión se ha convertido en incircuncisión".* | Por cierto que el bautismo es útil, siempre y cuando pongas en práctica lo que dice la Biblia, pero si transgredes los principios bíblicos, tu situación de bautizado se ha convertido como si nunca hubieses sido bautizado. |

---

[54]Cf. también 1 Ti. 6:1; Tit. 2:5; 2 P. 2:2.

[55]En lo que viene a continuación, junto con traducir el texto bíblico, colocaremos a su lado una interpretación actualizada del pasaje.

En otras palabras, los sacramentos no valen nada y no sirven para nada, si la realidad a la que apuntan no existe, no se verifica. Recordemos que la circuncisión era el signo y sello de un corazón transformado:

> *«Y Yhwh tu Dios circuncidará tu corazón,*
> *y el corazón de tu descendencia,*
> *para que así puedas amar a Yhwh tu Dios*
> *con todo tu corazón y con toda tu alma,*
> *a fin de que vivas»* (Dt. 30:6).[56]

Ahora bien, si uno es transgresor de la ley, si uno vive en pecado, entonces estos hechos evidencian de que mi vida no ha sido transformada por el poder del Señor, lo cual hace de la circuncisión un signo vacío. Pablo dice claramente que Abraham *"recibió la señal que consiste en la circuncisión*[57] *como sello*[58] *de la justificación por la fe"* (Ro. 4:11). Con esto se quiere decir que la circuncisión tenía la maravillosa tarea de colocar una marca visible de autenticidad. La circuncisión tenía el fin de ratificar y garantizarle al creyente su justificación por la fe, de la misma forma en que los conversos de Pablo eran para él la certificación de su apostolado (1 Co. 9:2). Pero ¿de qué vale el sello si no existe la realidad? ¿De qué vale recibir el privilegio externo de la señal visible, si no he sido justificado por la fe? Como sello de parte de Dios, la circuncisión externa tenía un valor tremendo, con él Dios daba una prenda que aseguraba al creyente que había sido absuelto de sus pecados. Pero Pablo afirma que este sello tiene valor, sólo si viene acompañado de la circuncisión del corazón. Como lo afirma en otro lugar:

> *"porque nosotros* [=los creyentes] *somos los verdaderos judíos,*[59] *esto es, los que por el Espíritu de Dios*[60] *estamos sirviendo . . . "* (Fil. 3:3).

---

[56]Cf. Lv. 26:41; Dt. 10:16; etc.

[57]El genit. *"de la circuncisión"* es epexegético, queriendo decir: *"señal que consiste en la circuncisión".* Cf. DM § 90 (6), BDF § 167. Pablo hace referencia al texto griego de Gn. 17:11. Allí la LXX registra el término *sēmeion* (σημεῖον =señal), que traduce el hebreo *'ôt* ="señal que se da en prenda, señal de una promesa o compromiso". Cf. Gn. 9:12,13,17; Ex. 31:13,17.

[58]El término *sfragis* (σφραγίς) significa "sello", lo cual se puede referir a la impresión que recibe alguna cosa (2 Ti. 2:19; Ap. 9:4) o al instrumento con el cual se sella (Ap. 7:2).

[59]Lit. *"nosotros somos la circuncisión".* Pero se trata de una metonimia de lo abstracto por lo concreto. Lo mismo se ve en Hch. 11:2; Ro. 3:30; 4:9, etc. Cf. *"Los creyentes de la circuncisión"* (Hch. 10:45)= los creyentes judíos.

Es importantísimo notar que Filipenses 3:3 define al verdadero creyente como aquel que sirve a Dios en virtud del poder del Espíritu Santo. El verdadero creyente no es el que sólo profesa ser cristiano, es el que vive la realidad de la salvación. Pablo afirma que solo aquel que ha sido transformado y es guiado por el Espíritu de Dios tiene la realidad de la cual la circuncisión o el bautismo es signo y sello. Para ser un verdadero judío o un verdadero circunciso, el servicio que rendimos a Dios debe ejercerse por el poder del Espíritu.[61] Al judío inconverso se le podía preguntar: ¿de qué sirve que tengas a Abraham como tu padre carnal, si no es también tu padre espiritual? (Ro. 4:11ss.). De nada vale haber tenido el privilegio de haber nacido dentro del pueblo de Dios y de tener a Abraham como padre, ya que sólo *"los creyentes, éstos son hijos de Abraham"* (Ga. 3:7).

Si aplicamos lo que Pablo afirma a la situación de hoy, veremos que podemos decir exactamente lo mismo del bautismo y de tantas otras cosas que son parte de los privilegios que encontramos dentro de la iglesia como institución. ¿De qué sirve haber sido bautizado, si mi vida se caracteriza por el pecado? ¿de qué sirve tener un lindo templo, una hermosa liturgia, haber tenido un papá pastor o haber nacido en la iglesia, etc. etc., si no he sido salvado *de la corrupción del pecado*? Hay iglesias privilegiadas con teólogos, biblistas, profesionales bien preparados, arquitectos, psicólogos, médicos, expertos en administración, en informática, etc. El potencial es tremendo, pero todo esto no servirá para la misión, si no entregan su vida a Cristo. En esta época secularizada y atea es de suma importancia subrayar que la vida de la iglesia no está en sus privilegios externos, sino en su entrega, dependencia y unidad centrada en la persona de Cristo, a quien y en quien el Espíritu nos une. Existen iglesias en las cuales se da un egoísmo, individualismo y mundanalidad muy refinados. Cuando el asunto hace crisis, y se dan cuenta de que como iglesia están mal, de que su congregación no es más que un pasillo por donde la gente transita sin encontrar la salvación,

---

[60]La evidencia manuscrita sugiere que la lectura correcta es οἱ πνεύματι θεοῦ λατρεύοντες (= *"los que por el Espíritu de Dios estamos sirviendo"*, cf. NVI95, CB, BJ, NBE, HA, CI, LT, NTT, NC). En este caso θεοῦ (*de Dios*, genit. sing.) califica a πνεύματι (*por el Espíritu*; para el dativo cf. Ro. 8:14; Ga. 5:5). El hecho de que esta construcción deje al ptc. λατρεύοντες (= *estamos sirviendo*) sin un complemento que especifique a quién se sirve, convierte a esta lectura en la más probable (*lectio difficilior*). En el intento de suplir dicho complemento, los escribas cambiaron el texto a οἱ πνεύματι θεῷ λατρεύοντες "los que en el Espíritu servimos *a Dios*". Las versiones RV60 (RV77, RV89, RV95), VM y BP no sólo adoptan la lectura equivocada, sino que traducen *Espíritu* con minúscula: "los que en el espíritu servimos a Dios".

[61]Cf. el excelente tratamiento de la circuncisión que se hace en P. Ch. Marcel. *El Bautismo: Sacramento del pacto de gracia* (1963, Rijswijk: FELiRe, 1968), pp. 84ss.

comienzan entonces a plantear soluciones que traigan unidad, amor y compromiso. Pero las soluciones no se construyen en términos de cómo volver a la fe, cómo podemos acercarnos más a Cristo. La gente de este tipo de congregación no se pregunta qué dice la Escritura respecto a los factores espirituales y de unidad que deberían constituir nuestros vínculos fraternos. En lugar de eso, y en una forma totalmente contradictoria con su calidad de iglesia, dicha congregación *¡trata de ser iglesia evitando ser iglesia!* Es decir, trata de ser iglesia sin recurrir a Cristo por la fe, trata de buscar avivamiento espiritual en un templo nuevo, pues le echan la culpa de su miseria espiritual a que el templo es muy chico o que es muy grande o que no es nuestro, es arrendado. Buscan avivamiento en algún tipo de administración moderna, en alguna psicología o dinámica que los ayude a unirse. Es decir, la iglesia recurrirá a cualquier cosa, se volverá a todos lados, pero sigue evitando en forma muy sutil y demoníaca volverse a Cristo, a fin de encontrar en él aquel poder de su Espíritu, que los use para su gloria, para así llegar a ser cuerpo *de Cristo*. Como decía Karl Barth, la reforma y renovación de una iglesia amenazada por la muerte sólo puede venir del Señor resucitado:

«Que él [=Cristo] pronuncie su palabra y que ésta vuelva a encontrar entre los cristianos la respuesta adecuada, que él respalde nuevo el testimonio de sus apóstoles, ... que él actúe como Señor de la alianza bautismal, que él sea nuestro huésped en la celebración de la cena para que bendiga lo que él mismo nos ha regalado; *ésa, y nada más que ésa, es la esperanza de la iglesia*. La iglesia no puede poner una esperanza cierta en la buena voluntad, en la piedad o en los ideales de los cristianos. Todo eso está expuesto a la amenaza y ha dejado de tener validez. Todo eso y todo el campo humano de la iglesia, necesita de renovación y, por lo mismo, no puede ser fuente de renovación. *Es Jesucristo, el que no está expuesto a la amenaza ni necesita de renovación, el Señor, la esperanza de la Iglesia. Que él y solamente él sea su esperanza»*.[62]

No debe mal entenderse lo que digo, el templo tiene su importancia, el análisis de debilidades, oportunidades, fortalezas y amenazas que propone la administración moderna es importantísimo. La psicología, la tecnología, la hermenéutica, las ciencias bíblicas y tantas otras disciplinas y herramientas son imprescindibles para llevar a cabo la misión, porque gran parte de la obra que el Espíritu lleva a cabo se realiza, no de una manera independiente o contraria a los procesos ordinarios de la vida humana, sino

---

[62]Karl Barth. *Ensayos teológicos* (Barcelona: Herder, 1978), p. 205. La cursiva es mía.

que a través de ellos. Pero todas estas cosas son herramientas poderosas *para la misión* sólo y nada más que en gente guiada y llena del Espíritu, en gente con verdadera fe *en Cristo*, no en las herramientas. Es así que si somos iglesia, ¿quién habla de arrepentimiento? ¿quién habla de pecado? ¿quién afirma que para que la iglesia salga del abismo en el que se encuentra, debe ante todo y sobre todo volver a la fe en Cristo, como el *único* nombre dado a los hombres en que podamos ser salvos? ¿Quién nos salva y limpia de nuestra corrupción: Cristo o la administración moderna? ¿es el evangelio el poder de Dios para la salvación o lo son las ciencias sociales, la psicología y la tecnología? Si tu fe está puesta en el hombre, no en Dios, pues bien esa es tu opción, es lo que tú has elegido para ti como tu destino, pero entonces ¿para qué seguir siendo iglesia? ¿para qué seguir en el tremendo impase de querer seguir siendo iglesia sin ser iglesia?

La opción de la secularización afirma que los cristianos somos todos unos esquizofrénicos que vivimos en un mundo de fantasía, en el cual creemos ver a un Espíritu que cambia la vida o a un Cristo que resucitó de los muertos. Si la iglesia adopta esta pose, le será imposible ser iglesia, y seguirá por toda la vida discutiendo cómo salir de la condición en la que está, cómo lograr unidad y amor, cómo producir una iglesia atrayente a los de afuera, pero sin hablarles mucho de Cristo o del evangelio, porque se pueden ofender, se pueden ir, o nos pueden creer locos. En otras palabras, hay que tratar de convertirlos sin convertirlos, hay que tratar de que se arrepientan sin que se den cuenta. Muchas soluciones se darán, pero en tanto ninguna de estas proponga a Cristo, sólo serán mis propios proyectos personales por los cuales ya no sirvo a la iglesia, sino que la iglesia me sirve a mí.

Volvamos ahora al texto bíblico. En Romanos 2:26-29, Pablo pasa a desafiar al judío en una forma terriblemente dolorosa, pues le dice que si un pagano de afuera se convierte al Señor y por el poder del Espíritu vive y practica la voluntad de Dios, entonces ese pagano sí que es un verdadero judío, mientras que él no:

| Romanos 2:26-29 | Actualización |
|---|---|

*«De tal manera que, si el incircunciso <en virtud del poder del Espíritu> pone por obra los preceptos de la ley, ¿no será considerada su incircuncisión como circuncisión? Y ese que es incircunciso físicamente, pero que cumple la ley, te juzgará a ti que, a pesar de toda tu ley escrita y tu circuncisión, eres transgresor de la ley. Porque no es judío el que lo es en lo exterior, ni tampoco es circuncisión la que se hace en lo exterior, en el cuerpo; sino que el <verdadero> judío es aquel que lo es en lo interior, y la <verdadera> circuncisión es la que se hace en el corazón, por el Espíritu, no por la ley escrita. El tal recibe su aprobación de Dios, no de los hombres».*

De tal manera que, si un no bautizado <en virtud del poder del Espíritu> pone por obra los preceptos éticos de la Biblia, ¿no será considerada su condición de no bautizado como si estuviese bautizado? Y ese que no ha sido bautizado físicamente, pero que cumple lo que dice la Biblia, te juzgará a ti que, a pesar de toda tu Biblia y tu bautismo, eres transgresor de los principios de la Biblia. Porque no es cristiano el que lo es en lo exterior, ni tampoco es bautismo el que se hace en lo exterior, en el cuerpo, sino que el <verdadero> cristiano es aquel que lo es en lo interior, y el <verdadero> bautismo es el que se hace en el corazón, *por el Espíritu*, no por la mera Palabra escrita. El tal recibe su aprobación de Dios, no de los hombres.

## EXCURSUS SOBRE ROMANOS 2:29

Antes de proseguir, debemos determinar el significado de Romanos 2:29. Si al lector no le interesa meterse en el problema exegético, puede saltarse esta sección. *Primero*, examinemos algunas traducciones e interpretaciones que toman πνεύματι en el sentido de *espíritu* con minúscula. **1.** Por ejemplo, la BP traduce: «ser judío es condición interna: la circuncisión del corazón, de espíritu y no de letra» (Ro. 2:29). Si examinamos esta traducción, notamos que en la frase *circuncisión del corazón*, el complemento nominal indica que se trata de una circuncisión efectuada en el corazón. Uno se vería tentado a darle el mismo tratamiento a la frase que sigue: *de espíritu*. Si así fuera, se estaría hablando de una circuncisión de espíritu (en paralelismo con *del corazón*). Pero como *de espíritu* viene unido a *y no de letra*, el asunto se complica, pues el sentido no puede ser: circuncisión hecha en el espíritu y no en la letra. No se puede hablar de la letra como algo que se circuncida. El mismo problema se presenta en otras traducciones.[63] Por eso, otros salen del paso, diciendo que Pablo «simplemente usa πνεύματι [=espíritu] y γράμματι [=letra] como adjetivos o adverbios para caracterizar más gráficamente la περιτομή καρδίας [=circuncisión del corazón] que acaba de mencionar».[64] El sentido sería: circuncisión del corazón, espiritual y no legalista.

**2.** Para evitar este problema, otras versiones usan la preposición *según*, como en el siguiente caso: «y la verdadera circuncisión la del corazón, según el espíritu, no según la letra» (BJ).[65] Si con la minúscula se quiere indicar al espíritu *humano*, surge la pregunta sobre qué se quiere decir con eso de que la circuncisión se efectúa en el corazón en conformidad al espíritu humano. Las interpretaciones que ahora pasamos a exponer han tratado de responder esta pregunta: **1)** Algunos creen que el texto enseña que lo importante es sólo lo que uno siente en el corazón. Una interpretación muy popular en los púlpitos afirma que este texto enseña que lo importante *no* es lo que yo haga exteriormente en mi vida, sino sólo lo que yo siento en mi corazón. Es en el corazón donde alabamos a Dios. Al Señor sólo le importa mi disposición interna, no mi obediencia externa. Esta argumentación encuentra apoyo en traducciones como esta: «ser judío es condición interna: la circuncisión del corazón, de espíritu y no de letra» (Ro. 2:29, BP). **2)** Otra especie de subjetivismo se encuentra en la siguiente explicación: Se dice que aquí Pablo contrapone lo que uno hace llevado por algún tipo de impulso interno que lo guía, en contraste con alguna obediencia en términos de someterse a una ley escrita y objetiva. Ya no importa lo que dice la ley, sino lo que *yo* siento que es lo correcto. La siguiente traducción parecería apoyar este sentido: «El verdadero judío lo es interiormente, y el estar circuncidado es cosa del corazón: no depende de reglas escritas, sino del espíritu» (VP83 y VP94). **3)** Por último, otros creen que aquí se hace una diferencia entre una interpretación literal de la Biblia y una espiritual. El texto estaría diciendo que la interpretación espiritual se inspira en el espíritu de la ley y no en la letra de la ley.

*Segundo*, rectifiquemos estas interpretaciones y expliquemos qué es lo que Pablo quiere decir. **1.** El *contexto inmediato* está en contra de los sicologismos mencionados. Para Pablo el verdadero cristiano es aquel que,

---

[63]«La circuncisión es la del corazón, en espíritu y no en letra» (RV60, RV77, RV89). «Y la circuncisión del corazón, en espíritu, no en letra» (NTT). Parece que los revisores de la RV60 se dieron cuenta de la anomalía y modificaron la traducción: «la circuncisión es la del corazón, en espíritu y no según la letra» (RV95). Pero esto no mejora las cosas, ya que no es legítimo darle a los dativos πνεύματι y γράμματι un sentido distinto a cada uno.

[64]Moses Stuart, *Commentary on the Epistle to the Romans* (Londres: William Tegg, 1835), p. 122.

[65]«Y la verdadera circuncisión es la del corazón, la que se hace según el espíritu y no según la letra de la Ley» (LT). «Y es circuncisión la del corazón, según el espíritu, no según la letra» (NC).

por el poder del Espíritu, *guarda la ley*. Esto está muy claro, porque en los vv. 21ss. Pablo le restregó en la cara al judío, no su falta de alabanza y disposición interna, sino su desobediencia a la ley de Dios (hurto, adulterio, despojo de templos). Lo que hace que los gentiles blasfemen el nombre de Dios (v. 24) no es la falta de alguna disposición del corazón, sino las concretas y visibles acciones pecaminosas de los judíos. Finalmente, Pablo le enrostra al judío su *incapacidad* de obedecer las demandas morales *de la ley* de Dios, y no de algún impulso interno (vv. 25ss.).

Cuando Pablo le dice al judío que la circuncisión es provechosa *«si guardas la ley»* (2:25), se refiere a obedecer mandamientos similares a los recién mencionados: no hurtar (v. 21), no adulterar, no saquear templos (v. 22). Lo interesante es que cuando Pablo afirma que la circuncisión es provechosa *«si guardas la ley»*, casi parece decir que la circuncisión no fuese parte de la observancia de la ley. Por cierto, el cumplir con el rito de la circuncisión se tenía como una parte crucial del cumplimiento de la ley (Hch. 15:1). Pero Pablo afirma que la eficacia de ese cumplimiento de la ley (circuncisión) depende de cumplir la ley en su aspecto más transcendental. Si la obediencia a la ley moral no se verifica, la obediencia de la circuncisión se convierte en *incircuncisión* (v. 25). Para Pablo ser *«transgresor de la ley»* (v. 25, 27) es algo más que no cumplir con la parte ritual de la ley (circuncisión). Ser transgresor de la ley es no cumplir con el imperativo ético de la ley. Los pecados descritos en Romanos 1:24-32 son la forma en que el ser humano desobedece a Dios, y al judío se le acusa: *«tú . . . haces lo mismo»* (2:1), *«el nombre de Dios es blasfemado . . . por causa de vosotros»* (2:24). En el día del juicio, la ira de Dios se revelará contra *«todo ser humano que hace lo malo, al judío primeramente y también al griego»* (2:9).

**2.** *Scriptura Scripturam interpretatur: el contexto mediato.* Los términos πνεύματι y γράμμα también aparecen en otros dos textos. Uno de ellos es Romanos 7:6. El contexto de este último pasaje se desarrolla de esta manera: En Romanos 6:14 Pablo dijo *«el pecado no tendrá dominio sobre vosotros, porque no estáis bajo la ley, sino bajo la gracia»*, después introduce una digresión (6:15-23) para refutar la falsa inferencia que se pudiera sacar de lo dicho en 6:14. Terminada la digresión, 7:1 vuelve al tema de 6:14, a saber, que el pecado ya no podrá dominarnos pues no estamos bajo el dominio de la ley. Romanos 7:1-6 tiene como fin demostrar que la muerte de Cristo nos libró del poder del pecado (cf. 6:1-14) al liberarnos del dominio de la ley. Después de una analogía (7:1-3), Pablo afirma: *«vosotros . . . habéis sido muertos a la ley por medio del cuerpo de Cristo»* (7:4). Como Cristo pagó nuestros pecados en la cruz, nuestra condición de cautivos bajo la ley ha terminado. Ahora somos libres de la condenación de la ley y somos de Cristo (cf. Ga. 2:19; 3:25; 4:5). Después el v. 6 repite que hemos muerto a la ley, *«de tal manera que de hecho servimos <a Dios> en la novedad creada por el Espíritu y no en la antigüedad creada por la letra»*.[66] La muerte de Cristo hace posible el derramamiento del Espíritu en una forma nueva que nos libra del pecado y nos capacita para servir a Dios. Ahora podemos llevar *«fruto para Dios»* (Ro. 7:4; cf. 6:22-23). Dado que la ley nos dice lo que debemos hacer, pero no nos entrega el poder para hacerlo, se convierte en el poder del pecado (1 Co. 15:56). El pecado usa el mandamiento para producir en nosotros todo tipo de deseo pecaminoso (Ro. 7:8), y así la ley, aunque santa, justa y buena (7:12), termina excitando o estimulando nuestra maldad (7:5). Pablo llama *letra* a la ley cuando desea destacar su impotencia (cf. Ro. 8:3) para librarnos del pecado y procurarnos la vida eterna.

El otro pasaje se encuentra en 2 Corintios 3:1ss. Aquí Pablo repite el contraste entre el Espíritu y la letra, mostrando que con el término *letra* apunta a las *«tablas de piedra»* (3:3) de la ley de Dios. En 3:3,6, Pablo cita Jeremías 31:33, lo cual indica que el contraste Espíritu-letra es el contraste entre dos épocas, entre el antiguo y el nuevo eon, entre la antigüedad de la letra y la novedad introducida por la operación escatológica del Espíritu, hecha posible en virtud de la obra de Cristo. Es el *Espíritu* del Dios vivo el que escribe en nuestro corazón la ley de Dios, esto es, es el Espíritu el que nos capacita para servir a Dios (3:3-6), pues *«donde está el Espíritu del Señor, allí hay libertad»* (3:17). En cambio, la letra mata y condena, pues la ley no puede concedernos el poder para glorificar a Dios. Por ser *débil*, a la ley le es *imposible* salvarnos (Ro. 8:3). Pero *«el Espíritu vivifica»* (2 Co. 3:6);[67] a través de su Espíritu Dios *«nos capacita»* (ἱκάνωσεν ἡμᾶς) y así *«somos transformados de gloria en gloria, a su misma imagen, por la acción del Señor del Espíritu»* (3:18).

**3.** *El texto de Romanos 2:28-29.* Presentemos una traducción más o menos literal del texto:

> *judío no es el <judío que lo es>* ἐν *lo exterior*
> *ni circuncisión es la <circuncisión que lo es>* ἐν *lo*
>    *exterior, <esto es, >* ἐν *la carne,*
> *sino que*
> *judío <es> el <judío que lo es>* ἐν *lo interior*
> *y circuncisión del corazón <es la circuncisión que lo es>*
> ἐν πνεύματι οὐ γράμματι.

Tengamos en cuenta las siguientes consideraciones: En la frase ἐν πνεύματι οὐ γράμματι, la preposición ἐν tiene el siguiente sentido: la circuncisión del corazón es la que acontece dentro de la esfera del poder o modo de existencia del Espíritu, no dentro de la esfera del poder o modo

---

[66]Otra traducción podría ser: «de tal manera que de hecho servimos en la novedad que consiste en el Espíritu y no en la antigüedad que consiste en la letra».

[67]La RV60 (=RV77) comete el craso error de traducir con minúscula «el espíritu vivifica». La RV89 corrige: «el Espíritu vivifica», lo mismo que RV95, «el Espíritu da vida».

de existencia de la ley. Aquí la preposición «se usa como en Hechos 17:28, para apuntar a aquello en lo cual uno se mueve y vive».[68] Algunas versiones toman ἐν en sentido instrumental: «la genuina circuncisión es la del corazón, la que es obra del Espíritu y no de la letra» (CB).[69] Aunque esto no está mal, es mejor preferir el sentido local que hemos dado, pues aquí ἐν apunta tanto al poder como al medio ambiente que moldea nuestra vida. La circuncisión *en* el Espíritu se refiere a lo que ocurre en la nueva creación, pues «el 'Pneuma' es para Pablo . . . el modo de existencia y vida del mundo venidero y, por tanto, de aquella forma anticipada de vida en la que ese mundo venidero se realiza ya en el presente».[70] A esto mismo apunta Pablo, cuando afirma: *«Vosotros no vivís en la carne, sino en el Espíritu»* (Ro. 8:9). Y el mismo sentido tiene ἐν en Romanos 7:6, que dice: *«de tal manera que de hecho servimos <a Dios> en la novedad creada por el Espíritu y no en la antigüedad creada por la letra»*. Por tanto, lo exterior y la letra representan el contexto de la antigua creación y el esfuerzo humano de salvación. Lo interior y el Espíritu se refieren a la realidad de la nueva creación en Cristo.[71]

En Romanos 2:17-20, Pablo se dirige al miembro del pueblo de Dios, el cual se llama a sí mismo *judío*, descansa en la ley, etc. Después le muestra que su vida contradice sus afirmaciones (2:21-24). Esto se debe, dice Pablo, a que el pueblo de Dios necesita a Cristo, necesita ser transformado por el Espíritu de Dios en una nueva creación, para poder ser un *judío verdadero*. Esto nos despierta al hecho de que dentro de la iglesia hay gente que no es parte del cuerpo de Cristo, pues *«no todos los de Israel son Israel»* (Ro. 9:6), no todos son el *«Israel de Dios»* (Ga. 6:16; cf. Hch. 7:51). Sólo los que sirven a Dios *«por el Espíritu»* son los *«los verdaderos judíos»* (Fil. 3:3). El contraste que Pablo elabora en Romanos 2:29 tiene que ver, por un lado, con la ley y a los privilegios externos carentes de todo poder para transformar el corazón del hombre y, por el otro, con el poder escatológico del Espíritu, que en virtud de la resurrección de Cristo ahora irrumpe dentro de la historia. Uno puede llamarse judío o cristiano (2:17), pero el verdadero judío

---

[68]Henry Alford, *The Greek New Testament* (1877, reimpreso por Grand Rapids: Baker, 1980), p. 336.

[69]«Y circuncisión es la interior, hecha por el Espíritu, no por la fuerza de un código» (NBE). «La circuncisión es la del corazón, la que realiza el Espíritu, no el mandamiento escrito» (NVI95).

[70]G. Vos, *Pauline Eschatology* (Philadelphia: Princeton University, 1930), p. 58.

[71]Véase H. Ridderbos, *Paul: An Outline of His Theology* (1966, Grand Rapids: Eerdmans, 1975), pp. 64ss., 103 nota 27, 218s., 333ss.; James G. Dunn, *El bautismo del Espíritu Santo* (1970, Buenos Aires: Aurora, 1977), pp. 170-171; G. Eichholz, *El evangelio de Pablo* (1972, Salamanca: Sígueme, 1976), pp. 151ss.; R. Bultmann, *Teología del Nuevo Testamento* (1958, Salamanca: Sígueme, 1981), pp. 288ss., 295.

lo crea el Espíritu. El libro *Odas de Salomón* (escrito cerca del año 100 a.C.) contiene preciosas palabras que dan expresión a esta esperanza:

> *"Mi corazón fue podado y apareció su flor,*
> *entonces la gracia brotó en él.*
> *Porque el Altísimo circuncidó mi corazón por su Santo*
> *Espíritu,*
> *entonces descubrió mi alma hacia él,*
> *y me llenó de su amor.*
> *Y su circuncisión vino a ser mi salvación,*
> *y corrí en el camino de su paz,*
> *en el camino de la verdad"* (11:1-3).[72]

Volvemos a preguntar: ¿De qué sirve tener la Biblia si no me he convertido? (cf. Ro. 3:1ss.) ¿de qué sirve tener un precioso templo, una excelente organización, ser biblista, pastor, profesor de teología, maestro de escuela dominical, etc., si mi vida no ha sido transformada por el Espíritu? Como dice Pablo, el ser circunciso o incircunciso de nada sirve; haber sido o no bautizado, no es lo que en último análisis cuenta. Lo que sí importa *"es guardar los mandamientos de Dios"* (1 Co. 7:19), pero ¿cómo un hombre pecador podrá acercarse a Dios y cumplir su voluntad, si el pecado es una experiencia universal, que también se introduce dentro del pueblo de Dios? (Ro. 1-3). Cierto, la ley de Dios no es el medio de salvación, pero no porque sea algún tipo inferior de revelación, sino porque la ley escrita no tiene el *poder* para liberar al hombre de su corrupción, que lo aleja de Dios, que hace que aborrezca a Dios, y que lo sume en la transgresión de la ley.

De tal manera que, cuando la Reforma habla de la iglesia visible, se refiere a la institución con todos sus privilegios externos que el hombre puede manejar y controlar. Pero dentro de esa iglesia visible están aquellos que han sido realmente transformados por el Espíritu de Dios y que viven según su voluntad, guardando *"los preceptos de la ley"* (Ro. 2:26), siendo gente que *"cumple la ley"* (2:27). Pero esto lo hacen, no por alguna terapia especial, ni por algún poder o privilegio externo, físico, *natural*, sino porque el *Espíritu* circuncidó su corazón y quitó su corrupción. Este es el verdadero judío o creyente que Dios aprueba (2:29). Como dice Berkouwer, cuando la Reforma habló de la iglesia invisible, su intención:

> "no era volar de la visibilidad a la invisibilidad, a una eclesiología docética, aterrenal; más bien, quería recordarnos lo que era la esencia

---

[72]Véase también *Jubileos* 1:23 (escrito entre 150-100 a.C.), 1 QS 5:5.

de la Iglesia como la congregación de los fieles en comunión con Cristo a través de su Espíritu . . . Al usar esta terminología, su preocupación . . . era probar el corazón y vida de la Iglesia delante de Dios, una prueba sobre si ella es realmente la Iglesia y sobre si realmente pertenece al rebaño del Pastor».[73]

## 6. Las *notae ecclesiae* y la misión de la iglesia

En la teología reformada las *«notae ecclesiae»* (=marcas de la iglesia) son las marcas por las cuales podemos reconocer si una denominación es verdaderamente una iglesia *visible* de Cristo. ¿Cuáles son las *notae* que nos sirven de criterio para medir la estatura de Cristo en una congregación local? La Reforma afirma que hay iglesia visible verdadera *allí donde* están la Palabra y los Sacramentos en toda su pureza. En palabras de Calvino:

«dondequiera que veamos predicar sinceramente la Palabra de Dios y administrar los sacramentos conforme a la institución de Jesucristo, no dudemos de que hay allí iglesia; pues su promesa no nos puede fallar: 'Donde están dos o tres congregados en mi nombre, allí estoy yo en medio de ellos' (Mt. 18:20)».[74]

Citemos otra vez a la *Confesión Belga*, la cual afirma claramente:

«Estas son las marcas por las cuales se conoce la verdadera iglesia: Si allí se predica la pura doctrina del evangelio; si se mantiene la administración pura de los sacramentos tal como Cristo los instituyó; si se ejerce la disciplina eclesiástica para castigar el pecado; en suma, si todas las cosas son administradas según la pura Palabra de Dios, rechazándose todo lo que le sea contrario y reconociendo a Jesucristo como la única cabeza de la iglesia. Así es como se puede conocer con certeza la verdadera iglesia, de la cual ningún hombre tiene derecho de separarse».[75]

### a. *Por qué surgen las notae ecclesiae*

Es bueno que ahora nos preguntemos ¿por qué surgió este concepto de las marcas de la iglesia? ¿Qué necesidad hubo de crear este concepto? Para responder a estas preguntas, empecemos por referirnos a los clásicos

---

[73]G.C. Berkouwer. *The Church* (1972, Grand Rapids: Eerdmans, 1976), p. 37s.

[74]J. Calvino. *Institución de la religión cristiana* (Rijswijk: FELiRe, 1967), IV.i.9.

[75]Art. XXIX. Por su parte, la *Confesión de Augsburgo* define la iglesia como: « . . . la congregación de los santos, en la cual se enseña correctamente el Evangelio y los sacramentos son administrados correctamente».

atributos que se le asignan a la iglesia. El llamado *Credo apostólico* es la confesión de lo que la iglesia cree, y entre sus afirmaciones está la fe en la unidad, catolicidad y santidad de la iglesia en el contexto de «Creo en el Espíritu Santo». En el siglo XVI la Reforma descubrió que estos atributos se habían convertido para la iglesia romana en una especie de declaración pomposa e incuestionable del *esse ecclesiae*, esto es, de su ser y esencia. Esto llevaba a que el clero hablase de las maravillas y riquezas inagotables de la iglesia. De esta manera, le fue muy fácil a Roma caer en la arrogancia y la presunción, tornándose engreída y autocomplaciente.

Por medio de las *notae*, la Reforma le recordó dos cosas a la iglesia:

**1.** Hizo ver que la unidad, catolicidad y santidad que el Credo atribuye a la iglesia, no sólo son la gloria que Cristo confiere a su amada, sino que también son una *vara de medir*, un criterio, no para envanecerse o endiosarse, sino para juzgarse críticamente. En lugar de encumbrarse a sí misma, la iglesia debe darse cuenta que el Credo la hace vulnerable.

**2.** La Reforma hizo ver que los atributos del Credo no pueden verse simplemente como alguna especie de posesión substancial inexpugnable de la institución. Los atributos del Credo son también la *vocación* de la iglesia. Entendidos como vocación, los atributos de la iglesia dejan de entenderse exclusivamente como un *don* (Gabe) de Dios, y pasan a convertirse también en una *tarea* (Aufgabe); pasan a ser una misión, un objetivo que alcanzar en Cristo y por el poder del Espíritu. Si los atributos hubiesen sido entendidos siempre, no sólo como una descripción del *ser* de la iglesia visible, sino que también como una medida y una tarea, entonces no habría sido necesario que surgiera el concepto de las *notae ecclesiae* (= marcas de la iglesia). Pero dado que los atributos del Credo se esgrimían como posesión inexpugnable de la iglesia por el solo hecho de ser iglesia, la Reforma combatió este tipo de eclesiología estática introduciendo el concepto de *notae*. Sólo cuando la iglesia entiende estas dos afirmaciones, puede entonces preguntarse a sí misma: ¿son estos atributos todos *observables* en mi iglesia local? ¿son accesibles a los sentidos? ¿es eso lo que el mundo ve, cuando fija su atención en la iglesia?

### b. *El propósito de las notae*

Con las marcas de la iglesia la Reforma quiso proveer de un *criterio* para que la iglesia pudiese autoevaluarse, a fin de saber si era obediente a su Salvador. El fin que se buscaba era reformar la iglesia mediante una norma que pudiera servirle siempre para mantenerse en constante ajuste a la voluntad de Dios. De ahí el lema *ecclesia reformata semper reformanda* (=la iglesia reformada siempre está reformándose). Por el contrario, si los atributos eran tenidos como una axiomática realidad esencial, entonces se hacía imposible la Reforma. ¿Cómo se podría reformar la iglesia si se considera su unidad, catolicidad y santidad como una realidad incuestionable? La Reforma buscó un criterio para saber si la iglesia visible está siendo realmente *ecclesia vera* (=iglesia verdadera).

### c. *La iglesia versus la Santa Escritura*

En su defensa y arrogancia, la iglesia romana llenó a su iglesia particular de apelativos pomposos. El Concilio Vaticano I dice, por ejemplo:

> «Porque a la Iglesia Católica sola pertenecen todas aquellas cosas, tantas y tan maravillosas, que han sido divinamente dispuestas para la evidente credibilidad de la fe cristiana. Es más, la Iglesia por sí misma, es decir, por su admirable propagación, eximia santidad e inexhausta fecundidad en toda suerte de bienes, por su unidad católica y su invicta estabilidad, es un grande y perpetuo motivo de credibilidad y testimonio irrefragable de su divina legación».[76]

Mientras que Roma insiste en que la iglesia es *autopistos*, esto es, «creíble por sí misma», capaz de autentificarse a sí misma, capaz de acreditarse a sí misma como verdadera y fidedigna, la Reforma hizo a la Escrituras *autopistos*:

> «La autoridad de la Santa Escritura, por la cual debe ser creída y obedecida, no depende del testimonio de ningún hombre o de la iglesia, sino que depende totalmente de Dios (quien es la verdad misma), su autor; por lo tanto, debe ser recibida porque es la Palabra de Dios».[77]

No es que la Reforma niegue que la iglesia de Cristo es poseedora de preciosos atributos,[78] lo que niega es que una institución sea idéntica y coextensiva al cuerpo de Cristo y que dichos atributos estén en cualquier denominación cristiana por el sólo hecho de serla. En contraste con Roma, el concepto de *notae* introduce una norma que está *por sobre y fuera de* la

---

[76] E. Denzinger, *Op. cit.*, § 1794.

[77] *Confesión de Westminster*. Cap. I, § iv. El original lee: «The authority of the Holy Scripture, for which it ought to be believed and obeyed, dependeth not upon the testimony of any man or Church, but wholly upon God (who is truth itself), the author thereof; and therefore it is to be received, because it is the Word of God».

[78] «La Iglesia . . . es la esposa, el cuerpo, la plenitud de Aquel que lo llena todo en todo . . . es el reino del Señor Jesucristo, la casa y familia de Dios». *Confesión de Westminster*, § XXV. i-ii.

iglesia. Una norma por la que ella debe revisarse constantemente a sí misma. Las *notae* son el testimonio de que la iglesia está y permanecerá siempre bajo el gobierno de Cristo, como su Rey y Señor, el cual la gobierna por su Palabra y Espíritu. La Reforma nos enseñó, pues, que no podemos hablar de la belleza o grandeza de la iglesia separándola del aspecto normativo y crítico que la Palabra de Dios representa.

La antigua posición liberal también adolecía del mismo mal que Roma. El argumento liberal fue afirmar que Dios está inmanente en cada ser humano y que, por tanto, acceder a la revelación es lo mismo que descubrir en forma renovada aquella relación que el ser humano tiene con el Absoluto. Este tipo de liberalismo añejo surge cada vez que alguien coloca sus propias opiniones como la verdad, como aquello que debe controlar el pensamiento y vida de la iglesia. No nos referimos al hecho de que, al estudiar la Biblia, un cristiano le imponga al texto un sentido ajeno a la intención del autor sagrado, para luego presentar su propia posición equivocada como bíblica. Hablamos más bien de la antigua postura liberal que creía que por medio de la introspección, de la reflexión y de la filosofía, el hombre podía hablar autoritativamente de Dios (*theologia naturalis*). Ya que Dios se encuentra en el hombre, basta con sumergirnos en el ser humano para encontrar así la luz divina. En este caso, ya no se trata de opiniones divergentes sobre lo que la Escritura dice, se trata de que el ser humano puede *por sí mismo*, aparte de la revelación, opinar autoritativamente de lo que es Dios, la iglesia, la misión, etc. Y así encontramos a muchos que no tienen empacho en contradecir la recta exposición de la Palabra, sea en la predicación o en las confesiones, para plantear su forma particular de ver la realidad. Si estas opiniones personales tendrán algún peso, sólo podría ser apelando al viejo principio liberal de que Dios está inmanente en el hombre, y que para acceder a Dios basta con sumergirnos en el pensamiento humano. Por el contrario, la Reforma planteó que el acceso a Dios no va por el camino de nuestras propias filosofías o ideas, sino que sólo a través de la revelación que nos llega a través del mensaje apostólico. Como Barth decía:

"Si aparte de la innegable y singular vida de la iglesia, existe por contraste una autoridad con una singular vida de suyo propia, una autoridad cuyo hablar no es el hablar de la iglesia consigo misma, sino que un hablar a la iglesia, y si existe una autoridad que comparada con la iglesia tenga la posición de un poder libre y, por tanto, de un criterio; si todo esto es así, entonces dicha autoridad deberá tener la naturaleza de Escritura puesta por escrito que la distinga de la mera vida oral y espiritual de la tradición de la iglesia y que se ponga en un lugar superior a ella. Por cierto que este canon de la Biblia está en el proceso de ser continuamente incorporado dentro de la vida, pensamiento y lenguaje de la iglesia, en la medida que la Biblia sea continuamente entendida de nuevo, y así explicada e interpretada. Pero la exégesis es siempre una combinación de toma y dame, de exponer e insertar. La exégesis misma, sin la cual la norma de la Biblia no puede alcanzar validez como norma, se convierte en la señal del permanente peligro de que la iglesia confisque la Biblia, el peligro de que la Biblia sea absorbida por la iglesia, de que sea la iglesia la que construya su vida; en suma, de que se anule su carácter como norma que magisterialmente confronta a la iglesia. Toda exégesis bíblica tiene latente este peligro. Cualquier exégesis se puede convertir en una imposición, en lugar de una exposición, y en esa medida en un diálogo de la iglesia consigo misma. Este peligro no lo eliminamos, sino que lo suscitamos y lo agudizamos, si hacemos que la recta exposición de la Escritura dependa del veredicto de un oficio docente finalmente decisivo [en el caso del romanismo] o del veredicto de una ciencia histórico-crítica [en el caso del liberalismo], comportándose con igual infalibilidad que la Biblia. Si creemos que una u otra de estas autoridades es digna de la más alta confianza de la iglesia, en ambos casos cometemos un error respecto a la Biblia, en la medida que la iglesia crea que en un modo u otro ella puede controlar la correcta exposición de la Biblia, colocando así una norma sobre la norma».[79]

Apliquemos ahora la doctrina de las *notae* a la iglesia de hoy. En relación con esto me gustaría hacer dos observaciones:

**1.** *La secularización.* En nuestra época, las posiciones teológicas humanistas y secularizadas tienen en común con Roma que se yerguen con soberbia por sobre la Palabra de Dios, porque cada vez que la iglesia saca su mensaje, su espíritu y orientación de la moda política, social, psicológica, etc. que el mundo sin Cristo ofrece como su propio programa de salvación, entonces termina autojustificándose a ella misma. Pero la situación actual es peor que eso, porque en esa búsqueda de ser como el mundo, de no caer mal y de estar a la moda, la iglesia no logra finalmente autentificarse a sí misma. En lugar de acreditarse a sí misma, termina siendo el satélite de un mundo autónomo que sí es el centro de sí mismo. De manera que, buscando estar *a la moda* para poder ser escuchada, la iglesia termina siendo periférica a la situación que el mundo vive, termina siendo seguidora de las corrientes en boga, que sí marcan el pulso de lo que acontece. Por aquel complejo de inferioridad que tiene frente a la arrogancia del mundo,

---

[79] K. Barth. *Dogmatics* (Edinburgh: T & T Clark, 1972), vol. I, parte I, pp. 118-119.

la iglesia tiende a querer mimetizarse y confundirse con el mundo, para poder ser actual y contingente. Pero cada vez que la iglesia se acomoda al mundo, su mensaje, proyecto y ministerio deja precisamente de ser actual.

**2.** *El orgullo necio.* Existe, sin embargo, otro peligro, para quienes intentan ser fieles a la Palabra. Hay que advertir que las amargas discusiones con Roma y el mundo hacen que algunas iglesias protestantes usen las marcas de la iglesia para compararse altivamente con sus oponentes. Esta tendencia es muy nociva. No debemos usar el concepto de las marcas de la iglesia para compararnos con otras confesiones cristianas, ni siquiera para compararnos con otra iglesia local de nuestra propia comunidad. Esta costumbre lleva a un engreimiento contrario al fin que buscan las *notae*. Cuando esto ocurre, la iglesia cae en la trampa mortal de dar por sentado que es portadora de las *notae*. Al igual que Roma, la iglesia protestante puede usar las notae para justificarse a sí misma. Más bien deberíamos usar las *notae* para poner a prueba nuestra propia iglesia, para ver si cada congregación responde a sus exigencias. Este peligro se ve principalmente en ciertos sectores conservadores que se contentan con un mero asentimiento formal a la *authoritas Scripturae*. Se yerguen como los defensores de la fe y condenan a todo el que se atreva a quitar una tilde de la Biblia, pero carecen de amor cristiano. He visto mucha carnalidad, robo, envidia y pecado dentro de los defensores de la fe dada a los santos. Es menester que recordemos que no basta una subordinación verbal o pública a la Palabra, porque *"no todo el que me dice: 'Señor, Señor', entrará en el reino de los cielos, sino el que hace la voluntad de mi Padre que está en los cielos"* (Mt. 7:21). Para ser iglesia, el pueblo de Dios debe *vivir* la Palabra, no sólo defenderla.

Al hablar de la naturaleza de la iglesia existen otros dos aspectos de suma importancia que no se pueden dejar de tocar, aunque sea de paso: la misión de la iglesia y la liturgia.

## 7. La misión como «marca» o parte de la naturaleza de la iglesia

Cuando la *Confesión Belga* dijo que las marcas por las cuales se conoce la verdadera iglesia son: "Si allí se predica la pura doctrina del evangelio; si se mantiene la administración pura de los sacramentos . . . si se ejerce la disciplina eclesiástica" se refería principalmente a la vida interna de la iglesia y a lo que ocurre durante el culto dominical. Como en aquel tiempo casi todos estaban dentro de la iglesia, la predicación casi no tenía referencia a lo que hoy entendemos por evangelización. Si había algún concepto de evangelización era hacia el interior de la iglesia misma en términos de una reforma. Pero hoy más que nunca se entiende que la predicación de la «pura doctrina del evangelio» no puede de ninguna manera circunscribirse hacia el interior de la iglesia, sino que la *evangelización de los inconversos se convierte hoy en una marca de la verdadera iglesia.* La predicación ya no puede ser sólo un actividad realizada como un acto litúrgico dentro del culto dominical, es urgente que la marca de la correcta predicación se contextualice para incluir la evangelización. La predicación debe ser una acción dirigida hacia dentro y hacia fuera de la iglesia.

En el próximo capítulo tendremos la oportunidad de ver con más detención el tema de la misión de la iglesia. Si aquí nos hemos adelantado a decir algo sobre esta materia, se debe a la necesidad siempre urgente de hacer ver que la misión no es algo periférico respecto a la *naturaleza* misma de la iglesia, sino que pertenece a su misma *esencia.* De tal manera que, una iglesia que no vive en misión está dejando de ser iglesia. Si al hablar aquí de la naturaleza de la iglesia no tocara en alguna medida el tema de la misión, el lector podría pensar que la misión poco tiene que ver con lo que en esencia es *ser* un cristiano. Pasemos a ver, pues, qué es la misión en términos del *ser* de la iglesia.

Sabemos que las cosas se pueden definir por sus cualidades o por los elementos que las componen, pero también las definimos en términos del *fin para el cual se crearon.* Es así que hablamos de la "caña de pescar", de la "máquina de escribir", de una "casa de huéspedes", de "las fuerzas del orden público", o de "barcos de pesca". También hablamos del "papel para copias", de los "lentes para el sol", o del "tenedor para pescado". Cuando hablamos así, estamos definiendo las cosas en términos de su destino o uso. Una "máquina de escribir" es un artefacto que fue creado para escribir, ese es su uso, esa es su definición, esa es su razón de ser. Si deja de cumplir ese propósito, deja de ser lo que es.

Pasando al área de la teología, cuando pensamos en Cristo, por lo general lo definimos en términos ontológicos, en términos que apunten a su naturaleza divina o humana. Esto es del todo correcto, ya que Cristo pudo cumplir su misión precisamente por *ser* el Hijo de Dios. Pero no hay que olvidar de que Cristo también se definió a sí mismo en términos de su misión, en términos de la *finalidad* para la cual existía. Veamos algunos ejemplos:

*"El Hijo del Hombre ha venido* para *salvar lo que se había perdido»* (Mt. 18:11).

*"El Hijo del Hombre . . . vino* para *servir, y* para *dar su vida en rescate por muchos»* (Mr. 10:45).

*"Yo para esto he nacido, y para esto he venido al mundo,* para *dar testimonio a la verdad"* (Jn. 18:17).

En otras palabras, a Jesús lo llamamos "Salvador" porque vino a salvar; lo llamamos "Redentor" porque nació para rescatar. Jesús se define como un "testigo de la verdad", y es precisamente en la realización de su razón de ser, en el cumplimiento del *fin* para el cual vino a este mundo, que él es lo que es. Jesucristo no sería Jesucristo, si no hubiese hecho lo que hizo. De la misma manera, la teología reformada ha buscado determinar qué *es* la iglesia y qué *es* un creyente, no sólo en términos de su llamamiento o regeneración, sino que también ha reflexionado en términos del *fin para el cual fue creada* la iglesia. Es así que a la pregunta de cuál es el gran objetivo para el cual fue instituida la iglesia cristiana, James Bannerman respondió:

> "No cabe la menor duda de que Las Escrituras afirman que el gran objetivo para el cual se estableció una Iglesia aquí en la tierra fue buscar la gloria de Dios en la salvación de los pecadores mediante el anuncio del evangelio. Ante todo la Iglesia fue instituida para este fin; para este fin continua existiendo de generación en generación; y es sólo en la medida en que cumpla con este gran objetivo de su existencia, que sirve al propósito primario y propio de una Iglesia. En vista de esto, estamos autorizados a decir que sostener y publicar la verdadera fe y doctrina de Cristo es la única señal o marca infalible y segura de una Iglesia cristiana, porque ese es el gran objetivo para el cual se instituyó una Iglesia de Cristo aquí en la tierra".[80]

Entendida así, la iglesia *es* una "glorificadora de Dios", *es* una "predicadora del evangelio", *es* "una salvadora de pecadores". Bien afirma Bannerman que la *única marca* infalible de una iglesia está en que sostiene y publica la verdadera fe y doctrina de Cristo. Definimos la iglesia, entonces, como una "sostenedora y publicadora de la verdadera fe y doctrina de Cristo". La gran "marca" que nos servirá para reconocer una verdadera iglesia es, por tanto, la misión; porque es en la acción de llevar a cabo la misión, es en la acción de proclamar y encarnar la Palabra de Dios que la iglesia es iglesia.

## 8. La liturgia como «marca» o parte de la naturaleza de la iglesia[81]

Ahora quisiera que miremos nuevamente a las afirmaciones reformadas sobre las marcas de la iglesia, porque todas tienen en común terminología

---

[80] J. Bannerman. *Op. cit.,* vol. I, p. 59.

[81] En esta sección elaboraré a mi modo algunas observaciones del excelente libro de J.J. von Allmen. *El culto cristiano* (Salamanca: Sígueme, 1968), p. 51.

que apunta a un espacio, todas afirman que las marcas acontecen en un lugar. Por ejemplo, Calvino dijo: *"dondequiera que veamos predicar . . . y administrar los sacramentos conforme a la institución de Jesucristo, no dudemos de que hay allí iglesia".* La *Confesión Belga* también tiene términos que apuntan a un lugar: "Estas son las marcas por las cuales se conoce la verdadera iglesia: Si *allí* se predica . . . se mantiene la administración pura de los sacramentos . . . si se ejerce la disciplina . . . ".[82] Preguntémonos ahora: ¿dónde está ese "allí" del que se habla? La respuesta es que ese *allí* donde acontece la predicación y la administración de los sacramentos es, en cierta medida, la asamblea litúrgica. Como afirma von Allmen, cuando la Reforma nos habla de las marcas de la iglesia, nos está remitiendo directamente al culto que la iglesia lleva a cabo,[83] porque es precisamente en la asamblea litúrgica, es en el culto dominical y sacramental donde la iglesia está mostrando y demostrando si es o no la iglesia verdadera de Cristo. Von Allmen incluso relaciona la disciplina con la liturgia, ya que esta marca indica que "la iglesia no reconoce a cualquier advenedizo como capacitado para celebrar el culto cristiano".[84]

Pero nos nace otra interrogante, ¿por qué la Palabra y los Sacramentos se tienen que hacer presentes en la asamblea litúrgica? ¿no será esta idea de la reunión litúrgica un concepto anticuado que debe rechazarse, para que en este tiempo moderno nos concentremos en el culto "por cable", en la liturgia televisada, en la adoración por radioemisoras? ¿No podremos conectar el computador a una red litúrgica o escuchar un culto por el celular? Respondemos que la Palabra y los Sacramentos pertenecen ante todo a la asamblea de los creyentes, porque *la iglesia es en su esencia una asamblea litúrgica.* No se puede separar la Palabra, los Sacramentos, la comunión y toda la adoración del pueblo de Dios de la asamblea de los creyentes reunidos para dar culto al Señor, sin a la vez desfigurar a la iglesia, quitándole una de sus marcas más distintivas.[85]

El carácter del pueblo de Dios como "asamblea litúrgica" viene ya descrito en la palabra misma que usamos para referirnos a la comunidad

---

[82] Cf. la *Confesión de Augsburgo*, que habla de " . . . la congregación de los santos, *en la cual* se enseña correctamente el Evangelio y los sacramentos son administrados correctamente".

[83] J.J. von Allmen. *Op. cit,* p. 51.

[84] J.J. von Allmen. *Op. cit,* p. 52

[85] Es por esto que también se puede afirmar que todo culto dominical que cuente sólo con la presencia de la predicación, está cojo, pues le falta la Eucaristía.

cristiana: «iglesia». Por cierto que es obvio que la palabra iglesia no siempre apunta a la asamblea litúrgica o a la comunidad que se reune en dicha asamblea, sino que también se refiere al pueblo de Dios que vive en una ciudad o provincia, esté o no reunido.[86] También está claro que la palabra iglesia adquiere connotaciones universales.[87] Pero hoy se está perdiendo de vista que el sentido primario del término *ekklesía* (ἐκκλησία) está en su sentido común de «asamblea, reunión».[88] Si nos quitamos las anteojeras, veremos cuántas veces en el NT ἐκκλησία significa «asamblea o reunión litúrgica».[89] Cada vez que Pablo saluda a una congregación, al principio de sus cartas, se está dirigiendo a una comunidad reunida en asamblea. Cuando escribe, Pablo puede dirigirse a toda la congregación, porque da por sentado que las comunidades cristianas se congregan litúrgicamente. Esto no es una mera deducción, ya que el apóstol pide en una de sus cartas que ésta sea leída, no sólo en la reunión de la iglesia de Colosas, sino que también *«en la asamblea de . . . »* (Col. 4:16).[90] El que se hable de «casas» en relación con la iglesia, apunta al hecho de que ella tiene como norma reunirse (Ro. 16:5; 1 Co. 16:19; Col. 4:15s.; Flm. 23). Cuando Pablo reprende a los corintios por sus desordenes durante la Eucaristía, afirma que el desacato ocurre *«cuando os reunís en* asamblea*»* (1 Co. 11:18, cf. v. 20). Era en la reunión litúrgica que los corintios comían y bebían la Cena indignamente. Y cuando Pablo vuelve a rectificar la liturgia malsana de Corinto, dice que en la reunión cristiana uno debe buscar que sus palabras edifiquen a la *«asamblea»* (1 Co. 14:4,5,12). Si este requisito no se cumple,

---

[86]Cf. Hch. 8:1; 9:31; 13:1, etc.

[87]Cf. Hch. 20:28; Ef. 3:21; Heb. 12:22ss., etc.

[88]En el griego profano *ekklēsía* (ἐκκλησία) apunta a la asamblea de todos los hombres libres con derecho a voto, y así ocurre por lo menos en Hch. 19:32. Tampoco se puede negar que, por lo menos en parte, ἐκκλησία deriva su sentido del término hebreo *qāhāl* a través de la LXX. Entre otros significados, *qāhāl* se usa para apuntar al pueblo de Dios reunido como una asamblea litúrgica. Obviamente este no es el lugar para explayarnos sobre este tema. Cf. *qāhāl* en Dt. 5:19; 9:10; 10:4; 31:30; Jos. 8:35; Jue. 20:2; 1 R. 8:14,22,25; 17:47; 2 Cr. 20:5,14; 30:13,25; Sal. 22:26; 35:18; Jl. 2:16, etc.

[89]Es interesante que mientras la fuerza disgregadora e individualista del mundo moderno nos fuerza a recordar que iglesia significa *reunión*, James Bannerman, después de definir a la iglesia como «el cuerpo de creyentes en cualquier lugar particular, reunidos para adorar a Dios», dice que este significado «yace en la superficie misma de la Escritura, y casi no requiere ilustración. Aun en el caso de dos o tres creyentes profesantes, reunidos para orar y adorar, sea en público o en casas privadas, el término ἐκκλησία se refiere a ellos en el NT». *Op. cit,* vol. I, p. 11.

[90]Pasajes como Hch. 12:5; 15:3,4,41; 18:22; 1 Co. 11:16; 16:1, todos retienen de alguna manera el sentido primario de «reunión» o bien la presuponen.

Pablo manda al individualista y desordenado que guarde silencio *"en la reunión"* (14:28). Y en consonancia con su política, afirma: *"en la reunión litúrgica prefiero hablar cinco palabras con mi entendimiento, para enseñar a otros . . . "* (14:19).[91] En todos estos textos la palabra *ekklesía* apunta a la comunidad reunida o a la reunión misma.[92] Por tanto, que la trasliteración del término ἐκκλησία no nos haga olvidar que su traducción y sentido primario es "asamblea, reunión", la cual en el caso del pueblo escatológico de Dios se convierte en una reunión litúrgica a la cual pertenecen por derecho, la Palabra y los Sacramentos.[93]

Ahora bien, si tanto las *notae* como el nombre mismo de ἐκκλησία definen a la iglesia como una comunidad litúrgica, es de muchísima importancia subrayar los efectos que tienen estas *notae* en nuestro entendimiento de la iglesia como asamblea litúrgica. En este respecto sólo me detendré en las siguientes consideraciones:

## a. *Reforma y liturgia*

Como las marcas nos proveen de una norma que juzga a la iglesia, supongamos ahora que una denominación o congregación se aparte de la fe, entonces también ha falseado su liturgia. Si la iglesia se convierte en adúltera e infiel al Señor, también ha contaminado su culto. Todo el aparato litúrgico de una congregación pierde sentido, queda vacío, en el momento que se prostituyen la Palabra, los Sacramentos y la disciplina. Recordemos que Pablo reprendía la liturgia de Corinto precisamente por no llevar a cabo una Eucaristía sana y por no darle a la instrucción del evangelio el lugar que le corresponde. Por tanto, toda reforma en fe y doctrina es y debería ser

---

[91] Cf. *"las asambleas de los santos"* (14:33), *". . . callen en las reuniones, . . . es indecoroso que. . . hable en la reunión"* (14:35). La RV60 se aferró a la trasliteración "iglesia" en todo el capítulo 14, hasta que al llegar a 14:34,35 tuvo que optar por algo como "congregación[es]".

[92] En 1 Co. 11:22 y 14:34ss. se usa el término iglesia en contraste con las casas particulares de los miembros. Este contraste indica que aun en 1 Co. 11:22 el sentido es *"la asamblea de Dios"*. Cf. H. Ridderbos. *Op. cit,* p. 329. En 1 Co. 4:16-17 Pablo le pide a los corintios que imiten su conducta (ética), y agrega que envía a Timoteo para que les recuerde su forma de vida en Cristo Jesús, *"lo cual concuerda con lo que yo enseño en todas partes en cada asamblea litúrgica"*, en cada reunión de la iglesia. En 3 Jn. 6 el sentido obvio es: *"han dado testimonio de tu amor ante la asamblea litúrgica"*.

[93] "Por otra parte, sólo se puede pensar en los dones de un modo concreto; por eso Pablo entiende siempre a la *ekklesía* como la *comunidad que se reúne*, cosa que se ve con especial claridad en 1 Co. 14 (vv. 4s.,12,19,23,28), donde el vocablo siempre se refiere al acontecimiento de la reunión. Sólo en el juntarse en común y vivir en común de los miembros puede concretarse el amor, mencionado en 1 Co. 13 como el don más perfecto . . . ". L. Coenen. *DTNT,* vol. II, p. 328s.

también una reforma de la liturgia. Si la iglesia redescubre la Palabra y vuelve a su Dios, entonces su culto será afectado en una forma determinante.[94]

Pero hay más, así como se debe sospechar de toda reforma doctrinal que no afecte a la liturgia, también hay que desconfiar y rechazar toda renovación litúrgica que no surja de una vuelta o acercamiento más íntimo a la Palabra. Esto se debe a que el culto es ante todo *la celebración de la historia de la salvación.* En el culto adoramos y glorificamos a Dios por su obra de salvación, de la cual hemos sido objeto. En el culto dominical celebramos y confesamos la muerte, resurrección, exaltación y venida de Cristo como nuestra gloria y esperanza. Que la iglesia es una comunidad escatológica, que celebra la salvación en Cristo, se ve en la forma que se origina el nombre mismo de *ekklesía* (ἐκκλησία). Hay que hacer notar que, a excepción de dos ocurrencias en el Evangelio de Mateo (16:18; 18:17), la palabra *iglesia* está ausente por completo de los Evangelios. Ni siquiera Lucas, que usa libremente el término en el libro de Hechos, lo usó en su propio Evangelio. Esto extraña aún más cuando los Evangelios se escribieron después de muchas cartas paulinas y en un tiempo donde el uso del término *iglesia* estaba del todo generalizado. Parece que los escritores de los Evangelios concientemente le negaron a la comunidad pre-pascual el apelativo de iglesia. Todo esto nos dice que la palabra iglesia se emplea ante todo, no para referirse a la iglesia en embrión, esto es, a los seguidores de Jesús antes de su muerte, sino "para designar a los grupos y comunidades que comienzan a formarse después de la muerte en cruz y la resurrección de Jesús".[95] Esta consideración nos dice que la iglesia primitiva se definía a sí misma como la comunidad escatológica que encuentra su génesis ante todo *en el poder del Espíritu liberado en Pentecostés como resultado de la muerte, resurrección y exaltación de Cristo.* La iglesia del Nuevo Testamento es la asamblea que *Dios mismo reúne* por el poder escatológico del Espíritu y en virtud de la obra de Cristo. Por tanto, la iglesia es en sí misma una comunidad que debe su existencia salvífica al Dios que la congregó y salvó, es una comunidad que se reune en *el día del Señor,* para celebrar precisamente la victoria de la resurrección.

Por eso, en la medida que el culto se aparte de la Palabra que *interpreta y define* dicha salvación escatológica, en la medida que la liturgia no lleve las marcas de la iglesia, en esa misma proporción tenderá a ser un fin en sí mismo, tenderá a autojustificarse en la forma de un espectáculo atrayente, de conferencias sobre temas interesantes, de histerias colectivas, de grupos

---

[94]Cf. von Allmen. *Op. cit,* p. 53.

[95]L. Coenen. *Op. cit.,* vol. II, p. 326s.

politizados, etc. Este es, pues, el mal, tanto de las iglesias intelectualizadas y teóricas como el de algunas iglesias populares. En ambos casos el culto se usa para dar expresión, no al evangelio, sino a la ideología de moda o al sentir religioso natural. Pero si decimos que hay iglesia allí y *sólo allí* donde se predica y se administran los Sacramentos correctamente, entonces el culto debe ser el canal por el cual el evangelio se expresa, porque el culto concretiza la realidad de la existencia de una comunidad salvada, da expresión a esa realidad de la salvación. Además, si en alguna asamblea se predica con pureza el evangelio, podemos estar seguros que este dará su fruto, salvando y transformando al hombre en Cristo y por el poder del Espíritu. Es así como se genera la comunidad litúrgica que se reune para adorar a Dios y celebrar su salvación.

**b.** *El culto como epifanía de la iglesia*

Ahora bien, todo lo que venimos diciendo significa que en el caso de una iglesia que procura ser fiel a su Esposo, las *notae* dentro del culto serán el medio de hacerse visible; porque, como dicen las confesiones, si uno puede conocer con certeza a la verdadera iglesia a través de sus marcas y si estas marcas se hacen visibles especialmente durante y por medio de la liturgia del culto, entonces es en el culto donde podemos conocer a la iglesia. El culto es la epifanía de la iglesia, porque el culto describe y delata a la iglesia, el culto define y precisa la naturaleza y significado de la iglesia en una forma visible y concreta. El culto hace de que todo el mundo se de cuenta de qué es la iglesia.

Lo que venimos diciendo también implica que hay que dudar del cristianismo de aquellos que dicen llamarse creyentes, pero que voluntariamente no se congregan, que no se hacen miembros de la iglesia ni se comprometen en la misión. Si la iglesia es en su esencia una comunidad litúrgica y si la realidad de la iglesia se hace visible y es conocida a través de sus reuniones, entonces sólo la ausencia de la vida nueva en Cristo puede explicar el desinterés, desapego y hasta menosprecio que tantos tienen hacia la comunidad cristiana y sus asambleas litúrgicas. Así como hay tanto católico romano nominal, hoy en día también hay que hacer presente al protestante que el libro de Hechos nos recuerda que, en virtud de la resurrección de Cristo y el poder del Espíritu, *"todos los que habían creído estaban juntos, y tenían en común todas las cosas"* (2:44).

**c.** *El culto como toma de conciencia y separación del mundo*

A través de las marcas que aparecen en el culto, la iglesia no sólo se da a conocer a otros, sino que la liturgia le da la oportunidad de que ella tome conciencia de sí misma, de que tome conciencia de lo que es.[96] Pero la conciencia de uno mismo implica el saberse distinto a lo que nos rodea. La conciencia de lo que uno es lleva consigo un diferenciarse de lo demás. Por tanto, al caracterizarla con las marcas de Cristo, al distinguirla del resto del mundo por la Palabra y los Sacramentos, el culto distingue y separa a la iglesia del resto del mundo. Como afirma nuestra Confesión, los sacramentos fueron dados por Dios: *"con el fin de . . . poner una diferencia visible entre aquellos que pertenecen a la iglesia y el resto del mundo, y para comprometerlos solemnemente en el servicio a Dios en Cristo, según su Palabra".*[97] El culto muestra que la iglesia no pertenece al mundo, porque el culto cristiano no es una forma mundana de ser.[98] El culto lleva a cabo una ruptura entre la iglesia y el mundo, porque le demostramos al mundo que somos de Cristo. El culto a Dios, si está caracterizado por las marcas de la iglesia, es la negación del culto a los dioses paganos, que hoy toman forma en el culto al hombre y a sus propios proyectos de auto-salvación. El culto cristiano se convierte en la destrucción del culto al dinero, a la violencia, a la secularización, al sexo, al poder. En un culto sellado por las marcas de la iglesia, todos los poderes mundanos, que buscan su autonomía de Dios y que buscan colocarse en su trono, son declarados vencidos; y vencidos, digo, porque he allí en el culto cristiano un grupo de seres humanos, que antes aborrecían a Dios, pero que ahora le adoran. Cada himno, cada doxología, cada exposición de la Palabra, cada Eucaristía y Bautismo se convierte en el testimonio del fracaso de las torres de Babel, de los paraísos sin Dios, de los Estados, poderes e ideologías contrarias al Creador.

Es por esto que, a fin de cuentas y en un sentido estricto, el culto *no es público*, no es algo que pertenece o incumbe a todos, a toda una comuna, ciudad o país. No es como la vía pública por la que todos transitan. Esto se debe a que los únicos que pueden celebrar el culto verdaderamente son los creyentes, los que han pasado, por su bautismo y conversión, de la potestad de las tinieblas al reino del Hijo de Dios. Los hipócritas o incrédulos no pueden participar de verdad en él, sino sólo los que han renunciado al pecado, los que han abandonado el reino de las tinieblas. En su esencia, el culto no es un acontecimiento público, sino que es una celebración que sólo pertenece a la comunidad cristiana. En un show o espectáculo, el que asiste puede ser un simple espectador que contempla la rutina. Pero para que el culto sea culto, los que asisten a él deben de *participar*, esto es, deben adorar a Dios, deben de recibir su Palabra con gozo, deben comer su cuerpo

---

[96]En y por medio del culto la iglesia "toma conciencia de sí misma y se confiesa a sí misma. El culto permite a la iglesia aparecer como tal". J.J. von Allmen. *Op. cit,* p. 41.

[97] *Confesión de Westminster.* Cap. XXVII, § i.

[98]J. J. von Allmen, *Op. cit,* p. 41.

y beber su sangre. Cada primer día de la semana, a través de su Espíritu, Cristo nos invita a escucharle y a cenar junto con él. Además, el culto se dirige a Dios, no a los hombres. No es el show que permite exhibir al público mis dones musicales, mi arte, mi poesía, mi habilidad para hablar o cantar. El culto no busca entregar un buen espectáculo a la platea, el culto busca adorar a Dios por sus maravillas, el culto busca celebrar la obra de Cristo. Cada Domingo es el día del Señor, el día en que Cristo resucitó, es el día en que celebramos su resurrección, es el día en que celebramos la victoria de la vida sobre la muerte, la santidad sobre el pecado, el bien sobre el mal, y por todo esto glorificamos a Dios. El culto es el lugar donde el pueblo de Dios se reune para escuchar la Palabra de Dios, y no para ejercicios homiléticos, gimnasias exegéticas o pirotecnia verbal. En el culto se le debe permitir a la Palabra que hable a la situación y vida de la gente en su relación con Dios, pues toda la vida está en relación con el Todopoderoso. Pero como es imposible que el hipócrita y el incrédulo lleven a cabo este culto, el culto no es público, pertenece y queda con el pueblo de Dios.[99]

Cada vez que el pueblo de Dios se reune como ἐκκλησία en torno a la Palabra y los Sacramentos, administrados con pureza, está participando y saboreando un anticipo del mundo venidero, está mostrando la naturaleza misma de lo que es la iglesia, a saber, la asamblea que celebra la historia de la salvación, tal como en la adoración celestial del Apocalipsis, en la cual los seres vivientes y los ancianos se postran delante del Cordero, y le cantan:

> *"Digno eres tú de tomar el libro y abrir sus sellos; porque tú fuiste inmolado, y con tu sangre nos has redimido para Dios, de todo linaje y lengua y nación; y nos has hecho para nuestro Dios reyes y sacerdotes . . . "* (5:9ss. cf. 4:8; 5:12ss.).

Pongamos atención al *contenido* de lo que se canta en esta adoración celestial. Lo que se hace es alabar al Cordero por su obra de salvación. En otras palabras, en el culto son la Palabra y los Sacramentos, como la interpretación y proclamación de la historia de la salvación, lo que debe darle a la adoración su contenido. De aquí que la predicación y la administración de los sacramentos sean también en sí mismos actos litúrgicos que celebran el carácter de Dios y su obra de salvación. Repito, son estos dos actos o *notae* los que le dan al canto y a cualquier otro gesto litúrgico su contenido y orientación correcta, tal como sucede más adelante en el cántico de los victoriosos:

---

[99]Cf. J.J. von Allmen. *Op.cit.,* p. 61s.

*"grandes y maravillosas son tus obras, Señor Dios Todopoderoso; justos y verdaderos son tus caminos, Rey de los santos. ¿Quién no te temerá, oh Señor, y glorificará tu nombre? pues sólo tú eres santo, por lo cual todas las naciones vendrán y te adorarán, porque tus juicios se han manifestado»* (Ap. 15:3ss.; cf. 14:7ss.; 19:1ss.). ¡AMEN!

## 9. Consecuencias de la doctrina reformada

**a.** La primera consecuencia de nuestra doctrina será producir una iglesia tremendamente evangelizadora. No sólo hacia fuera de su redil, sino que *hacia dentro*, para asegurarse de que sus miembros son realmente convertidos. Si existen iglesias protestantes sumidas en el silencio y la apatía es porque han dejado de creer, porque el espíritu diabólico de la secularización ha marchitado su fe o porque se han apartado de sus raíces.

**b.** Es sobre la base de nuestro concepto de iglesia que la Reforma produce una piedad genuina y exige a cada persona que pasa a ser miembro de ella una profesión creíble, que no sea contradicha por la vida y el carácter del profesante. Pero como Dios no ha otorgado a nadie la facultad de discernir infaliblemente qué profesión es real y cuál un engaño, y dado que muchas profesiones aparentemente creíbles terminan mostrando ser falsas, cada congregación debe estar siempre alerta, siempre edificando y fortaleciendo la fe, siempre recalcando a Cristo, examinando pastoralmente si todos sus miembros muestran los *frutos* de la conversión.

**c.** Sobre esta misma base se ejerce también la disciplina o la excomunión sobre aquellos que, estando dentro de la iglesia visible, demuestran que realmente no son miembros del cuerpo de Cristo (Ga. 5:21). Este celo por una congregación que demuestre que realmente es iglesia se ve en 1 Corintios 5:1ss. Allí el apóstol reprende a una congregación que consciente el pecado en su medio, y les dice:

*"Echen fuera[100] la vieja levadura,*
*a fin de que seáis masa nueva,*
*puesto que sois pan sin levadura,*
*porque ciertamente nuestro cordero pascual[101] ya fue*
*sacrificado, el cual es Cristo.*
*Por tanto, celebremos la fiesta, no con la masa vieja*
*ni con la levadura que es la malicia y la maldad,*

---

[100] El vb. *ekkathairo* (ἐκκαθαίρω) aquí no significa sólo "limpiar", sino que la idea es: "purgar, eliminar, quitar".

[101] Lit. "nuestra pascua". Pero por sinécdoque "cordero pascual".

*sino con panes sin levadura que son*
*la sinceridad y la verdad»*[102] (vv. 7-8).

Dada la naturaleza de la iglesia (καθώς), que es pan sin levadura, esto es, un cuerpo santo (*communio sanctorum*) y purificado del pecado, es menester que la congregación quite de su medio al impío. Bien dice Conzelmann que aquí «la santidad no es la meta de la conducta, sino su presuposición».[103] Pero no se trata de humanismo, porque la pureza de la iglesia se ve como una consecuencia (καὶ γάρ) del sacrificio de Cristo y no del esfuerzo humano. Después en el v. 8 la levadura ya no representa al impío, que tenían que echar de la iglesia (v. 7a), sino que viene a representar al pecado, que no puede ser parte de la vida de los verdaderos creyentes. Si Cristo ha muerto por nosotros, la consecuencia inevitable (ὥστε) será que el creyente viva una vida de santidad sincera y verdadera:

«*Guardad la fiesta* significa 'haced que toda vuestra vida sea un festival sagrado, esto es, consagrado a Dios'. Así como una fiesta de siete días estaba conectada con el sacrificio del cordero pascual, así también una vida de consagración a Dios está conectada con la muerte de nuestro cordero pascual que es Cristo».[104]

---

[102]Tanto los genitivos *«de malicia y de maldad»* (RV60), como los que siguen: *«de sinceridad y de verdad»* (RV60) son todos epexegéticos: «la levadura que consiste en . . . , panes sin levadura que consisten en . . . ». Cf. DM § 90 (6), BDF § 167.

[103] *1 Corinthians* (Philadelphia: Fortress, 1975), p. 98.

[104]C. Hodge. *1 & 2 Corinthians* (1857, reimpreso por Edimburgo: Banner of Truth, 1958), p. 87.

# CAPÍTULO II

# La misión de la iglesia

## DEFINICIÓN DE LA MISIÓN

### 1. La misión como proclamación: Objetivo subordinado

Como el NT hace mucho énfasis en la *proclamación* del evangelio, cuando los pastores y líderes de la iglesia quieren profundizar acerca del *propósito* para el cual existe la iglesia, cuando se quiere pensar en la misión de la Iglesia, este énfasis tan marcado en la predicación surge de inmediato como si fuese la única misión que la iglesia tiene que cumplir. Por ejemplo, R.B. Kuiper tiene un capítulo titulado «la suprema tarea de la Iglesia», y bajo ese título afirma:

> «La tarea de la Iglesia es enseñar y predicar la Palabra de Dios. Cualquier otra cosa que pudiera propiamente hacer es algo subordinado y subsidiario a dicha tarea. Esta es su tarea suprema».[1]

Creemos que las palabras de Kuiper son sólo *parcialmente* correctas. Por cierto, Marcos 1:38 afirma que Jesús salió de Capernaum, diciendo: *«prosigamos a las villas vecinas, a fin de (ἵνα) predicar allí también, porque para ésto he venido»*. Aquí se subraya claramente que Cristo vino a predicar. Después Marcos 3:14 dice que Jesús designó a doce *"para que estuviesen con él y para (ἵνα) enviarlos a predicar"* (cf. Lc. 9:2). En Juan 18:37 se presenta a Cristo diciendo: *"yo para esto he nacido y para esto he venido al mundo, a saber, para (ἵνα) testificar de la verdad»*.

Pablo también dice enfáticamente: *"Cristo no me envió a bautizar, sino que a evangelizar»* (inf. télico, 1 Co. 1:17). En otro lugar, el mismo apóstol dice que a Dios le agradó revelar a su Hijo en él, *"con el fin de que (ἵνα) lo predique como evangelio (εὐαγγελίζωμαι αὐτόν) entre los gentiles»*

---

[1] R.B. Kuiper. *The Glorious Body of Christ* (Grand Rapids: Eerdmans, s.f.), p. 163.

(Ga. 1:16).[2] En Colosenses 1:25 Pablo usa el verbo griego *pleróō* (πληρόω), que tiene aquí el sentido de «llevar a su consumación final, llevar a su pleno desarrollo».[3] El texto dice así:

> *"de la cual* [=Iglesia] *yo he llegado a ser ministro, según el oficio divino de administrador,*[4] *que me fue entregado en favor vuestro, a fin de llevar* [inf. télico] *a su realización más plena <la predicación de> la Palabra de Dios".*[5]

El mismo verbo ocurre en Romanos 15:19, donde Pablo resume toda su labor misionera en el Este:

> *"de tal manera que, desde Jerusalén*[6] *hasta Ilírico he llevado <la predicación d>el evangelio de Cristo a su pleno desarrollo".*[7]

En Hechos 20:17ss. Pablo está por abandonar definitivamente la zona del Mar Egeo, así que llama a los ancianos de la iglesia, para darles un sermón de despedida. El discurso registra palabras como estas:

> *"Pienso que mi vida no tiene ningún valor para mí,*[8] *a fin de terminar*[9] *mi carrera, esto es,*[10] *el ministerio que recibí de parte del Señor Jesús, a saber,*[11] *testificar del evangelio de la gracia de Dios"* (20:24).

---

[2] Cf. Ef. 6:19s.; Col. 4:3s.; 2 Ti. 4:17.

[3] Para este uso del verbo, cf. Ga. 5:14; Fil. 2:2; Col. 4:17; 2 Ts. 1:11, etc.

[4] La frase griega es *ten oikonomían tou theou* (τήν οἰκονομίαν τοῦ θεοῦ), que lit. sería «la administración de Dios». Pero al igual que en Lc. 16:2-4 y 1 Co. 9:17, aquí *oikonomía* (οἰκονομία) apunta al *cargo* de administrador o mayordomo, no a la acción de administrar (como en Ef. 1:10). Por otro lado, el genitivo *tou theou* (τοῦ θεοῦ) podría ser adjetival: «oficio divino» (cf. BDF §165, DM §90(1)) o subjetivo: «oficio dado por Dios». Cf. DM §90(5)*a*.

[5] La NVI95 traduce: «dar cumplimiento a la palabra de Dios».

[6] Es difícil saber con certeza qué se quiere decir con el término *kúklo* (κύκλῳ, dat. adv.), que significa «en círculo». Sea como sea, significados como *"Jerusalén y sus alrededores"* (LT), son del todo inapropiados, ya que para el Apóstol *de los gentiles* la mención de Jerusalén no es más que una forma tradicional de hablar sobre el punto de partida de la predicación. Mejor es: *"dando vuelta desde . . . hasta . . . "* (NBE).

[7] La NVI95 traduce: «he completado la proclamación del evangelio de Cristo». Cf. Hch. 9:15; 13:47.

[8] Lit. «de ninguna cosa [= λόγου] hago mi vida valiosa para mí». La NVI95 traduce: «considero que mi vida carece de valor para mí mismo».

[9] El Griego registra un *hos* (ὡς) de propósito + infinitivo.

Los textos recién citados de Romanos 15:19 y Hechos 20:24, son especialmente importantes, porque se dan dentro del contexto en que Pablo da por terminada su labor misionera en el Este, y se prepara para su nueva tarea en Occidente. Estos pasajes resumen, entonces, cuál ha sido su objetivo ministerial. No puede quedar más claro que el fin para el cual Pablo recibió su cargo de mayordomo de Dios es que el evangelio llegue a todo lugar.

## 2. La misión como la acción de producir una nueva creación: Objetivo final

Es correcto decir, entonces, que *uno* de los objetivos fundamentales de la Iglesia es la predicación del evangelio. Pero esto no quiere decir que la predicación sea el objetivo *final*. Por lo general se olvida que la proclamación del evangelio también tiene un objetivo; se olvida que la predicación no es un fin en sí mismo, sino que persigue una meta bien definida. Por tanto, es necesario que ahora definamos cuál es el fin que busca la predicación. El texto que nos comunica el propósito por el cual Juan escribe su Evangelio, nos dice lo siguiente:

> *«Pero éstas <señales> se han escrito para que (ἵνα) creáis*[12] *que Jesús es el Cristo, el Hijo de Dios y para que (ἵνα), por medio de creer, tengáis vida en su nombre»* (Jn. 20:31).

Este texto nos enseña que no sólo la predicación, sino que la fe misma son sólo un medio para el fin último que se persigue, a saber, que el ser humano experimente y posea la vida eterna. Notemos que primero Juan presenta el objetivo más próximo, diciendo que escribe *«para que creáis»*.

---

[10] El *kaí* (καί) es explicativo, cf. BAGD 393a.

[11] El inf. es aquí explicativo, especificando cuál es el ministerio de Pablo. Cf. otros ejemplos de este tipo de infinitivo epexegético en Hch. 15:10; Ro. 1:28; Ef. 1:10; Tit. 2:2, etc.

[12] Los Mss. se dividen entre el subjuntivo aoristo y el subj. presente. Algunos escogen el aor. como la lectura correcta, a fin de traducir: "para que comencéis a creer" (aor. inceptivo, cf. DM §180(2), Moulton *Grammar*, vol. III, *Syntax*, p. 71, Robertson, *Grammar*, p. 834), lo que implicaría que este Evangelio se dirige ante todo a no creyentes. Pero el aor. no es ningún argumento de peso en favor de dicha teoría, ya que también podría significar: "para que terminéis de creer", "para que seáis confirmados en la fe" (aor. culminativo, cf. DM §180(3), Moulton. *op. cit,* p. 72, Robertson. *op. cit,* p. 834s.). El *Aktionsart* de presente daría el sentido de "para que continuéis creyendo". Sea cual sea la lectura correcta, bien dice Bultmann que, "en lo que concierne al Evangelista es irrelevante si los posibles lectores son o no 'cristianos'; ya que para él la fe de los 'creyentes' no es una convicción que se presenta de una vez para siempre, sino que debe confirmarse perpetuamente a sí misma y, por tanto, debe escuchar la Palabra continuamente". R. Bultmann. *The Gospel of John* (Philadelphia: Westminster, 1971). p. 698s.

Pero de inmediato agrega un participio instrumental (πιστεύοντες) que reinterpreta este *"para que creáis"* como un fin subordinado, como un medio para conseguir la meta final: *"y* para que (ίνα), *por medio de creer, tengáis vida en su nombre".* El fin último de nuestro ministerio como Iglesia de Cristo no es tan sólo predicar, sino lograr que, por medio de la fe, el ser humano experimente la vida redimida del pecado. Por eso, cuando el apóstol Juan afirma que escribió su Evangelio, no dice que lo hizo sólo para dar a conocer su mensaje, sino que lo hizo con el propósito de que, por medio de la fe, tengamos vida. La tarea de la Iglesia no es un simple trabajo de divulgación, es el ministerio de dar a luz la vida de la nueva creación. Por eso Jesús decía: *"creed en la luz, para que* (ίνα) *lleguéis a ser hijos de luz"* (Jn. 12:36). El fin no es creer, sino llegar a ser un hijo de luz. De la misma forma, cuando Jesús resume su labor, dice:

> *"Les he dado ha conocer tu nombre, y continuaré dándolo a conocer,* para que (ίνα) *el amor con que me amaste esté en ellos y yo en ellos"* (Jn. 17:26).

Otra vez, Jesús no construye el fin de su ministerio en términos de transmitir conocimientos teóricos o doctrinales; su meta no es sólo predicar y enseñar. Se trata más bien de dar a conocer una verdad que transforma la vida del ser humano, que lo redime del pecado y lo llena del amor y la presencia del Señor: *"para que* (ίνα) *el amor con que me amaste esté en ellos y yo en ellos".*

De la misma forma, en Romanos 15:15s., Pablo afirma que él ha escrito a los Romanos:

> *"en virtud de la gracia que me ha sido dada de parte de Dios para ser levita[13] de Cristo a los gentiles, ministrando sagradamente el evangelio, a fin de que (ίνα) el sacrificio, que consiste en los gentiles,[14] llegue a ser aceptable, es decir, santificado por el Espíritu Santo".*

---

[13] El término griego es *leitourgós* (λειτουργός) = "siervo o ministro (religioso)". Por lo general se toma aquí como "sacerdote", pero con K. Barth prefiero el sentido de levita. En sentido metafórico, la labor de Pablo es ser "un asistente en el sacrificio, un levita que tiene que preparar el sacrificio para el sacerdote oficiante. El sacerdote es Cristo. El sacrificio, los gentiles. Con sus cartas y predicación Pablo no efectúa otra cosa que la preparación para que el sacrificio esté listo para el sacerdote, por quien es acepto a Dios. Se trata de la santificación de los gentiles por el Espíritu Santo". K. Barth. *A Shorter Commentary on Romans* (Richmond: John Knox, 1960), p. 177. Cf. C.E.B. Cranfield. *Romans* (serie ICC. Edimburgo: T & T Clark, 1975). vol. II, p. 755.

[14] El genitivo que habla del sacrificio *"de los gentiles"* (τῶν ἐθνῶν) es epexegético: la ofrenda que consiste en los gentiles. Cf. BDF §167, DM §90(6).

Aprendemos aquí que para Pablo la tarea suprema o fin último de un apóstol no está sólo en predicar el evangelio, sino que producir una nueva humanidad mediante dicha proclamación, un hombre *"santificado por el Espíritu Santo"*. En 1 Corintios 9:19-22 Pablo repite constantemente que todos sus esfuerzos por adaptarse a otros, en aquello que no es fundacional, son *"para* (ἵνα) *ganar"* al mayor número de personas posible, y repite: *"para que* (ἵνα) *de alguna forma pueda salvar a algunos"* (v 22). El texto de Colosenses 1:28 afirma que la proclamación del evangelio *no es el fin último* para el cual Pablo fue llamado. El texto dice claramente que Pablo proclama a Cristo:

*"a fin de* (ἵνα) *presentar perfecto en Cristo a todo ser humano"*.

El objetivo de la Iglesia no es simplemente predicar, sino que el fin último es poder presentarle a Dios, cuando llegue el fin del tiempo, a todo ser humano perfecto *en Cristo*. Colosenses 1:22 repite el fin que Cristo tenía con su obra de redención: *"para presentaros* [inf. télico] *santos, irreprensibles e irreprochables delante de él"*. En otro lugar, el mismo Apóstol dice: *"porque estoy celoso por vosotros con celo de Dios,[15] porque os he desposado con un solo esposo, a fin de presentaros* [inf. télico] *como una virgen pura a Cristo"* (2 Co. 11:2). Efesios 1:4 habla de que Dios nos escogió en Cristo antes de la fundación del mundo; y cuando uno pregunta con qué propósito nos escogió, el texto añade: *"para que seamos* [inf. télico] *santos e irreprochables delante de él"*. Más adelante en 5:27 Pablo menciona el objetivo que Cristo tenía al realizar su obra redentora:

*"a fin de* (ἵνα) *presentársela a sí mismo, una iglesia resplandeciente, que no tenga mancha ni arruga ni nada semejante, sino que sea santa e irreprochable"*.

Si hemos tratado de ser más precisos en la definición de lo que es la misión de la Iglesia, se debe a que habrá un abismo de diferencia entre los esfuerzos de quienes creen que con predicar basta y los esfuerzos y orientación de aquellos que, *mediante el evangelio*, tienen como meta la creación de un nuevo ser humano. La diferencia es fundacional. Si estamos convencidos de que nuestro objetivo es salvar al ser humano en términos de cambiar todo su ser, para que refleje la imagen *del Hijo de Dios*, en amor, gozo, paz, perseverancia, benignidad, bondad, fe, mansedumbre, templanza, etc., entonces toda nuestra predicación y estrategia pastoral se orientará *a*

---

[15]El genitivo *"de Dios"* (θεοῦ) podría ser adjetival: "celo divino", un celo piadoso, que Dios aprueba; o subjetivo: "el mismo celo que Dios tiene" por su pueblo; o de origen: "el celo que siento por ustedes proviene de Dios" (NVI95).

*producir un cambio de vida y conducta en el ser humano por medio de la doctrina evangélica contenida en las Escrituras.* Por el contrario, si nos imaginamos que nuestro deber es sólo predicar, entonces nos contentaremos con hablar de las cuatro leyes espirituales o con buscar una instantánea y superficial decisión por la que alguien diga aceptar a Cristo. Esta situación es muy cómoda, pero no es la misión de la Iglesia.

Lo que digo también está relacionado con el estado del corazón de los pastores, líderes y miembros de la iglesia, ya que si nosotros no hemos creído, si nosotros no hemos sido regenerados y si no estamos entregados de lleno a la misión de ir formando *en nosotros mismos* ese nuevo hombre por medio del evangelio, será imposible orientar nuestra labor pastoral y eclesial al objetivo de transformar a otros. Una vida de pecado, una vida de incredulidad, una vida secularizada que sólo confía en el hombre, no puede ser agente de la misión, sino objeto de ella. Pablo afirma que el *"evangelio es el poder de Dios que produce salvación"* (Ro. 1:16), pero añade de inmediato *"a todo aquel que cree"*.

Con demasiada facilidad se recurre a la objeción de que el hombre no puede producir ningún cambio, que sólo dependemos de la obra del Espíritu. Es obvio que sólo Dios puede dar al ser humano la capacidad de ser iluminado y regenerado por su Palabra (cf. Lc. 24:45; Hch. 16:14), pero esto no cambia para nada las palabras de Pablo, cuando nos dice que su proclamación tiene como fin *"presentar perfecto en Cristo a todo ser humano"* (Col. 1:28), o cuando afirma que él escribe y ministra el evangelio a fin de que los gentiles lleguen a ser una ofrenda *santificada* por el Espíritu (Ro. 15:16). Hechos 26:18 llega a decir que Dios envió a Pablo a los gentiles:

> *"para abrir sus ojos,*
> *para que así se conviertan de las tinieblas a la luz*
> *y del poder de Satanás a Dios,*
> *para que reciban el perdón de los pecados*
> *y la herencia entre los santificados,*
> *todo por la fe en mí".*[16]

Por tanto, está claro que el objetivo que la Iglesia persigue no termina con la proclamación, sino que el evangelio y la fe se tienen como un medio para lograr la liberación del ser humano de las garras de Satanás y del

---

[16]El texto registra una cadena de infinitivos télicos. El primero depende del verbo anterior: *"a quienes yo te envío para abrir sus ojos".* El siguiente infinitivo (con τοῦ) debe depender del primero: *"abrir sus ojos, para que así puedan convertirse . . . ".* El último podría depender también del primero, o bien del segundo.

pecado. Hay que repetir que la proclamación del evangelio es más bien un objetivo inmediato, un fin subordinado o instrumental para lograr otro fin que sí es el principal. Por eso, si decimos que la tarea suprema de la iglesia es predicar, entonces estamos diciendo una media verdad, que se prestará para extravíos.

## 3. El evangelio es el único medio de salvación

Si el objetivo de la iglesia es la transformación del ser humano a la imagen de Cristo, cabe preguntarnos por qué el NT recalca tanto la importancia de la proclamación. La respuesta es clara, se hace énfasis en la predicación porque el evangelio se concibe como *el único medio* para lograr la meta de producir un nuevo hombre. Ahora bien, junto con definir la misión de la Iglesia, nuestra actual época secularizada nos exige que con mucha fuerza subrayemos enfáticamente que el evangelio es el único medio para la salvación de la humanidad. Es Cristo como el objeto de nuestra *fe* y *conocimiento* lo que produce el nuevo hombre, maduro y perfecto: *"hasta que la totalidad de nosotros alcance la unidad de la fe y del conocimiento del Hijo del Dios, a <ser> un varón perfecto, a la medida de la estatura de la plenitud de Cristo"* (Ef. 4:13). Es imperioso que subrayemos esta verdad, porque si decimos que nuestro objetivo es transformar al ser humano en un ser perfecto, entonces políticos, psicólogos, sociólogos y educadores no creyentes se entusiasmarán y querrán unirse a tan noble empresa. Es más, nos dirán que a eso es precisamente a lo que se dedican. Por cierto que en muchas áreas podremos trabajar junto a ellos por un mundo mejor. Pero cuando les mencionemos el medio *fundacional* por el cual los cristianos decimos que debemos lograr dicho fin, cuando anunciemos que *"en ningún otro hay salvación, porque no hay otro nombre bajo el cielo, dado a los hombres, en que podamos ser salvos"* (Hch. 4:12), en ese preciso instante la soberbia humana que pretende salvarse a sí misma, que desea un medio de salvación que pueda contar, medir, manipular, dominar, surgirá con fuerza incontenible. Porque para el hombre secularizado y atrapado sin remedio en la inquebrantable fe en sí mismo, el evangelio es simplemente inaceptable. La secularización recibirá con gozo el objetivo de redimir al hombre, pero no recibirá a Cristo. La razón es simple: el pecador busca un paraíso, pero *sin Dios*; busca una salud y bienestar que no tenga que pasar por el reconocimiento de su calidad de pecador, de criatura rebelde y enajenada de su Creador. Y precisamente en esto consiste el fracaso del mundo y de la iglesia, en que se busca la vida sin acudir al dador de la vida, se busca la vida sin el arrepentimiento y la conversión. Como dice Jeremías: *"dos males ha cometido mi pueblo: me han abandonado a mí, que soy la fuente de aguas vivas, para cavar para sí mismos cisternas rotas, que no pueden retener el agua"* (Jer. 2:13).

Entendamos que el evangelio es el *único* medio de salvación, *porque el evangelio es Cristo mismo*. Si el NT hace mucho énfasis en la importancia radical de la proclamación del evangelio es sólo por su *contenido*. Revisemos brevemente los verbos que se usan para hablar de la predicación, pero al hacerlo notemos muy cuidadosamente el *contenido* de lo que se predica:

**1.** Uno de los verbos es: *katangéllō* (καταγγέλλω) = "proclamar solemnemente", el cual aparece en Colosenses 1:28: *"a quien* [= Cristo] *nosotros proclamamos, corrigiendo a todo ser humano y enseñando a toda persona en toda sabiduría, a fin de presentar perfecto en Cristo a todo ser humano"*. Usando este mismo verbo se habla de proclamar: la resurrección de entre los muertos (Hch. 4:2), la Palabra de Dios o del Señor (Hch. 13:5; 15:36; 17:13), el perdón de los pecados (Hch. 13:38), el camino de salvación (Hch. 16:17), el testimonio[17] de Dios (1 Co. 2:1), el evangelio (1 Co. 9:14), la muerte del Señor (1 Co. 11:26), a Cristo (Fil. 1:17,18, cf. Hch. 17:3).

**2.** Otro verbo importante es *kērussō* (κηρύσσω), que se usa para referirse a la acción de "anunciar" (públicamente, como un heraldo, cf. RV60 1 Co. 9:27): a Cristo (Hch. 8:5; 1 Co. 1:23; Fil. 1:15; 1 Ti. 3:16), a Jesús (Hch. 9:20; 19:13; 2 Co. 11:4), al Hijo de Dios, Jesucristo (2 Co. 1:9), a Jesucristo como Señor (2 Co. 4:5), el reino de Dios (Hch. 20:25; 28:31), la Palabra de fe (Ro. 10:8), el evangelio (Ga. 2:2; Col. 1:23), la Palabra (2 Ti. 4:2).[18]

**3.** Otro verbo es *diamartúromai* (διαμαρτύρομαι) = "testificar": la Palabra del Señor (Hch. 8:25), que Jesús es el designado por Dios como juez de vivos y muertos (10:42), que Jesús es el Mesías (18:5), la conversión a Dios y la fe en el Señor nuestro, Jesús (20:21), el reino de Dios (28:23, cf. 2:40).

**4.** El verbo más notable y conocido es obviamente *euangelízō* (εὐαγγελίζω) = "evangelizar" (anunciar las buenas nuevas de salvación y victoria). Este verbo también aparece junto a complementos que nos indican cuál es el contenido del mensaje: se anuncia a Cristo Jesús (Hch. 5:42), la

---

[17]Aquí en 1 Co. 2:1 hay un problema textual de difícil solución. Se podría optar por la *lectio difficilior*, que dice "testimonio", o bien por la otra opción textual de "misterio".

[18]En algunos textos el vb. "anunciar" viene seguido de *que* (ὅτι), que sirve para introducir el contenido del anuncio: Hch. 9:20; 10:42; 1 Co. 15:12. Importante también es el adv. *"así"* (οὕτως) que aparece en 1 Co. 15:11, porque lo que Pablo quiere decir es que los apóstoles predicaban *según* la confesión doctrinal que recitó en los vv. 3-8. También el sustantivo *kerugma* (κήρυγμα) aparece con alguna indicación de su contenido: Jesucristo (Ro. 10:8).

Palabra (Hch. 8:4; 1 Co. 15:2; 1 P. 1:25), a Jesús (Hch. 8:35; cf. Ga. 1:16), paz (Hch. 10:36), al Señor Jesús (Hch. 11:20), la promesa hecha a los padres (Hch. 13:32), la Palabra del Señor (Hch. 15:35), a Jesús y la resurrección (Hch. 17:18), las cosas buenas (Ro. 10:15), el evangelio (acus. cognado, 1 Co. 15:1), el evangelio de Dios (2 Co. 11:7), la fe (=doctrina, Ga. 1:23), las insondables riquezas de Cristo (Ef. 3:8).[19]

Estos textos demuestran que, de una u otra forma, *Cristo* es el contenido de la predicación cristiana. La predicación es importante porque nos pone en contacto con el Salvador. Juan nos decía que escribió su Evangelio para que creyésemos que Jesús es el Mesías, el Hijo de Dios, y para que mediante esta fe tengamos vida *"en su nombre"* (Jn. 20:31). No es posible lograr o producir vida eterna aparte de la fe en Jesús como el Mesías y el Hijo de Dios, porque es en su nombre que se nos otorga el don de la vida. Jamás seremos presentados perfectos delante del Padre, a menos que lo seamos *"en Cristo"* (Col. 1:28). En Filipenses 1:9-11, el apóstol ejerce su ministerio, orando para que Dios les conceda el don de ser *"puros y sin caída para el día de Cristo, llenos del fruto que produce la justicia, el cual es posible mediante Jesucristo, para gloria y alabanza de Dios"*. El fruto que produce la justicia es posible, pero posible *"mediante Jesucristo"*, no aparte de él.

## 4. Definición de la misión de la Iglesia

Por todo esto, quizá la definición que ya citamos de Bannerman sea mucho más correcta que la de Kuiper, siempre y cuando entendamos el término «salvación» en el sentido de la transformación completa del ser humano a la imagen de Cristo, el nuevo Adán:

«No cabe la menor duda de que Las Escrituras afirman que el gran objetivo para el cual se estableció una Iglesia aquí en la tierra fue buscar la gloria de Dios en la salvación de los pecadores mediante el anuncio del evangelio».[20]

Aquí el fin para el cual existe la Iglesia se formula en términos de la búsqueda de la salvación del pecador, mientras que la predicación sólo se ve como el medio establecido por Dios para lograr dicho objetivo.

---

[19]El verbo también aparece absoluto o sólo con su complemento indirecto: Hch. 8:25,40; 14:7,21; 16:10; Ro. 1:15; 15:20; 1 Co. 1:17; 9:16,18.

[20]J. Bannerman, *The Church of Christ* (1869, reimpreso por Edimburgo: Banner of Truth, 1960), vol. I, p. 59. Si se analiza la definición de Bannerman en forma rigurosa, veremos que el fin último ni siquiera es la salvación de los pecadores, sino la gloria de Dios. Sin embargo, dejamos este tema para el siguiente capítulo.

El texto de Colosenses 1:28 me permite ahora proponer la siguiente tesis:

## PROPUESTA
## Organizar a la Iglesia
## para la misión

Declaración de misión:

*«presentar perfecto en Cristo a todo ser humano».* Colosenses 1:28

Este texto resume en forma maravillosa el fin que la iglesia persigue en este mundo. Como iglesia, nuestro objetivo es que, al fin de los tiempos, podamos presentarle al Padre el fruto de nuestra labor: seres humanos perfectos. El término que Pablo usa es *téleios* (τέλειος), el cual apunta a la persona que alcanzó plena madurez, a aquel que ha llegado a su plena realización. El término "perfecto" es integral y todo abarcador, apunta al ser humano como habiendo alcanzado pleno desarrollo *en Cristo*. Pero este objetivo central viene acompañado por calificativos que delimitan y precisan su contenido:

**1.** Como lo muestra el contexto, dicha presentación se da en la segunda venida. Por tanto, nuestra misión se delega a todas las generaciones futuras, porque va más allá de la corta vida de la presente generación. Se trata de una tarea que Dios mismo terminará con la resurrección y glorificación de los santos.

**2.** El lema libera a nuestro objetivo de todo concepto secularizado, pues aunque se trata de lograr que el ser humano llegue a ser perfecto, se trata de una perfección *"en Cristo"*, esto es, en virtud de nuestra unión y comunión con Cristo. Por lo tanto, el significado del término "perfecto" no se toma de las ciencias sociales, de la psicología, la política o filosofía de moda. Su campo significativo está centrado en la Revelación. En otras palabras el significado del término "perfecto" lo da la Escritura.

**3.** Como ya lo hemos dicho, el lema nos advierte que el fin que la iglesia persigue no es la simple predicación del evangelio. Nuestro fin como iglesia no es tan sólo hablar de Cristo, sino que transformar las vidas de los pecadores. El fin es salvar y perfeccionar *en Cristo* a todo ser humano.

**4.** Finalmente, el lema nos libra de todo tipo de clasismo, sexismo, o racismo, pues nuestra meta es que *"todo ser humano"* llegue a ser perfecto. No queremos formar una congregación homogénea, si por ello se entiende de una sola clase social, económica, etc.

La meta de la predicación del evangelio no es buscar una conversión espuria o superficial, sino que nada menos que presentar delante de Dios, al fin de los tiempos, a todo hombre *perfecto en Cristo*. El anuncio paulino del evangelio es un anuncio que busca transformar a la gente, busca perfeccionarla en Cristo. Es por esto que Pablo afirma que *"el evangelio es poder de Dios para salvación"* (εἰς σωτηρίαν Ro. 1:16). Esto es, el evangelio no es un fin en sí mismo, el evangelio no se contenta con sólo ser predicado, su fin es salvar. 2 Timoteo 3:14-17 nos habla de lo útil que puede ser la Escritura, ella sirve *"para enseñar, para redargüir* [o: reprender], *para corregir, para educar en la justicia"* (2 Ti. 3:16). Pero, otra vez, ¿qué se persigue con este entrenamiento? El texto añade: *"a fin de* (ἵνα) *que el hombre de Dios llegue a ser un ser completo* [o: formado], *perfectamente equipado para toda buena obra"* (3:17). En el ministerio de Pablo, todo apuntaba a que los hombres vengan a la fe, pero con el fin de que desde allí se comience la gran labor de edificar en ellos la imagen de Cristo. En Filipenses 1:9-11 el apóstol ejerce su ministerio pidiendo por el crecimiento espiritual de los creyentes, pero todas las virtudes que pide para ellos (vv. 9-10) tienen sólo este fin:

> *"para que* (ἵνα) *seáis puros y sin caída para el día de Cristo, llenos del fruto que produce la justicia, el cual es posible mediante Jesucristo, para gloria y alabanza de Dios"* (v. 10).

Subrayemos dos términos que Pablo usa aquí. El primero nos dice que el ministerio pastoral debe buscar que el ser humano se transforme en un ser "no mezclado con impurezas", sino que "puro" (εἰλικρινής).[21] El segundo término lo tomamos como transitivo: *"sin que seáis causa de caída para otros"*, lo que implica que nuestra relación con Dios depende de nuestra justa relación hacia nuestro prójimo.[22] Por eso es que Pablo le pide a Dios que produzca en abundancia el fruto de la justicia en la vida de los creyentes.

---

[21] El término se usa desde Platón y Filón para referirse a esa pureza moral que no contiene impureza alguna. Cf. F. Büchsel. *TDNT*, vol. II, p. 397s.

[22] Este mismo uso se encuentra en 1 Co. 10:32. En Fil. 1:10. Esta interpretación la siguen en sus Comentarios, M.R. Vincent, R.P. Martin, H.A.W. Meyer, J. Eadie, etc. La palabra también se ha tomado como intransitiva: "sin caída propia" (así quizá en Hch. 24:16, donde se habla de una conciencia que no acusa de caída). Esta opción la siguen BAGD, H. Alford, J.C. Ellicott, J.B. Lightfoot, etc. Por lo general se aduce que el contexto apunta a la perfección necesaria para comparecer delante de Cristo y que el énfasis está en nuestra relación con Dios, no con los demás. Pero bien observa Vincent que nuestra relación con los demás es un claro condicionante en nuestra relación con Dios. M.R. Vincent. *The Epistles to the Philippians and to Philemon* (Edinburgh: T & T Clark, 1897), p. 14. Cf. Mt. 25:40; Ro. 14:13; 1 Co. 8:3; 10:32; 2 Co. 6:3.

## CRISTO Y LA MISIÓN

### Cristo como origen y paradigma de la misión de la iglesia

Cuando decimos que nuestra misión es perfeccionar al hombre estamos haciendo una afirmación sotereológica, pero para que nuestra sotereología no termine secularizada, es de vital importancia definirla en términos *cristológicos*, porque el evangelio nos presenta a Cristo como el origen y paradigma del nuevo hombre.

### 1. Dos creaciones distintas

Romanos 5:8ss. afirma:

> *"Pero Dios demuestra su amor para con nosotros en el siguiente hecho: cuando todavía éramos pecadores, Cristo murió por nosotros. Así que, si ahora hemos sido justificados por el precio de su sangre, con mayor razón por medio de él seremos salvados de la ira. Porque si, cuando éramos enemigos, fuimos reconciliados con Dios por medio de la muerte de su Hijo, con mayor razón, estando ya reconciliados, seremos salvados por el precio de su vida".*

Para los fines de la presente discusión sólo nos interesa destacar el momento en que ocurre la acción redentora de Cristo: el Señor muere por nosotros *"cuando todavía éramos pecadores"*.[23] Después se repite lo mismo, cuando se afirma de que fuimos reconciliados por la muerte de Cristo *"cuando todavía éramos enemigos"*.[24] Esto significa que *antes* que los romanos hubieran ejercido fe y arrepentimiento, Cristo ya había muerto por ellos, reconciliándolos con Dios.

Pero surgen las interrogantes: ¿Cómo puede la acción de un tercero afectar nuestra vida sin que nosotros mismos hayamos hecho nada? ¿Cómo es que Cristo puede morir y reconciliar a los creyentes, cuando éstos *todavía eran* pecadores y enemigos de Dios? Este tipo de interrogantes, que surgen por las afirmaciones de Romanos 5:8ss., fuerzan a Pablo a demostrar que la representatividad jurídica, por la cual las acciones de un representante afectan la vida de sus representados, es una forma de relación que no surge por primera vez con Cristo, sino que ya en Adán manifestó toda su fuerza.

---

[23]Por el adv. *eti* (ἔτι =todavía) la fuerza temporal del ptc. *onton* (ὄντων genit. abs., BDF §423) sobresale: *"cuando todavía éramos . . . "*. Pero el matiz concesivo también está presente: *"a pesar de que todavía éramos . . . "*.

[24]Al igual que el ptc. anterior, aquí *ontes* (ὄντες) tiene tanto fuerza temporal (DM §201.2): *"cuando éramos enemigos"*, como concesiva (DM §201.5): *"a pesar de que éramos enemigos"*.

Pablo prueba que las acciones de un tercero nos pueden afectar, cuando afirma:

> *«Así como[25] el pecado entró en el mundo*
> *por medio de un <solo> hombre,*
> *y por medio del pecado <entró> la muerte [ . . . .],*
> *y como resultado <de ese solo pecado>[26]*
> *la muerte pasó a todos los hombres,*
> *por cuanto[27] todos pecaron <en Adán>»*
> (Ro. 5:12).

Es importante recalcar que la última afirmación *"por cuanto todos pecaron"* debe entenderse en el sentido de que todos pecaron *en Adán*. Fijémonos bien en los tres pasos que da Pablo en su razonamiento:

καὶ οὕτως . . . . . . . . . . . . . . . . .   **1.** *"y como resultado <de ese solo pecado> . . . "*

εἰς πάντας ἀνθρώπους ὁ θάνατος διηλθεν . . . . . . . . . . . .   **2.** *"la muerte pasó a todos los hombres"*

ἐφ᾿ ᾧ πάντες ἥμαρτον . . . . . . . .   **3.** *"por cuanto todos pecaron <en Adán>"*.

---

[25]La conj. *hōsper* (ὥσπερ) empieza una comparación que termina en anacoluto: «Uno de los anacolutos más notables en las epístolas de Pablo se encuentra al final de Ro. 5:12, donde falta la apódosis que responda a ὥσπερ. La siguiente oración (ἄρχι γάρ) retoma la cláusula subordinada de ἐφ᾿ ᾧ ἥμαρτον, y entonces la comparación nunca se completa. En el v. 18 una nueva comparación se elabora en forma completa». Robertson. *Grammar*, p. 438. En el v. 18 el οὖν es resumptivo. Así también en sus Comentarios: F.F. Bruce p. 130, C.E.B. Cranfield vol. I, p. 272, C. Hodge p. 147s., U. Wilckens vol. I, p. 383, E. Käsemann p. 147, F.J. Leenhardt p. 140 nota, J.B. Lightfoot p. 289, J. Murray p. 180, etc.

[26]El modo conjuntivo *kai houtōs* (καὶ οὕτως) de ninguna manera introduce la apódosis faltante, como creen R.C.H. Lenski. *The Interpretation of St. Paul's Epistle to the Romans* (Minneapolis:Augsburg, 1936), p. 359 y R. Scroggs. *The Last Adam* (Oxford: Blackwell, 1966), p. 79 n.13. La conjunción más bien expresa una consecuencia: *"y como resultado de . . . "* (cf. Ro. 11:26; 1 Co. 7:36; 11:28; Ga. 6:2). Esto está claro por dos razones: **1.** Sólo hay que recordar que *kai houtōs* (καὶ οὕτως ="y así") no es lo mismo *houtōs kai* (οὕτως καὶ ="así también"). Notemos que en Ro. 5:19 y 21 sí encontramos la secuencia comparativa correcta: *hōsper . . . houtos kai* (ὥσπερ . . . οὕτως καὶ = *"así como . . . así también"*), y en 5:15,18 se da la otra posibilidad de *hos . . . houtos kai* (ὡς . . . οὕτως καὶ = *"así como . . . así también"*). **2.** La posición enfática que tiene *di' henos anthrópou* (δι᾿ ἑνός ἀνθρώπου =por medio de un hombre) en Ro. 5:12 nos indica que lo que se necesitaba en la apódosis frustrada es algo similar a esa frase, tal como lo demuestran los vv. 18,19,21.

Observemos cuidadosamente que la segunda oración (= *"la muerte pasó a todos los hombres"*) viene rodeada por dos modos conjuntivos. El primero de arriba (καὶ οὕτως = *"y como resultado"*) nos dice claramente que el paso de la muerte a cada uno[28] de los seres humanos no es el fruto de sus propias acciones pecaminosas, sino que es el *resultado* del pecado de un solo hombre. El de abajo (ἐφ' ᾧ = *"por cuanto"*) trata de explicarnos cómo es que todos mueren como resultado del pecado de un solo hombre. La respuesta es que *"todos pecaron <en él>*, esto es, en Adán.[29] No es inusitado que en Pablo ocurra un implícito *"en él"*, encontramos una idea similar en 2 Corintios 5:14, que dice:

*"Uno* [=Cristo] *murió en el lugar de todos. Por tanto, todos murieron <en él>"*.

Aquí se entiende que es *en Cristo* que todos murieron. De manera similar, en Romanos 5:12 se afirma que todos pecaron *en* Adán, y en 1 Corintios 15:22 se dice que *"en Adán todos mueren"*.

Pero Pablo siente que debe demostrar que los seres humanos mueren a causa del pecado de Adán, así que en Romanos 5:13 surge un *"porque"* (γάρ). El texto dice así:

---

[27]La discusión sobre la fuerza de *ef' hō* (ἐφ' ᾧ) es interminable. Rechazamos traducciones como: "en dirección a la cual (muerte) todos se dirigieron por sus pecados". Así E. Stauffer. *New Testament Theology* (London: SCM, 1955), p. 270 n. 176; según lo cual *hō* (ᾧ) es masc. y tiene como antecedente a la *"muerte"*, o como: *in quo omnes peccaverunt* (= "en el cual hombre pecaron", así la Vulgata, Agustín), según lo cual *hō* (ᾧ) es masc. y tiene como antecedente a *"un hombre"*.

[28]La prep. *diá* (διά) del verbo *diēlthen* (διῆλθεν) tiene fuerza distributiva.

[29]Como dice Ridderbos. *Paul: An Outline of His Theology* (1966, Grand Rapids: Eerdmans, 1975), p. 96, "las palabras 'y así la muerte pasó a todos' apuntan a la entrada del pecado y de la muerte al mundo a través de un hombre. Pero si las últimas palabras del v. 12 se entendieran como refiriéndose a los pecados personales de todos, entonces la entrada de la muerte estaría basada en el pecado personal de todos, lo cual haría que el 'y así' perdiera su referencia exclusiva a lo que precede". Sin embargo, el pelagianismo afirma que la frase *"por cuanto todos pecaron"* apunta a los pecados personales de cada uno (así también C.K. Barret, J. Denney, R. Bultmann). Obviamente que la refutación definitiva a la teoría de los pecados personales está en la seguidilla de afirmaciones tajantes: *"por la transgresión de uno solo muchos murieron"* (v. 15), *"el juicio que trajo la condenación resultó de una sola transgresión"* (v. 16), *"por la transgresión de uno solo la muerte llegó a reinar"* (v. 17), *"por medio de una sola transgresión vino la condenación a todos los hombres"* (v. 18), y *"por la desobediencia de un solo hombre los muchos fueron constituidos pecadores"* (v. 19).

*"porque antes de <que se promulgara> la ley*
*ya había pecado en el mundo,*
*pero cuando no hay[30] ley, no se inculpa de pecado.*
*No obstante, desde Adán hasta Moisés*
[esto es, en el período sin ley mosaica],
*la muerte reinó aun sobre los que no pecaron*
*en forma similar a la transgresión de Adán*
[quien sí desobedeció una ley explícita],
*el cual es tipo del que había de venir*
[= esto es, tipo de Cristo]» (Ro. 5:13-14).

El argumento es como sigue: La tesis de Pablo es que la realidad de la muerte en la experiencia humana debe explicarse como resultado de que todos pecaron *en Adán*. Esto trata de demostrarlo (γάρ v. 13) de la siguiente manera: Se reconoce primero que los seres humanos pecaban antes de que Moisés diera la ley. *"Pero"* (δέ) se advierte de que no se les podía inculpar por sus pecados, ya que en aquel período no había una ley mosaica que los acusara.[31] Con todo (ἀλλά), la gente igual era castigada con la muerte en el período entre Adán y Moisés; y morían precisamente los que no habían pecado desobedeciendo un mandamiento explícito como el que recibió Adán. Aunque la muerte no les podía venir como castigo por sus pecados personales, morían de todas formas, porque se les imputó el pecado de Adán.[32]

Sólo cuando hemos entendido el rol de Adán como representante de la humanidad, podemos entender la frase que lo califica como *"tipo del que había de venir"* (v. 14). Todo lo que Pablo ha venido diciendo tiene el solo fin de presentar a Adán como tipo de Cristo, para así poder explicar cómo es que Cristo puede morir por los suyos, cuando éstos todavía eran pecadores y enemigos de Dios (5:8ss.). Al igual que Adán, Cristo también cumple un rol representativo (*foedus gratiae*).[33] El haber mencionado de

---

[30]El ptc. *ontos* (ὄντος) es un genit. abs. de tiempo. Cf. BDF §423.

[31]El verbo *ellogéō* (ἐλλογέω) es un término técnico que quiere decir *cargar a la cuenta* (cf. Flm. 18). Cuando la ley está ausente (cf. Ro. 4:15) el pecado no se pone en la cuenta del pecador, no se le imputa como una deuda con la ley. Por tanto, no se le puede castigar.

[32]Bien dice Ridderbos. *Op. cit,* 97 n.15, "mientras sólo se tengan en consideración los pecados personales de aquellos que vivieron antes de la ley, su muerte como castigo por el pecado no se explica lo suficiente. Su muerte no se explica por el mero hecho de que ya en aquel período ellos pecaban por ser hijos de Adán. El asunto se aclara sólo cuando se considera su participación en aquel solo pecado de Adán".

[33]Notemos de paso que la teoría pelagiana destruye precisamente lo que Pablo intenta comunicar, destruye la analogía entre Cristo y Adán.

que Cristo nos reconcilia con Dios antes de nuestra conversión y antes de cualquier acción o movimiento nuestro (5:8-11), forzó al Apóstol a meterse en el tema de Cristo como cabeza de la nueva humanidad, ya que es esta doctrina la que aclara cómo es que Jesús reconcilia a los creyentes ya antes de su conversión. El apóstol Pablo ve a los seres humanos divididos en dos grupos distintos:

**a.** *Adán y la antigua creación.* Existe toda una creación o grupo que tiene a *Adán* como su *representante* frente a Dios. Todos ellos están *unidos* a Adán. Por eso, son responsables de todo lo que su representante haya hecho. Lo que hizo Adán es como si ellos lo hubiesen hecho; el destino de Adán, se convierte también en el destino de ellos. Romanos 5:12 nos dice que *"por un hombre"* entró el pecado en el mundo, y cuando uno desea saber de qué hombre se habla, 5:14 nos informa de que se trata de Adán. En cuanto a Adán hay dos cosas que el pasaje recalca:

En primer lugar, el texto insiste que bastó que este Adán-representante cometiera un solo pecado para que sus representados fuesen condenados: *"por la transgresión de uno solo"* (5:15), *"a causa de una sola transgresión"*[34] (5:16), *"por la transgresión de uno solo"* (5:17), *"por medio de una sola transgresión"*[35] (5:18), *"por la desobediencia de un solo hombre"* (5:19).

En segundo lugar, el pasaje nos informa de que toda la antigua humanidad fue afectada por el pecado de su representante—Adán: *"la muerte pasó a todos los hombres"* (5:12), *"murieron los muchos"* (5:15), *"el veredicto que trajo la condenación vino por una sola transgresión"* (5:16), *"la muerte llegó a reinar"* (5:17), *"vino la condenación a todos los hombres"* (5:18), *"los muchos fueron constituidos pecadores"* (5:19).

1 Corintios 15:21-22 también elabora el tema de las dos creaciones. Por su pecado, un hombre (=Adán) introdujo por primera vez la muerte dentro

---

[34] Algunos toman *henos* (ἑνός) como si fuera masculino, como en el v. 15. Pero dado que aquí está en paralelismo con *"muchas transgresiones"* (πολλῶν παραπτωμάτων) es mejor tomarlo como neutro.

[35] Algunos argumentan de que *henos* (ἑνός) debería ser aquí masculino: "por la transgresión de uno solo" (así en sus comentarios, Cranfield 289, Käsemann 156), pero Stuart observa correctamente que cuando Pablo quiere comunicar esa idea usa el dativo de *paráptoma* (παράπτωμα) y el genit. de *heis* (εἷς) junto con su artículo (τοῦ), como ocurre en los vv. 15,17. La única vez que se emplea *henos* (ἑνός) sin el artículo es en el v. 16, donde se añade el ptc. *hamartesantos* (ἁμαρτήσαντος) para evitar confusión. Cf. Moses Stuart, *Commentary on the Epistle to the Romans* (Londres: William Tegg, 1835), p. 251.

de la experiencia humana (v. 21). Y el texto agrega que: *"en Adán"*, esto es, *en unión a* Adán como su representante, *"todos mueren"* (v. 22).

Teológicamente esto se podría expresar hablando de un "pacto primordial" que Dios hizo con Adán y la creación. Como toda alianza divina, no se trata un convenio en el que las partes (Dios y el hombre) se sientan a discutir como iguales cuáles serán los términos y elementos comprendidos en el pacto, para luego formalizar juntos un acuerdo. Todo pacto divino empieza como un pacto unilateral (*foedus monopleuron*). El pacto es simplemente la declaración de la voluntad de Dios respecto al hombre, la cual lo obliga. Dios bendice a la primera pareja y le encomienda una tarea (Gn. 1:28), Dios pone al hombre en el huerto, le da un trabajo que hacer y le entrega la *lex paradisiaca* (Gn. 2:15-17). Sólo en el momento que el hombre se entera y entra en el pacto que Dios le dispensa gratuitamente es que la relación Dios-hombre, que ya empezó con la creación del ser humano a la imagen de Dios, pasa a ser administrada en términos de ese pacto. De esta forma, la relación Dios-hombre es ahora un pacto bilateral (*foedus dipleuron*), en el cual tanto Dios como el hombre están sujetos a los términos de la alianza.[36]

**b.** *Cristo y la nueva creación.* En segundo lugar, existe toda una nueva humanidad que tiene a *Cristo* como su *representante* frente a Dios. Todos ellos están *unidos a* Cristo. Por eso, son responsables de todo lo que su representante haya hecho. Lo que hizo Cristo es como si ellos lo hubiesen hecho; el destino de Cristo, se convierte también en el destino de ellos. El texto elabora los siguientes puntos:

En primer lugar, los afectados por la obediencia y justicia de Cristo son: *"los muchos"* (5:15, 19), *"los que reciben . . . "* (5:17), *"todos los hombres"* (5:18).[37]

---

[36]La formulación teológica de esta relación en términos de pacto fue llamada erróneamente "pacto de obras" (*foedus operum*). Cf. la crítica en John Murray, *Collected Writings of John Murray* (Edinburgo: Banner of Truth, 1977), vol. 2, p. 49; A.A. Hoekema, *Created in God's Image* (Grand Rapids: Eerdmans, 1986), pp.118ss. Véase la excelente discusión de Gordon J. Spykman, *Reformational Theology* (Grand Rapids: Eerdmans, 1992), pp. 259ss. [TE pp. 288ss.].

[37]La expresión *"todos los hombres"* no debe entenderse como si apuntara a la salvación de todo y cada uno de los seres humanos. La frase debe tomarse dentro del contexto de la polémica de Pablo con el judaísmo cristiano. Pablo insiste en que el evangelio no está destinado sólo al reducto judío y que debe abrirse a todos los hombres. El argumento adámico le sirve para darle al evangelio un carácter universal. Pero el argumento adámico también podría situar la frase dentro del esquema de los dos eones, y así adquirir el sentido de: *"todos los hombres de la nueva creación"*.

En segundo lugar, los representados por Cristo reciben: *"la gracia y el don de Dios"* (5:15), *"reinarán en vida"* (5:17), *"la gracia y el don abundante que consiste en la justicia"* (5:17), *"la justificación que trae vida"* (5:18), *"serán constituidos justos"* (5:19).

1 Corintios 15:21-22 nos dice que un solo hombre (=Cristo) introdujo por primera vez *"la resurrección"* para vida eterna dentro de la historia de la humanidad (v. 21), porque antes de la resurrección de Cristo ningún ser humano había sido resucitado *para vida eterna*. Se añade que *"en Cristo"*, esto es, *unidos a* Cristo como nuestro nuevo representante, *"todos serán vivificados"*, esto es, resucitados (v. 22). El aspecto representativo se ve claramente también en Efesios 2:5s., donde Pablo dice que Dios *"nos co-revivió con Cristo . . . y nos co-resucitó y nos co-sentó en los lugares celestiales en Cristo"*.

## 2. Humillación y exaltación de Cristo

Como la carne se descompone y se pudre muy pronto, era natural que los autores bíblicos *compararan* al hombre con la carne, para hacernos ver que, al igual que ella, los seres humanos somos *transitorios, mortales y frágiles*. El Salmo 78:39 dice, por ejemplo, que Dios se compadeció de su pueblo porque recordó de que: *"eran carne, aliento fugaz que no vuelve"*.[38]

Cristo participó de la debilidad humana. La Escritura dice que el Hijo de Dios se hizo hombre. Esto significa que al nacer Cristo asumió, a excepción del pecado, la naturaleza humana con toda su fragilidad, mortalidad y transitoriedad. Este es su estado de humillación: *"el Verbo fue hecho carne"* (Jn. 1:14) y *"ha venido en carne"* (1 Jn. 4:2s.). El Padre envió a su Hijo al mundo *"en semejanza de carne pecaminosa"* (Ro. 8:3), y Hebreos 5:7 llama al período que Cristo tuvo que vivir antes de su resurrección, *"los días de su carne"*.

Pero la resurrección de Cristo introduce un cambio, introduce una nueva creación. Al resucitar, Cristo se convirtió él mismo en un ser humano totalmente nuevo. Dejó de ser un hombre mortal y débil, dejó de ser carne. Pasó a su estado de exaltación, pasó a ser: *"Hijo de Dios con poder, según el Espíritu Santo,*[39] *por la resurrección"* (Ro. 1:3). Con su resurrección Jesús

---

[38]Cuando Is. 40:6 dice que *"toda carne es <como la> hierba"*, usa dos metáforas para decirnos que el hombre es efímero.

[39]En la frase literal *"Espíritu de santidad"* (RV60) el genitivo *hagiosúnes* (ἁγιωσύνης) imita al constructo adjetival del hebreo, siendo su sentido *"Espíritu Santo"*. Si Pablo no escribe su acostumbrado «Santo» (ἅγιον) es porque está citando una confesión primitiva.

fue *"hecho Señor y Mesías"* (Hch. 2:36). *"Cristo, habiendo resucitado . . . , ya no muere; la muerte no se enseñorea más de él"* (Ro. 6:9). Esto significó que, cuando Cristo resucitó, apareció en el universo "un nuevo hombre", que hasta antes de la resurrección del Señor no existía. Antes de la resurrección de Cristo sólo existían hombres que llevaban en sí la semilla de la muerte. Antes de la resurrección del Señor todos los hombres eran carne (mortales y débiles), porque estaban unidos a su representante y progenitor, Adán. Pero la resurrección hace que aparezca en la historia un nuevo ser humano: el Cristo exaltado. Jesús pasa a ser el comienzo de una "nueva creación", una nueva humanidad, un nuevo hombre. Es por esto que al Señor resucitado se le llama: *el último Adán"* (1 Co. 15:45), es decir, con el Cristo resucitado empieza otra creación nueva, con otro Adán, progenitor y representante de una nueva humanidad, destinada a ser como él. En 1 Corintios 15:45ss. Adán encarna nuestra antigua forma de existencia y Cristo incorpora en sí mismo la nueva creación por el Espíritu. Se trata de dos eones o períodos sucesivos: *"el primer . . . el último"* (v. 45), *" . . . primero . . . luego . . . "* (v. 46), *"el primer . . . el segundo . . . "* (v 47).[40] Y es la resurrección de Cristo la que da comienzo a una nueva era o forma de vida. Con su resurrección, Cristo viene a ser *"espíritu que da vida"* (v. 45), pasa a ser un hombre *"del cielo"* (v 47), pero no en el sentido de que estaba en el cielo, y que de allí bajó, pues este pasaje no habla de la encarnación. Cuando se dice que Cristo se convierte en un hombre del cielo, se quiere decir que con su resurrección se convirtió en un ser humano celestial, un hombre de la nueva creación (cf. v. 48s.)

## 3. El nuevo hombre está en Cristo

Ahora bien, dijimos que la misión de la Iglesia es *"presentar perfecto en Cristo a todo ser humano"* (Col. 1:28). Lo que hemos dicho acerca de la nueva creación ilumina lo que Pablo quiere decir, cuando afirma que debemos perfeccionar *"en Cristo"* a todo hombre. Por estar unidos al nuevo Adán, todos los creyentes *estamos destinados a ser iguales a él* en todo lo que se refiere a su naturaleza humana. Por eso se dice que Cristo ha sido hecho: *"primicias de los que durmieron"* (1 Co. 15:20).[41] Otra vez, aquí tenemos una metáfora. Pablo afirma que lo que sucedió con la resurrección de Cristo *se parece* a lo que sucede en una campo sembrado. Cuando llega el tiempo de que el grano o los frutos maduren, hay unos que lo hacen

---

[40]La misma contraposición de dos diferentes eones o períodos sucesivos se ve en estructuras como: *"nacido del linaje de David en relación a la carne* [antigua creación], *designado Hijo de Dios con poder en relación al Espíritu Santo por la resurrección de los muertos* [nueva creación]*"* (Ro. 1:3-4). *"cuando estábamos en la carne* [antigua creación] *. . . . , pero ahora* [nueva creación] *. . . "* (Ro. 7:5s.). Cf. 3:21.

*primero*, y éstos son las «primicias», *después* madura el resto de los frutos. En 1 Corintios 15:22s., Pablo aplica esta figura a la resurrección: *« . . . todos serán vivificados* [=resucitados]. *Pero cada uno en su debido orden: Cristo, es las primicias»*, esto es, él resucita primero, como el grano que madura primero que el resto de la cosecha. *«Luego* [=después resucitarán] *los que son de Cristo, en su <segunda> venida»*. En otras palabras, los creyentes esperamos la segunda venida de nuestro Salvador, *«el cual transformará nuestro humillado cuerpo, para que sea semejante a su glorioso cuerpo»*[42] (Fil. 3:21). ¡Estamos destinados a ser como él!

Lo que hemos venido diciendo es importantísimo para entender la obra del Espíritu, pues uno vive *en* el Espíritu en la proporción que uno vive *en* Cristo. El énfasis que hoy se hace en la obra del Espíritu muchas veces adolece de un peligro mortal, en la medida que se concibe al Espíritu como casi un agente autónomo de la persona de Jesús. Cabe recordar, pues, que es Cristo el Salvador y que es él quien ganó para nosotros la nueva creación en el Espíritu. Según el NT, no existe ningún modo de acceder al Espíritu en forma directa e independiente de la persona de Jesucristo. Por el contrario, mientras más unidos estemos al Salvador, más saturados y llenos estaremos de su Espíritu. La función del Espíritu no es la de apuntar hacia sí mismo, sino que testificar de Cristo. Es Cristo quien derrama su Espíritu (Hch. 2:33) y uno lo recibe en conexión con la conversión y la confesión del nombre de Jesús (Hch. 2:38; 5:32; 10:44; Ro. 5:5). Es por haber muerto en la muerte de Cristo (Ro. 7:4,6) que los creyentes *«servimos <a Dios> en la novedad creada por el Espíritu y no en la antigüedad creada por la letra»* (7:6). La novedad de vida es un resultado de la obra de Cristo.[43] El Espíritu me libra del pecado y de la muerte sólo porque es un *«Espíritu de vida que está en Cristo»* (Ro. 8:2). Se trata del Espíritu *«de Cristo»* (Ro. 8:9; cf. Ga. 4:6), pues Cristo es el *«el Señor del Espíritu»* (2 Co. 3:18).

---

[41]La Biblia usa el término «primicias» para referirse a los frutos que logran madurar primero que el resto de la cosecha (cf. Lv. 23:10,17,20; Dt. 18:4; 26:2,10).

[41]La RV60 traduce: «el cuerpo de la humillación nuestra» y «el cuerpo de la gloria suya». La Versión mantiene un literalismo que le impide comunicar el sentido del hebraísmo. La RV95 corrigió el error: «transformará nuestro cuerpo mortal en un cuerpo glorioso semejante al suyo». Cf. NVI95.

[43]En Ro. 7:6, la RV60 (=RV77, RV89, RV95) traduce la construcción *hostē* (ὥστε) + infinitivo por un subjuntivo: *«de modo que sirvamos»*. Esto no es correcto, pues aquí la construcción no indica a un resultado hipotético o deseado, sino a un resultado efectivo o real: *«de manera que de hecho servimos»* (cf. BDF § 391; Robertson *Grammar*, p. 1091). Véase también los comentarios de Cranfield p. 339, Murray I, p. 246, Alford p. 376.

Del capítulo 5 de Romanos pasemos ahora al capítulo 6, pues nos ayudará a profundizar más en esta materia. Es necesario recordar, sin embargo, que cuando Pablo pasa al capítulo 6, no ha cambiado de tema. El Apóstol continua hablando de Cristo como representante y cabeza de la nueva humanidad.[44] Por tanto, que nuestra dogmática no nos haga perder de vista de que a Pablo no le interesa darnos una conferencia sobre el modo del bautismo. El bautismo se menciona de paso y sólo porque es útil para explicar la doctrina de la *unión* de los creyentes con Cristo.[45] Además, si tenemos presente que el capítulo 6 continua el tema del capítulo 5, también nos guardaremos de interpretar la frase *"hemos muerto al pecado"* (6:2) como refiriéndose al momento de nuestra conversión o bautismo. Pablo afirma más bien que *antes de* nuestra conversión los creyentes ya habíamos muerto al pecado, porque es en la muerte *de Cristo* en la cruz del Gólgota que nosotros morimos y terminamos nuestra relación con la antigua creación. El creyente ha muerto a la antigua creación, porque cuando Cristo murió en la cruz, Cristo moría *en el lugar y a favor de* cada creyente. En el momento de su muerte, Cristo me representaba, yo estaba contenido en él. La muerte de Cristo es un acontecimiento corporativo.

Pasemos, pues, a Romanos 6. Aquí el apóstol afirma que el bautismo nos une a Cristo: *"hemos sido bautizados en unión a Cristo"* (6:3a). Pablo quiere decir que el bautismo de alguna manera efectúa y significa nuestra *incorporación dentro de* (εἰς) Cristo. Pero ¿en qué sentido específico se quiere decir que el bautismo nos une a Cristo? Pablo lo aclara, pues bautizarse quiere decir que *"hemos sido bautizados en unión a su muerte"* (6:3b). El bautismo no me une a Cristo en forma vaga, sino que al bautizarme fui incluido *"en su muerte"* en la cruz. Por el bautismo Dios mismo me asegura que cuando Cristo murió en el Gólgota, yo moría en él. Una forma de parafrasear Romanos 6:3 sería:

*« . . . no sabéis que el bautismo, que nos hizo participar en Cristo, nos hizo participar en su muerte».*[46]

---

[44]Esto se ve claramente en 6:4, donde Pablo sigue usando el mismo comparativo (ὥσπερ . . . οὕτως καί = *"así como . . . así también"*) que ya usó en el capítulo 5, y en la frase *"nuestro viejo hombre"* (6:6), que apunta a Adán y la antigua creación.

[45]Cf. G. Eichholz. *El Evangelio de Pablo* (Salamanca: Sígueme, 1977), p. 289. Algunos hermanos sólo ven en esta perícopa un texto dogmático sobre el modo del bautismo (la inmersión). Nuestra exposición mostrará que este prejuicio apologético aparta *a priori* al lector del sentido de las palabras de Pablo.

[46]La NVI95 traduce: *"¿Acaso no saben ustedes que todos los que fuimos bautizados para unirnos con Cristo Jesús, en realidad fuimos bautizados para participar en su muerte?"*

Romanos 6:4 subraya que, dado que el bautismo *"nos une a su muerte"*, nos sepulta con Cristo, nos une a él en aquel sepulcro que José de Arimatea abrió en una peña. Mediante el bautismo Dios me asegura que cuando Cristo yacía en el sepulcro del huerto, yo también estaba allí, por la sencilla razón de que Cristo yacía en la tumba en mi lugar y a mi favor. Su muerte y tumba fueron acontecimientos corporativos y representativos. Por tanto, ¡todos los creyentes estuvimos en esa tumba! Esto se recalca varias veces:

*"fuimos enterrados con él mediante el bautismo que nos une a su muerte"* (6:4).

*" . . . fuimos incorporados[47] a una muerte semejante a la suya"*[48] (6:5).

*"nuestro viejo hombre fue crucificado con él"* (6:6).

*"hemos muerto con Cristo"* (6:8).

Cuando Pablo habla de *"nuestro viejo hombre"* (6:6), no se refiere a la forma de vida pecaminosa que como individuos teníamos antes de convertirnos, sino que está hablando de la antigua creación. Adán y toda la forma de existencia mortal y caída fueron crucificadas el día que Jesús murió en la cruz. Si cada cristiano a su tiempo abandona la vida de pecado que lo caracterizaba como inconverso, se debe a que en Cristo murió a la antigua creación. El creyente abandona la antigua creación, pues Dios lo recrea *"en Cristo"* (Ef. 2:10). Cristo ha creado *"en sí mismo . . . un nuevo hombre"*[49] (Ef. 2:15). El ministerio de la iglesia consiste en llevar a todos los creyentes al punto en que alcancen a ser *"un varón perfecto, a la medida de la estatura de la plenitud de Cristo"* (Ef. 4:13). Efesios 4:22-24 y Colosenses 3:9-11 nos dicen que el creyente se despoja del *"viejo hombre"* (=Adán) y se reviste del *"nuevo hombre"* (=Cristo). En ese nuevo hombre

---

[47]El adjetivo *súmfutos* (σύμφυτος) no viene de συμφυτεύω = "plantar junto a, injertar", sino de συμφύω = "hacer crecer juntamente con, unir estrechamente" (cf. Lc. 8:7), y significa: "natural, innato, concrecido". No obstante, no se debe presionar mucho el sentido de la raíz ("falacia etimológica"), ya que en el koiné σύμφυτος llegó significar simplemente "unido a".

[48]Así como la frase literal *"la abundancia de la gracia"* (Ro. 5:17) es un hebraismo que significa *"la gracia abundante"*, aquí la frase *" semejanza de su muerte"* (RV60, RV77, RV89, RV95) quiere decir *"a la muerte semejante a la de él"*. Si se habla de una muerte "semejante" no es para apuntar al modo del bautismo. Pablo quiere mostrar que nuestra participación en el hecho del Gólgota no forma una ecuación con la manera en la que Jesús participó. Si bien Cristo murió al pecado (6:10) y nosotros en él (6:8), nosotros participamos como pecadores, él como santo; nosotros como representados, él como nuestro representante, etc. Cf. Ridderbos *Op. cit*, p. 207, 403 nota, Eichholz *Op. cit*, p. 291s.

*«Cristo es todo y está en todos»* (Col. 3.11). Todos somos *«uno en Cristo Jesús»* (Ga. 3:28).

**a.** *La nueva creación en su aspecto futuro.* 1 Corintios 15:20-23 muestra que tan sólo en la segunda venida de Cristo podremos gozar plenamente de la nueva vida resucitada que ya tenemos en Cristo. Es por esto que Colosenses 3:3s. dice que por ahora nuestra vida eterna *«está escondida con Cristo en Dios»*. Pero llegará el día *«cuando Cristo, nuestra vida, se manifieste* [en su segunda venida], *entonces también vosotros con él seréis manifestados en gloria»*. Al hablar de la nueva vida, Romanos 6 usa el tiempo futuro, para referirse a esta esperanza de la resurrección: *«de seguro que también seremos conformados a su resurrección»* (6:5), *«Pues bien, puesto que hemos muerto con Cristo, creemos que también viviremos con él»* (6:8). En forma similar en Romanos 8:11 se dice:

*«Mas dado que el Espíritu del que levantó de los muertos a Jesús mora en vosotros, el que levantó de los muertos a Cristo vivificará también vuestros cuerpos mortales por medio de su Espíritu que mora en vosotros»*.

No pasemos por alto que en todos estos textos nuestro destino es seguir los pasos de Cristo, nuestro futuro está marcado por el destino de nuestro Salvador. Si él fue resucitado por el Espíritu, nosotros lo seremos también. ¡Él es nuestra vida! ¡Es *con él* que nos manifestaremos en gloria! ¡es *en unión a él* que viviremos! A esto se refiere la *Confesión de Westminster*, cuando habla de nuestra unión con Cristo:

«Todos los santos que están unidos a Jesucristo, su cabeza, por su Espíritu y por la fe, tienen comunión [= participan] con él en sus gracias, sufrimientos, muerte, resurrección y gloria».[50]

**b.** *La nueva creación en su aspecto presente.* Pero Romanos 6 no limita la nueva creación sólo al futuro. Más bien dice:

*«fuimos enterrados con él . . . ,*
*con el fin de que,*
   *así como* [ὥσπερ] *Cristo*
   *resucitó de los muertos por la gloria de Dios,*
   *así también* [οὕτως καί] *nosotros*
*nos conduzcamos*[51] *en novedad de vida»*[52] (6:4).

---

[49]O como lo expresa en forma insuperable la NVI95: *«una nueva humanidad»*.

[50]Cap. XXVI, § i.

*"Porque sabemos esto: nuestro viejo hombre fue crucificado con él para anular el cuerpo de pecado, es decir, para que ya no sirvamos más al pecado, ya que el que murió <con Cristo>, ha sido justificado del pecado"* (6:6s.).

Notemos otra vez el paralelo entre Cristo y nosotros:

| Romanos 6:9-10 | Romanos 6:11-14 |
|---|---|
| *" . . . Cristo, habiéndose levantado de los muertos, ya no morirá jamás, la muerte ya no puede dominar sobre él. Porque la muerte que murió fue para morir al pecado de una vez para siempre. Pero la vida que <ahora> tiene, la vive para Dios".* | *"De manera que, así también vosotros [= al igual que Cristo] consideraos a vosotros mismos muertos al pecado, pero vivos para Dios, lo cual significa que el pecado no dominará vuestro cuerpo mortal . . . poneos a disposición de Dios como instrumentos para llevar a cabo la justicia. <Y podéis hacerlo> porque el pecado no os dominará, porque no estáis bajo la ley, sino bajo la gracia".* |

Así como de Adán heredamos el pecado y la muerte, al llegar la nueva creación, heredamos de Cristo la santidad y la vida. La muerte de Cristo es mi muerte; su vida es mi vida; su destino, mi destino. Antes de ser redimidos, todos estábamos *"bajo la ley"* (6:14), esto es, bajo la obligación de cumplir con todos sus estatutos, so pena de caer bajo su condenación, si no lo hacíamos (cf. Ga. 3:10ss.; 3:22ss.). Pero una vez redimidos por Cristo, la ley ya no tiene ninguna fuerza coercitiva sobre nosotros, ni tampoco puede condenarnos, pues estamos fuera de su poder y jurisdicción. Es normal que alguien pregunte si entonces es posible seguir pecando. La respuesta es: ¡Jamás! porque hemos sido incorporados a una nueva creación, hemos sido recreados por el poder del Espíritu. No se trata de un

---

[51] El aor. *peripatēsōmen* (περιπατήσωμεν ="nos conduzcamos") es inceptivo (BDF §331, DM §180.2), e indica el ingreso a la nueva vida. El verbo "andar, caminar" (περιπατέω) tiene aquí sentido ético, apuntando a la conducta humana. Cf. 6:13.

[52] La frase literal *en kainóteti zōēs* (ἐν καινότητι ζωῆς ="en novedad de vida") puede con toda propiedad ser un semitismo: "en una vida que se caracteriza por lo nuevo" de la salvación escatológica (cf. Käsemann, *Commentary* 166). Pero el genitivo *zōēs* (ζωῆς ="de vida") también podría ser epexegético: "en una novedad que consiste en la vida". Así en sus Comentarios, Wilckens. vol. II, p. 24, Murray p. 217.

código externo que me exige algo, se trata de que mi vida es conformada a la ley *desde dentro* de mi ser por el poder del Espíritu.

Para explicar esto Pablo introduce otra metáfora. El mismo nos dice que su comparación la saca del *"lenguaje de la vida diaria"* (Ro. 6:19).[53] El ordenamiento social de esa época ofrecía algunos aspectos que podían usarse para ilustrar su doctrina. Es sabido que en el tiempo de Pablo había esclavos y que éstos eran considerados como una simple propiedad, estando totalmente sometidos a la voluntad del amo. Pablo nos enseña que la vida del ser humano se parece a la vida de un esclavo. Cuando uno es esclavo de un amo, es libre de otros señores que pudieran haber. Pablo aplica esto a la salvación: *"Cuando erais esclavos del pecado, erais libres del dominio de la justicia"* (6:20). Notemos como el pecado se personifica como un amo que domina la voluntad del ser humano.

Ahora bien, todo esclavo recibe algo por sus servicios, pero en este caso el pecador no recibe nada benéfico de manos de su amo, porque el resultado de ser esclavo del pecado es *"la muerte"* (6:16). El fin de las maldades que uno comete es, otra vez, *"la muerte"* (6:21), y finalmente el texto clásico: *"Porque el salario que el pecado paga <a sus esclavos> es la muerte"* (6:23). También en 7:5 afirma: *"Porque cuando estábamos en la carne, las pasiones . . . operaban eficazmente en nuestros miembros, haciéndonos producir frutos para muerte"*.

Pero Dios interviene liberando a sus elegidos del poder y la corrupción del pecado:

*"también vosotros consideraos a vosotros mismos muertos al pecado, pero vivos para Dios, lo cual significa que el pecado no dominará en vuestro cuerpo"* (6:11-12).

Pablo subraya varias veces el hecho de la liberación del poder del pecado: *"Porque el pecado no os dominará"* (6:14). Nos dice que: *"habiendo sido liberados <por Dios> del <poder del> pecado, habéis sido esclavizados a la justicia"* (6:18).

Como esclavos de Dios también tenemos beneficios. Pablo afirma:

*"siendo esclavos de Dios, tenéis ganancia que produce santidad, el fin de la cual es la vida eterna"* (6:22).

---

[53]La RV60 y la RV95 usan la frase *"como humano"*, para traducir el término griego *anthrópinos* (ἀνθρώπινος). Pero cf. BAGD p. 67.

*«la dádiva que Dios regala es la vida eterna en Cristo Jesús, Señor nuestro»* (6:23).

Por tanto, si en la nueva creación que ha venido con Cristo *tenemos el poder* para vencer el pecado (el modo indicativo de la nueva creación), entonces cada creyente tiene un objetivo que alcanzar (el modo imperativo de la nueva creación):

Romanos 6:13

*«y dejad de poner a disposición del pecado vuestras capacidades como instrumentos para llevar a cabo la iniquidad, sino que más bien poneos de una vez por todas a disposición de Dios como vivos de entre los muertos y poned vuestras capacidades a disposición de Dios como instrumentos para llevar a cabo la justicia».*

Romanos 6:19

*« . . . porque así como pusisteis vuestras capacidades como esclavas al servicio de la inmoralidad y la injusticia, para llevar a cabo la injusticia, así también <en el> ahora <de la nueva creación> poned vuestras capacidades como esclavas al servicio de la justicia, para llevar a cabo la santificación».*

Todo esto es posible, porque en la nueva creación los creyentes servimos a Dios *por el poder del Espíritu.* Es por eso que en Romanos 7:6 se nos presenta finalmente la fuente del poder de la nueva creación:

*«de tal manera que de hecho servimos*
*en la novedad creada por el Espíritu,*
*y no en la antigüedad creada*
*por la <simple> letra <de la ley>».*

Todo lo que hemos dicho viene a confirmar dos cosas que hemos afirmado: **a)** que la misión de la iglesia no es sólo anunciar el evangelio, sino *transformar* la vida del pecador a la imagen del nuevo hombre, que es Cristo. Cristo es el paradigma o modelo del nuevo hombre. **b)** que el evangelio es el único medio de salvación, porque el evangelio es Cristo. El mensaje de la buena nueva es el único medio para perfeccionar y transformar al hombre, porque el evangelio nos lleva y une *a Cristo,* porque el centro y médula de la predicación cristiana es la obra y persona de Cristo. Es a través de la predicación que entramos en contacto con Cristo. Es el anuncio de la buena nueva lo que nos permite conocer a Cristo y poner nuestra fe en él, para ser así transformados por su Espíritu en una nueva creación.

Si Cristo nos libera de la culpa y la corrupción del pecado, si el Espíritu nos energiza para vivir para Dios, si como esclavos de Dios gozamos de la santidad y la vida eterna, entonces esta vida no puede más que aborrecer la explotación del pobre, no puede más que abandonar la violencia, el robo, la codicia, el adulterio, la homosexualidad. Esta vida que fluye de Cristo a través de su Espíritu debe formar familias llenas de amor y fidelidad, debe producir solidaridad, justicia y amor. Si la iglesia no reproduce estas cosas es porque no conoce el evangelio. Sus pastores y teólogos ya no le anuncian al pueblo la buena nueva de que en Cristo estamos *"muertos al pecado, pero vivos para Dios"* (Ro. 6:11). El rebaño desconoce la verdad de que *"el pecado no os dominará"* (6:14). La iglesia ha dejado de vivir bajo la conciencia y experiencia de que *"habiendo sido liberados <por Dios> del <poder del> pecado, habéis sido esclavizados a la justicia"* (6:18). La comunidad cristiana ya se olvidó de que servir al Señor *"en la novedad creada por el Espíritu"* (7:6) no significa otra cosa que poner nuestras *"capacidades como esclavas al servicio de la justicia, para llevar a cabo la santificación"* (Ro. 6:19). ¡Y todo esto es por gracia! No se trata de legalismo, ni de esfuerzo humano, ¡se trata más bien de la gracia de Dios en Cristo! Gracia que afirma que *"si alguno está unido a Cristo, es una nueva creación"* (2 Co. 5:17).

# CAPÍTULO III

# Teología reformada y misión

## INTRODUCCIÓN

La comunidad protestante no tiene excusa para no estar entregada por entero a la tarea de llevar a cabo la misión, ya que toda su tradición la impulsa en esa dirección. Respecto a nuestra tradición dogmática podríamos empezar citando al Dr. L. Berkhof, quien define los dos aspectos de la misión. En cuanto a la misión *hacia afuera de* la iglesia dice:

«La Iglesia tiene una tarea evangelizadora o misionera en el mundo ... La Iglesia empírica de cualquier tiempo en particular debe estar activamente comprometida en el crecimiento y expansión de la Iglesia a través de esfuerzos misioneros, debe ser el instrumento por el cual se traen a su seno los elegidos de entre todas las naciones del mundo ... Si la Iglesia llega a ser negligente en el desempeño de esta gran tarea, se mostraría infiel a su Señor ... ».[1]

Habiendo descrito lo que es la misión hacia fuera de la iglesia, Berkhof inmediatamente introduce la misión *hacia dentro*:

«Pero la Iglesia no debe quedar satisfecha con sólo traer a los pecadores a Cristo mediante el Evangelio; también deberá estar entregada de lleno a la predicación de la Palabra en las asambleas de los que han venido a Cristo. Al llevar a cabo esta tarea su meta principal ... [la iglesia debe] edificar a los santos, fortalecer su fe, guiarlos al camino de la santificación, y así solidificar el templo espiritual del Señor. La Iglesia no debe quedar satisfecha con sólo enseñar principios básicos de la fe, sino que debe esforzarse por lograr un progreso mucho mayor, para que los que son niños en

---

[1] L. Berkhof. *Systematic Theology* (Grand Rapids: Eerdmans, 1949) p. 595s. [TE p. 712].

Cristo puedan llegar a ser hombres y mujeres maduros en Cristo . . . Sólo una Iglesia que es verdaderamente fuerte, que está firmemente asida a la verdad, puede a su vez llegar a ser una poderosa agencia misionera, haciendo grandes conquistas para su Señor».[2]

## DEFINICIÓN CONFESIONAL DE LA MISIÓN

Las Confesiones representan otro aspecto de nuestra tradición dogmática. Aunque los estudios misionológicos de los últimos dos siglos han servido para rescatar esta verdad pivotal, ya en su tiempo (el año 1647 d.C.), la *Confesión de Fe de Westminster* nos enseñaba que la iglesia ha recibido de Dios una misión que realizar:

«A esta católica y visible iglesia, Cristo ha dado el ministerio, los oráculos y las ordenanzas de Dios, con el propósito de reunir y perfeccionar a los santos en esta vida hasta el fin del mundo; y los hace eficaces para ese fin, según su promesa, por medio de su misma presencia y Espíritu».[3]

Antes de entrar en los detalles de esta afirmación confesional, debemos aclarar un punto que obstaculiza su entendimiento. Más de una vez se ha hecho notar que este pasaje de la Confesión pareciera tener una especie de contradicción o redacción mal hecha. Porque la Confesión dice que Dios ha otorgado ciertas cosas a la iglesia *"con el propósito de reunir y perfeccionar a los santos"*. A primera vista, pareciera que tanto la acción de reunir como la de perfeccionar recaen sobre los santos. Esto suena extraño, ya que si la acción de reunir se refiere a los inconversos que todavía no están en Cristo, ¿Cómo es que se les llama santos? Y si la acción de perfeccionar se refiere a los santos, ¿Cómo se afirma que hay que reunirlos en Cristo, si ya están en Él? El dilema es sólo aparente, pues estamos ante un modo de hablar que busca la brevedad en la comunicación. A esta figura del lenguaje se le

---

[2]L. Berkhof. *Op. cit., loc. cit.,* Otra definición que toma en cuenta la misión hacia dentro y hacia fuera es la de Smeaton, quien dice: «La Iglesia tiene una doble función, y jamás deberá descuidarse ninguna de las dos. La Iglesia es (1) una SOCIEDAD SANTA en el mundo, manteniendo un estado de separación del mundo, reuniéndose para adorar a Dios y caminando según su voluntad para edificación mutua y para la gloria declarativa de Dios. La Iglesia es (2) una INSTITUCION MISIONERA, con el fin de propagar o extender el Evangelio a los que no lo tienen». G. Smeaton. *The Doctrine of the Holy Spirit* (reimpreso de la edición de 1889 por Edimburgo: Banner of Truth, 1974), p. 265.

[3]«Unto this catholic visible Church Christ hath given the ministry, oracles, and ordinances of God, for the gathering and perfecting of the saints in this life to the end of the world; and doth by his own presence and Spirit, according to his promise, make them effectual thereunto». XXV. §iii.

denomina *zeugma*. Esta forma de expresión ocurre al conectar una palabra con dos o más términos, cuando el sentido nos dice que sólo armoniza con uno de ellos. Así, por ejemplo, en 1 Corintios 3:2 se afirma: *"Os di a beber leche, no alimento sólido"* (RV60). Aquí se produce la misma contradicción en la redacción: la leche se bebe, pero es obvio que la comida no. En estos casos, lo que hay que hacer es tan simple como suplir lo que falta para crear sentido: *"Os di a beber leche, <y no os di a comer> alimento sólido"*. Hay que seguir el mismo procedimiento con lo que dice nuestra Confesión. Si añadimos las palabras que faltan, tenemos el siguiente resultado: *"con el propósito de reunir <a los pecadores> y perfeccionar a los santos"*. Así queda claro que la acción de reunir se refiere a los inconversos, mientras que la acción de perfeccionar recae sobre los que ya son cristianos.

Analicemos ahora la definición de misión que nos entrega nuestra Confesión.

## 1. A quién se entregó la misión

Lo primero que hace la Confesión es determinar claramente *a quién* se le entregó la misión de formar una nueva humanidad en Cristo. Encontramos que es la iglesia la que ha recibido la misión, pero no se trata de alguna iglesia intangible o abstracta, pues la Confesión dice: *"A esta católica y visible iglesia, Cristo ha dado . . ."*.

Pongamos atención al hecho de que a la iglesia se la define como *católica*. Estoy seguro que para muchos lectores de América latina (=AL) les parecerá chocante que la Confesión use el término *católica* para referirse a la iglesia. Esto se debe a que en AL la iglesia romana es ampliamente conocida como la iglesia católica. Por esto, es natural que al hablar de la iglesia católica muchos piensen que estamos hablando de la iglesia romana. Pero esto no es correcto. El adjetivo *católico* es sólo la trasliteración del término griego *katholikós* (καθολικός), que significa "universal, general". Polibio, por ejemplo, usaba la palabra para hablar de una "historia universal", Filón habló de una "ley universal", Justino Martir se refirió a "la resurrección general" y Clemente de Alejandría habló de la "salvación universal".[4] Algunos Manuscritos de la Primera epístola del apóstol Pedro registran el título: "Primera epístola universal de Pedro". El término no aparece en el NT, pero sí lo encontramos en la patrística. Con referencia a la iglesia, la ocurrencia más antigua (150 d.C.) se halla en la salutación del *Martirio de Policarpo*, donde se dice:

---

[4]Para las citas véase J.B. Lightfoot. *The Apostolic Fathers* (London: Macmillan, 1890), Part Two, vol. II, p. 310 y Liddell-Scott, p. 855.

"La iglesia de Dios peregrina en Esmirna,
a la iglesia de Dios peregrina en Filomelio
y a todas las <congregaciones> peregrinas
de la santa y universal [καθολικῆς] iglesia en todo lugar".[5]

Este texto nos enseña que la palabra "católica" se usaba para apuntar a la iglesia *universal* en contraste con la iglesia *local*, y nada tiene que ver con la iglesia romana. Por el contrario, todos los creyentes confesamos con el *Credo de los apóstoles* nuestra fe en que la iglesia es "universal". Cuando el Concilio de Constantinopla (381 d.C.) revisó el texto del Credo, produjo el siguiente dogma de fe respecto a la iglesia:

... εἰς μίαν, ἁγίαν, καθολικὴν καὶ ἀποστολικὴν
  ἐκκλησίαν
[*Creemos*] ... *en una sola, santa, católica y apostólica iglesia.*[6]

Así que, no tenemos por qué dejar que el romanismo monopolice un atributo que pertenece a toda la iglesia. Todos los creyentes somos católicos, pero no todos pertenecemos a la iglesia romana. La iglesia católica no es la iglesia romana, la iglesia católica la componen todos los creyentes a través del mundo.

Ahora bien, cuando nuestra Confesión afirma que Dios le entregó la misión a la "católica y visible iglesia", lo que quiere decir es que la iglesia a través de todo el mundo es la responsable de la misión. Es la iglesia *universal y visible* la que recibe el encargo de salvar a los pecadores y de perfeccionar a los santos. Según esta declaración, no importa el lugar, cultura, lengua, etc. toda y cada una de las congregaciones cristianas del mundo están comprometidas con la misión.

También hay que aclarar que la catolicidad de la iglesia no surge ante todo del simple hecho de que hoy está presente en casi todos los países y

---

[5]Más adelante se refiere a "toda la iglesia universal [καθολικης] en todo el mundo" (8:1). A Cristo lo llama "el pastor de la iglesia universal [καθολικης] en el mundo" (19:2).

[6]El Concilio de Efeso (contra Nestorio, en 431 d.C.) reafirmó el Credo Niceno-constantinopolitano: "que a nadie sea lícito presentar otra fórmula de fe o escribirla o componerla, fuera de la definida por los Santos Padres reunidos con el Espíritu Santo en Nicea ... ". El posterior Concilio de Calcedonia (contra los monofisitas, en 451 d.C.) también lo confirmó, llamándolo "Símbolo de los Padres". Más adelante en el año 950 d.C. el *Ordus Romanus Antiquus*, presenta la forma: ... *sanctam ecclesiam catholicam, sanctorum communionem*, esto es: [*Creo*] ... *la santa iglesia católica, la comunión de los santos.* Según Schaff, *History of the Christian Church* (Nueva York: Charles Scribner's Sons, 1910), vol. II, p. 532, nota 5, la frase *Sanctorum communionem* ya aparece desde 650 d.C.

culturas del mundo. La catolicidad de la iglesia brota más bien del hecho de que el evangelio tiene un carácter universal. Cristo dijo: *"Por tanto, id, y haced discípulos a todas las naciones"* (Mt. 28:19, RV60).[7] La catolicidad emana del imperativo que la iglesia recibe: *"... me seréis testigos ... hasta lo último de la tierra"* (Hch. 1:8), y el imperativo surge del hecho de que Dios *"manda a los hombres, en todo lugar, que todos se arrepientan"* (Hch. 17:30). Se trata de un evangelio que se predica *"a toda la humanidad[8] bajo el cielo"* (Col. 1:23), porque el evangelio no reconoce diferencias sociales, culturales, económicas, raciales, etc. Al fin de los tiempos, los salvados cantarán: *"nos has redimido ... de todo linaje, lengua, pueblo y nación"* (Ap. 5:9, cf. 7:9). Por tanto, para que la iglesia sea católica, no le basta con estar presente en todo el mundo. La simple presencia de la iglesia a través del mundo podría ser una presencia muerta y estática. La catolicidad es *dinámica*, la catolicidad ocurre cuando la iglesia evangeliza a los inconversos y edifica a los creyentes. O como lo expresa la Confesión, la iglesia ha sido puesta *"con el propósito de reunir <a los pecadores> y perfeccionar a los santos"*.

## 2. Las herramientas para la misión

En segundo lugar, la Confesión nos informa respecto a las herramientas que Cristo ha entregado a la iglesia para que ésta cumpla su misión:

**a.** Se dice que Cristo le entregó a la iglesia ***el ministerio***, esto es, le suministró los diferentes ministerios y dones con los que el Señor adorna su iglesia. La Confesión nos remite a 1 Corintios 12:28 y a Efesios 4:11-13. En otras palabras, Dios mismo *"puso en la iglesia, en primer lugar, apóstoles; segundo, profetas; tercero, maestros ..."* (1 Co. 12:28; cf. v. 18). Pero hay que subrayar que en el contexto de la Confesión, el fin para el cual Dios coloca a los ministros, teólogos, biblistas, etc. dentro de la iglesia, no es para que empiecen a jugar a la teología, mientras la iglesia se desangra por falta de orientación, enseñanza y cuidado. La teología debe estar dirigida al fin para el cual se concibió: *"con el propósito de reunir <a los pecadores> y perfeccionar a los santos en esta vida hasta el fin del mundo"*. Es triste que a una buena parte de los eruditos le importa poco qué le pueda estar ocurriendo al rebaño, a la congregación local concreta con sus luchas y sinsabores. En parte esto se debe a que muchas veces el erudito hace su

---

[7]Más adelante (cf. Cap. IV) examinaremos con mayor detención el texto de Mateo 28:19. Cf. también: *"será predicado este evangelio del reino en todo el mundo ... "* (Mt. 24:14), *"dondequiera que sea predicado este evangelio, en todo el mundo ... "* (Mt. 26:13).

[8]Sea que aceptemos (con o sin el τῇ que añade el TR delante de κτίσει) la traducción "en toda la creación" (RV60, NVI95) o "a toda criatura" (CI, BJ) la referencia es a la humanidad.

trabajo a medias. Cree que interpreta cabalmente la Biblia con sólo abordarla con una actitud distante, objetiva y descomprometida. Esto es correcto, si se busca evitar que nuestros prejuicios empañen la interpretación. Pero el trabajo no debe detenerse en esa etapa. Para que la tarea hermenéutica esté completa, debe darse una suerte de proceso en *espiral,* en el cual yo interpreto la Biblia, pero a su vez la Biblia me interpreta a mí, desafía mi mundo, cuestiona mis esquemas, me saca de la inercia, me lleva al arrepentimiento. No es correcto abordar la Biblia como si sólo fuera un objeto sobre el cual yo actuo, porque también es un sujeto que actúa sobre mí. Al ir a la Biblia la abordo desde mi mundo, con mis preguntas y mis intereses (*Vorverständnis*). Pero en el transcurso del *continuo proceso* hermenéutico, la Escritura cuestiona y recrea mi mundo. Si esto no se produce, no podré acceder ni anunciar el mensaje de la Biblia, porque mi interpretación no logra liberarme de mí mismo.

Si muchos teólogos son culpables de que su pensamiento no esté orientado hacia el servicio de la iglesia, el pecado de muchos pastores es que no quieren prepararse mejor. ¡Contentos están de tener a su congregación a pan y agua! La flojera no les deja ver que es imposible llevar a cabo la labor pastoral, si uno está desprovisto de una seria preparación académica. La única erudición perjudicial es la que se queda en teorías abstractas, la que no es capaz de cambiar la vida ni está conectada con la misión de la iglesia. Es así que gran parte de la miseria de las iglesias en AL se deriva de la mala preparación de sus pastores. Porque tan malo como el academicismo muerto es el emocionalismo manipulador, la superstición exhibida como verdad, la ignorancia intransigente. Sea que pensemos en el quehacer académico, sea que nos concentremos en la pastoral, el gobierno, el diaconado o la administración de la iglesia, sea cual sea el ministerio que imaginemos o practiquemos, una cosa es cierta: *todo ministerio debe servir al propósito de reunir a los pecadores y de perfeccionar a los santos.*

**b.** Cristo también entregó a la iglesia **los oráculos** de Dios. En otras palabras, la iglesia es depositaria del mensaje del evangelio contenido en las Escrituras, como nuestra única e infalible regla de fe y conducta. Decir que la iglesia es *apostólica* es afirmar que se sujeta a la tradición que los apóstoles registraron en la Escritura. En el momento que se abandona la autoridad de la Palabra de Dios, la iglesia queda a la deriva y se aparta de Cristo. Por el contrario, cuando la iglesia cree, obedece y predica la Palabra, se produce la salvación:

*"cuando recibisteis de nosotros
la palabra de Dios predicada,[9]
la recibisteis[10] no como palabra de hombres,
sino como lo que es en verdad, como palabra de Dios,
la cual también está operando eficazmente en vosotros
los que creéis"* (1 Ts. 2:13).[11]

La iglesia es apostólica porque cree que el acceso a Dios sólo se logra a través del mensaje apostólico registrado en la Escritura. Por ejemplo, cuando Juan empieza su primera epístola, lo primero que hace es presentar sus credenciales, pues la iglesia a la cual escribe podría preguntarse ¿por qué la comunidad cristiana debe escuchar obediente la exposición de lo que Juan afirma en su primera epístola? ¿Por qué lo que creemos debe ser moldeado en su contenido por lo que Juan enseña? Juan responde estas inquietudes, haciendo varias afirmaciones cruciales:

**1)** El contenido del mensaje apostólico dice relación con la manifestación histórica del Verbo de vida. No se trata de una filosofía nueva, se trata de una *persona* que, siendo eterna, se encarnó, de tal forma que se le podía oír, contemplar y palpar (1 Jn. 1:1-2).

**2)** El mensaje no debe quedar encerrado dentro del núcleo apostólico, sino que debe propagarse. Juan afirma: *"lo que hemos visto y oído lo anunciamos también a vosotros"* (1 Jn. 1:3).[12] Lo que Juan quiere decir es que la revelación de Dios en Cristo no queda con los apóstoles, sino que ellos fueron los encargados oficiales de transmitir y anunciar lo visto, oído, contemplado y palpado, *"también a vosotros"*. Juan dice a sus hermanos que era necesario que ese anuncio también les llegara a ellos.[13]

---

[9]El término *lógon* (λόγον = palabra) va modificado por dos complementos nominales en genitivo. El primero es *akoes* (ἀκοῆς), que puede tener el sentido de palabra "predicada", "que escucharon". El segundo es *tou theou* (τοῦ θεοῦ), que va en posición enfática: palabra "de Dios".

[10]El primer verbo traducido por "recibisteis" es *paralambánō* (παραλαμβάνω) que apunta al hecho de "recibir la tradición (apostólica)". El segundo es *déjomai* (δέχομαι) que connota la idea de dar la bienvenida a algo que se valora.

[11]Cf. Jn. 16:12-15; 17:14-20; Hch. 6:2,4; 8:14; 1 Co. 15:1ss.; Col. 3:16; etc.

[12]La RV60 (=RV77, RV95) deja sin traducción dos palabras claves (καὶ ὑμῖν), que he traducido "también a vosotros" (cf. RV89).

[13]Como dice R.E. Brown, la frase καὶ ὑμῖν (="también a vosotros") "es una expresión de secuencia, moviéndose desde los portadores de la tradición a aquellos que reciben de ellos el testimonio acerca de Jesús". *The Epistles of John* (Nueva York: Doubladay, 1982), p. 170.

**3)** Si después preguntamos por qué la proclamación de Cristo debía transcender el núcleo apostólico, para así llegar también a otros, la respuesta está en el propósito que busca dicha proclamación. Juan añade que nos anuncia lo visto y oído *"para que también vosotros tengáis comunión con nosotros"* (v. 3).[14] Notemos que Juan no dice: "para que tengáis comunión con Dios", lo que quizá uno esperaría que dijese. Más bien afirma: *"para que . . . tengáis comunión con nosotros"*. Esto quiere decir que la comunión con Dios no se obtiene en otra forma que no sea a través de nuestra comunión con el mensaje de los apóstoles. Si preguntamos: ¿por qué tengo que entrar en comunión con los apóstoles? La respuesta es que la comunión *"con el Padre y con su Hijo Jesucristo"* (v. 3) es una comunión que pertenece sólo a quienes aceptan y creen en el mensaje apostólico. Juan es claro en decir que es el mensaje apostólico lo que nos introduce en la comunión con el Padre y su Hijo: *"para que también vosotros tengáis comunión con nosotros, y por cierto que nuestra comunión es con el Padre y con su Hijo Jesucristo"*. En el texto griego, la palabra *"comunión"* se pone de relieve por medio de la frase "por cierto que",[15] y por un adjetivo posesivo enfático poco usado en el NT.[16] Es como si el apóstol dijera: por cierto que nuestra comunión, sí, sólo la comunión *nuestra,* la del núcleo apostólico, es la común-unión con el padre y el Hijo. Con esto Juan nos enseña que para tener comunión con Dios hay que estar en comunión con aquello que anuncian los apóstoles. Es por esto que la iglesia debe entender que ella oye, ve, contempla y palpa a Cristo a través de la experiencia apostólica contenida en el mensaje que ellos transmitieron en el evangelio, no de otra forma. Es a través del anuncio apostólico que la iglesia experimenta su comunión y unidad con Jesucristo. Por el contrario, "Aquellos que abandonan la comunión y enseñanza apostólica se separan de la comunión con el Padre y el Hijo".[17] La iglesia es apostólica porque cree y divulga el

---

[14]Es obvio que uno goza de la comunión con los apóstoles, no simplemente escuchando su mensaje, sino que aceptándolo y creyendo en él. En la intención apostólica, el mensaje es proclamado, no para tomarlo como una opinión más entre tantas ideas en el mercado, sino para recibirlo con fe y obediencia.

[15]Esto no aparece en la RV89. El texto griego registra la construcción *kai . . . de* (καὶ . . . δέ), en la cual δέ es el conectivo copulativo (="y"), mientras que καὶ (="por cierto") pone de relieve al sustantivo que acompaña: "comunión". Cf. C.F.D. Moule. *An Idiom-Book of New Testament Greek* (Cambridge: Cambridge Univ. Press, 1959), p. 165, B.F. Westcott. *The Epistles of St. John* (Grand Rapids: Eerdmans, 1966), p. 12.

[16]Aquí no aparece el típico pron. pers. *hēmōn* (ἡμῶν ="de nosotros"), sino que *hēmetera* (ἡμετέρα ="nuestra").

[17]F.F. Bruce. *The Epistles of John* (Grand Rapids: Eerdmans, 1970), p. 39.

mensaje de los apóstoles. La iglesia es iglesia en la medida que se sujeta a los *oráculos* de Dios.

**c.** Finalmente, Cristo entregó a su iglesia **las ordenanzas** de Dios. Con esto la Confesión se refiere a los Sacramentos, la predicación, la oración, el canto, la disciplina, etc. Más adelante hablaremos de los dones espirituales (cap. VI).

## 3. Definición de la misión

En tercer lugar, la Confesión responde a la pregunta: ¿Pero con qué *fin* tenemos todo esto? ¿Con qué propósito Cristo nos entrega hombres y mujeres llamados a ejercer los diversos ministerios de la iglesia? ¿Para qué nos entregó su Palabra y sus ordenanzas? La Confesión es explícita:

*«con el propósito de reunir <a los pecadores> y perfeccionar a los santos en esta vida hasta el fin del mundo».*

¡Con qué claridad se nos muestra nuestro objetivo, nuestra misión! El primer objetivo es *reunir* en Cristo a los inconversos, esto es, debemos predicar el evangelio a los pecadores que no conocen a Cristo, con el fin definido de que se conviertan al Señor. Esta es la misión *hacia afuera*.

Pero el asunto no queda allí. No basta con sacarle a alguien una profesión de fe, una aceptación inicial del señorío de Cristo. También debemos de *perfeccionar* a los santos, debemos enseñarles *"que guarden todas las cosas que os he mandado"* (Mt. 28:20). Como ya dijimos, se trata de la ardua tarea de santificar y perfeccionar a los ya convertidos, se trata de enseñarles a vivir toda su vida *para la gloria de Dios*, en el matrimonio, la familia, el trabajo, en todo lugar y orden de cosas (cf. 1 Co. 10:31). Esta es la misión *hacia adentro*.

En este contexto es de suma importancia subrayar que tan pronto como una persona haya puesto su fe en Cristo, es nuestro deber integrarla a la vida de la congregación. Algunas congregaciones tienen algún plan de evangelización, pero por lo general son pocas las que poseen un programa metódico que continúe trabajando con el recién convertido, tomándolo allí donde la evangelización lo deja. Esta carencia es sumamente negativa, constituyendo una de las principales razones de por qué los esfuerzos evangelísticos dejan finalmente muy poca gente comprometida y estable en una congregación. La verdad es que no sólo debemos reunir a los pecadores, también debemos *edificarlos* después de su conversión. Pero esto no sucederá, si la congregación sigue ajena a la importante necesidad de pastorear al recién convertido. Es trascendental discernir que las conversiones que la evangelización produce son a menudo *incipientes* o bien son parte de un *proceso* de conversión, que no llegará a su concreción final, a menos que haya un programa definido que tome al nuevo creyente para llevarlo a un compromiso estable. El primer paso de fe no constituye un acontecimiento que por arte de magia integre a una persona a la iglesia local, prescindiendo de cualquier esfuerzo que dicha congregación pudiera hacer. La integración con el pueblo de Dios debería ocurrir a través del ministerio de la iglesia. Subrayemos otra vez que la conversión no suministra al nuevo creyente una experiencia y conocimiento automático de lo que es una congregación, sus actividades, comunión, misión, responsabilidades y derechos de sus miembros, etc. Integrar al nuevo creyente es mucho más que añadirlo a la lista de miembros. Se necesita que el recién convertido pase a través de un primer proceso de homogenización, mediante el cual llegue a experimentar que es parte de nosotros, que ha llegado a confundirse entre nosotros. Debe haber un proceso mediante el cual la persona se interiorice acerca de la vida de la iglesia, pero más aún, que haga esa vida su vida, que se iguale a nosotros, borrándose la diferencia entre sus antiguos conceptos, costumbres y juicios, y los que encuentra en su nueva comunidad social.

Para que esto ocurra es necesario que le instruyamos acerca de la *historia* de su iglesia, a fin de que se sienta parte de ella y así su fe adquiera proyección histórica. Esto es especialmente importante en AL, que tenemos que vivir en un contexto saturado por el romanismo. Cuando en un país de AL alguien se convierte a Cristo y se une a una iglesia protestante, no sólo sentirá que se une a la minoría, sino que le parecerá que deja una comunidad antigua y prestigiosa, para asociarse a un grupo nuevo. Sólo cuando el recién convertido descubre que su fe tiene profundas raíces que se remontan a la Reforma del siglo XVI, cuando se entera del prestigio de la iglesia reformada en el hemisferio norte, cuando aprende que la Reforma nos devolvió la fe apostólica, entonces su inserción social dentro de su nueva comunidad creará fuertes lazos. También deberemos explicarle qué tipo de *organización* tiene su denominación y congregación local, su forma de gobierno y doctrina. Se le debe enseñar qué es ser un *cristiano* y cuál es su *compromiso* con Cristo en tiempo, dones, dinero y en toda área de su vida.

Cuando no existe un cuidadoso programa de integración o asimilación, la identificación del nuevo creyente será defectuosa, delatando mucha desinformación. En la medida que haya cosas que él no entienda, en esa misma proporción se sentirá confundido y como un *extraño*, esto es, como alguien que todavía no es parte de su nuevo entorno social. En la medida que no le instruyamos en los valores doctrinales y éticos del cristianismo, en la misma proporción se comportará de forma distinta que el pueblo de

Dios, teniendo juicios, actitudes y procederes ajenos a su nueva comunidad. Estas cosas delatarán que él es distinto en muchos aspectos todavía, que no ha experimentado una identificación con los valores del reino, porque la iglesia no se preocupó de transmitírselos. Cuando esto ocurre, peligra la permanencia de esta persona en la iglesia, y peligra también su participación activa y eficaz.

## 4. El «cuando» de la misión

La Confesión también responde a la interrogante: ¿Cuándo debe llevarse a cabo esta misión? La Confesión contesta *"en esta vida"*. Es decir, mientras nos quede aliento, mientras sea la voluntad del Señor que permanezcamos en este mundo, nuestro deber y meta es reunir y perfeccionar a los santos *aquí y ahora*. De manera que, así como la misión no fue entregada a una iglesia fantasma, sino que a la iglesia visible y universal; de la misma forma, su tarea no la realiza en algún mundo celestial o etéreo, sino que su tarea debe llevarla a cabo *"en esta vida"*.

## 5. El «hasta cuando» de la misión

Después la Confesión se concentra en la pregunta: ¿Hasta cuándo debe llevarse a cabo esta tarea? *"Hasta el fin del mundo"*, hasta que Cristo venga. La misión de la iglesia no se acaba con una generación, sino que cada generación de creyentes delega a la siguiente la interminable e incansable tarea de reunir y perfeccionar a los santos. Cf. Ef. 4:13; 1 Ti. 6:14.

## 6. Consuelo y seguridad

Frente a tan grande tarea la Confesión contiene preciosas palabras de consuelo y seguridad. Si tenemos en cuenta de que no se trata sólo de reunir en Cristo a los que no le conocen, sino que también de perfeccionar a los que están dentro, entonces surge la dolorosa y desesperante pregunta: ¿no somos nosotros mismos los que estamos dentro de la iglesia? ¿No somos nosotros mismos los que, a fin de cuentas, tenemos la tarea de perfeccionarnos a nosotros mismos? A la inquietante pregunta de cómo podrán pecadores imperfectos lograr algún avance en la perfección, la Confesión responde que *la presencia misma de Cristo*, a través de su Espíritu, hace que el ministerio, la Palabra y las ordenanzas que nos ha entregado sean eficaces para el maravilloso fin de reunir y perfeccionar a los santos: *"y los hace eficaces para ese fin, según su promesa, por medio de su misma presencia y Espíritu"*.

## EL PRINCIPIO REFORMADO Y LA MISIÓN

En el capítulo II citamos las siguientes palabras: «*el gran objetivo* para el cual se estableció una iglesia aquí en la tierra *fue buscar la gloria de Dios* en la salvación de los pecadores» (Bannerman). Al hacerlo, reconocimos que según esta definición el fin último que la iglesia persigue es glorificar a Dios. *¡Soli Deo gloria!* ha sido siempre el principio reformado más querido. Es bueno que ahora digamos algunas palabras al respecto.

El *Catecismo Menor de Westminster* empieza con la siguiente pregunta:

> Preg. 1.   ¿Cuál es el fin principal del ser humano?
>
> Resp.   El fin principal del ser humano es glorificar a Dios y disfrutar de Él para siempre.[18]

El Catecismo empieza planteando cuál es el propósito o fin que persigue la misión: que el ser humano glorifique a Dios y goce de Él. Este es, en efecto, el principio fundamental de la teología reformada:

> «El calvinismo no pone su atención en el alma y su destino, sino que en Dios y su gloria. Sin duda que tiene celo por la salvación, pero su más alto celo es por la gloria de Dios, y es esto lo que despierta sus emociones y vitaliza sus esfuerzos. El calvinismo empieza, se centra y termina con la visión de Dios en su gloria, y coloca como su deber principal, anterior a todas la cosas, el rendir a Dios sus derechos en cada esfera de la vida . . . El que cree en Dios sin reservas y está decidido a que Dios sea realmente Dios para él, en todo su pensamiento, sentimientos y voluntad, en la totalidad de su vida y actividades (sean estas intelectuales, morales, espirituales), y en toda sus relaciones (sean estas personales, sociales o religiosas), el tal . . . es un calvinista».[19]

Dijimos que la misión de la iglesia es *«presentar perfecto en Cristo a todo ser humano»* (Col. 1:28) y que para lograr ese objetivo debe salir a buscar a los pecadores y, una vez convertidos a Cristo, edificarlos y santificarlos. Dicho de otra manera, a través del ministerio de la iglesia, el

---

[18]El original lee: «Q. What is the chief end of man? A. The chief end of man is, to glorify God, and enjoy him for ever».

[19]B.B. Warfield. *Calvin as a Theologian and Calvinism Today* (Grand Rapids: Evangelical Press, s.f), p. 12s. Otra definición similar de nuestro principio básico es: «El calvinista no parte de cierto interés por el hombre (por ejemplo, su conversión o su justificación), sino que el pensamiento que lo condiciona es siempre este: dar a Dios sus derechos; procura llevar a término, como concepto regulador de su vida, aquella verdad de la Escritura, que dice: 'De Él y por Él y para Él son todas las cosas. A Él sea la gloria por los siglos. Amén.' (Ro. 11:36) . . . Dios no es sólo Supremo Legislador y Promulgador de la ley, sino que también es Supremo en las esferas de la verdad, de la ciencia y del arte . . . El calvinismo es un sistema que atañe a todo; es un sistema en que todo viene hecho y determinado por Dios. En esta distribución y administración de todas las cosas, Dios permanece supremo». H.H. Meeter. *La Iglesia y el Estado* (Grand Rapids: TELL, s.f), p. 15.

evangelio rescata al ser humano de las garras del pecado, para capacitarlo para que glorifique a Dios en todo lo que hace. La misión es lograr que la *gloria de Dios* se convierta en la pasión de cada creyente. La gloria de Dios debe ser el móvil dominante de todos sus pensamientos, palabras y acciones:

*«De manera que, sea que comáis o bebáis o hagáis cualquier otra cosa,[20] hacedlo todo para la gloria de Dios»* (1 Co. 10:31, cf. 6:20).

Colosenses también es explícito: *«Sea lo que sea que hagáis, en palabra u obra, hacedlo todo en el nombre del Señor Jesús, dando gracias a Dios el Padre por medio de él»* (Col. 3:17); *«Lo que sea que hagáis, hacedlo de corazón, <hacedlo> como <algo hecho>[21] para el Señor y no para los hombres»* (Col. 3:23). Pedro también exhorta: *«Si alguno habla, <hable> conforme a las Escrituras; si alguno sirve, <sirva> conforme a la fuerza que Dios provee, a fin de que en todo sea Dios glorificado por medio de Jesucristo, a quien pertenecen la gloria y la soberanía por los siglos de los siglos. Amén»* (1 P. 4:11).[22]

Si decimos que la gloria de Dios debe ser el principio regulador de la vida del cristiano es porque el propósito del plan de redención es precisamente la gloria de Dios. El discurso trinitario del primer capítulo de Efesios repite tres veces que la salvación tiene este fin: *«para que su gloriosa gracia[23] sea alabada»* (1:6), *«para que su gloria sea alabada»* (1:12,14, cf. 3:21). Ya tuvimos la oportunidad de mencionar de que Pablo oraba por los filipenses con este fin: *«a fin de que (ἵνα) seáis puros y sin caída para el día de Cristo, llenos del fruto que produce la justicia, el cual es posible mediante Jesucristo»* (Fil. 1:11). Pero como la redención o perfección del hombre no puede ser un fin en sí mismo, agrega de inmediato: *«para gloria y alabanza de Dios»* (Fil. 1:11). Como es Cristo quien cumplió a la perfección dicha obra redentora, la doxología no puede más que afirmar: *«al único sabio Dios sea la gloria por la eternidad por medio de Jesucristo,*

---

[20]Hay que suplir *állo* (ἄλλο =«otra») en la frase *ti poieite* (τι ποιεῖτε). Esta elipsis es típica en griego. Cf. BDF § 480(1).

[21]Como ocurre a veces (cf. 1 Co. 9:26; 1 P. 4:11), el participio que debería aparecer con la partícula *hōs* (ὡς) fue elidido. Cf. BDF § 425 (4).

[22]Cf. 1 Co. 6:20; 2 Co. 8:19,23; 9:13; Ga. 1:24; 1 P. 4:16.

[23]Así como el semitismo «la gloria de su nombre» quiere decir: «su glorioso nombre» (Sal. 66:2), así también la frase lit. «la gloria de su gracia» quiere decir: «su gloriosa gracia». Esto es mucho más probable que ver (con F.F. Bruce, NICNT) el semitismo en la primera frase: Lit. «alabanza de la gloria», por «gloriosa alabanza».

*amén»* (Ro. 16:27, cf. 15:8-9). Es Cristo y su obra lo que consigue que toda la historia arribe a su meta final: La gloria de Dios. Filipenses agrega, además, que con su resurrección Cristo fue exaltado por sobre todo el universo, *"para gloria de Dios Padre"* (2:11).[24] Apocalipsis nos describe la adoración celestial, en la cual los seres vivientes y los ancianos dan gloria a Dios (Ap. 4:4-11). Lo mismo vuelve a ocurrir en Apocalipsis 7:12 por iniciativa de la multitud incontable.

Con su resurrección Cristo fue coronado *"de gloria y de honra"* (Heb. 2:7, cf. Hch. 3:13; 1 P. 1:21); y cuando Cristo vuelva, vendrá *"para ser glorificado . . . y para ser admirado"* (2 Ts. 1:10, cf. Mt. 25:31). En esa oportunidad su aparición será una *"manifestación gloriosa"* (Tit. 2:13) y será el momento de la *"revelación de su gloria"* (1 P. 4:13; cf. 5:1; Ap. 5:12,13). Así que, Pablo ora de que Dios lleve su plan redentivo a buen término, *"a fin de que sea glorificado el nombre del Señor nuestro, Jesús"* (2 Ts. 1:12). Pedro afirma que a Cristo le *"pertenecen la gloria y la soberanía por los siglos de los siglos. Amén"* (1 P. 4:11; cf. Jud. 24-25).

Pero en un mundo caído,[25] la afirmación *"El fin principal del hombre es glorificar a Dios y disfrutar de Él para siempre"* se convierte en una tarea, en una misión. Sin embargo, no se trata de lograr esta meta por medio del esfuerzo humano, tampoco se trata de legalismo, ya que en un mundo caído "en un estado de pecado y de miseria",[26] Dios jamás recibirá ni manifestará su gloria, que no sea a través de la obra de Jesucristo. La iglesia recibe esa misión, pero ella misma es, a la vez, objeto de la gracia de Dios en Cristo. Es Cristo quien con su obra de redención nos libera del poder de la culpa y de la corrupción del pecado. El Espíritu nos convence de pecado, ilumina nuestras mentes, renueva nuestra voluntad y nos une a Cristo creando fe y arrepentimiento en nosotros.[27]

Preguntemos ahora, ¿Qué pasa con el ser humano que ha sido así unido a Cristo? El Catecismo elabora tres etapas en el plan de salvación: lo que le ocurre *"en esta vida"* (Preg. 32-36), lo que le pasa *"al momento de morir"* (Preg. 37) y lo que le acontece *"en la resurrección"* (Preg. 38). Es importantísimo subrayar con el Catecismo que es *"en esta vida"* que el

---

[24]Cf. Ro. 11:33-36; 15:7; 2 Co. 1:20; Ga. 1:3-5; Ef. 3:20-21; Fil. 4:20; 1 Ti. 1:17; Heb. 13:20-21; 2 P. 3:18.

[25]Cf. Ro. 1:21ss.

[26]*Catecismo Menor.* Preg. 17.

[27]Cf. *Catecismo Menor.* Preg. 29-31.

creyente recibe los dones de la justificación, la adopción y la santificación. Es ahora que somos declarados justos, es ahora que recibimos el privilegio de ser hijos de Dios, y esa ahora, *"en esta vida"*, que se nos otorga la santificación. Por la acción del Espíritu *"somos renovados en todo nuestro ser según la imagen de Dios y capacitados más y más para morir al pecado y vivir para la justicia"* (Preg. 36). ¡Aquí se describe la misión! La iglesia es el instrumento de Dios para lograr estas bendiciones en las vidas de los que no conocen a Cristo. Para esto la iglesia debe proclamar el evangelio de Jesucristo, único medio de transformación del ser humano. Pero la iglesia es también ella misma objeto de la misión. La iglesia debe buscar constantemente su propia transformación, usando *"la Palabra, los sacramentos y la oración"* (Preg. 88) como los medios por los que el Señor la transforma. Para que la Palabra sea eficaz para nuestra salvación, *"debemos ponerle atención con diligencia, preparación y oración, debemos recibirla con fe y amor, debemos colocarla en nuestros corazones y practicarla en nuestras vidas"* (Preg. 89). No obstante, el plan de Dios no estará completo, si no hasta el día de la resurrección. Cuando esto ocurra, *"los creyentes serán públicamente reconocidos y absueltos en el día del juicio, y serán hechos perfectamente dichosos en el pleno disfrute de Dios para toda la eternidad"* (Preg. 38). Es, pues, la obra redentiva de Dios en y a través de su iglesia la que cumple con la misión de salvar al ser humano para que pueda alcanzar el fin de glorificar a Dios y disfrutar de Él para siempre.

# CAPÍTULO IV

# Lucas 14 como ilustración del cumplimiento de la comisión de Mateo 28:18-20

## MATEO 28:18-20

Hemos venido diciendo que el objetivo que la iglesia debe procurar alcanzar es nada menos que *"presentar perfecto en Cristo a todo ser humano"* (Col. 1:28). También hemos definido la misión en términos de reunir a los pecadores en Cristo y perfeccionar a los santos. Además, hablamos de que la misión busca hacer una realidad el fin principal del hombre: glorificar a Dios y disfrutar de Él para siempre.[1]

Ahora haremos dos cosas: Primero definiremos la misión partiendo del pasaje clásico de Mateo 28:18-20, para luego ilustrar con un estudio bíblico cómo reunir a los pecadores y edificar a la iglesia. El estudio bíblico estará basado en Lucas 14, que es un buen punto de partida para explicar cómo cumplir con la comisión de Mateo 28:18-20.

Empecemos por el pasaje clásico para la misión:

*"Y acercándose Jesús, les dijo así:*
*Dios me ha dado[2] toda autoridad*
*en el cielo y sobre la tierra.[3]*
*Por tanto, id y haced discípulos a todas las naciones,*
*bautizándolos en el nombre del Padre,*
*del Hijo y del Espíritu Santo,*

---

[1] Cf. el *Catecismo Menor*. Preg. 1 y cf. los capítulos II y III del presente estudio.

[2] Lit. *"me ha sido dada"*. Pero estamos frente al conocido "pasivo teológico". En el ambiente judío, una actitud de respeto marcaba la tendencia a no pronunciar el nombre de Dios. Para ello se recurría a la construcción con voz pasiva, la cual insinuaba al agente: *"me ha sido dada <por Dios>"*.

[3] O más libremente: *"plena autoridad universal"*.

*enseñándoles a poner por obra*
*todo lo que os he mandado.*
*Y sabed que yo estoy con vosotros*
*todos los días hasta el fin del mundo»* (Mt. 28:18-20).[4]

***El fundamento de la misión***. Aunque hemos traducido *"id y haced discípulos"*, hay que advertir que el texto griego contiene un solo verbo en imperativo: *"haced discípulos"*.[5] Esto nos dice que el énfasis recae en el imperativo: *"haced discípulos"*. Lo que el Señor hace es entregarle a la iglesia la misión de hacer discípulos. Habiendo muerto y resucitado, Cristo tiene ahora *plena autoridad y poder universal* para enviar a su iglesia a la misión. El *"Por tanto"* del v. 19 tiene su fundamento en lo que se afirma en el v. 18, a saber, que con su resurrección Cristo ha recibido pleno poder universal. La afirmación de su autoridad:

"es la presuposición objetiva de parte de Jesús para emitir el imperativo que sigue de inmediato. Como aquel que ha sido descrito en el v. 18, Jesús tiene el poder y la autoridad para dirigirse a sus discípulos en la manera en que lo hace en el v. 19. Por tanto, la forma en que los discípulos cumplirán el mandato no queda determinada por la excelencia o el poder de su propia voluntad y trabajo; ni tampoco quedará comprometida por sus propias deficiencias. Detrás del mandamiento del v. 19 está Aquel que lo emitió, el Jesús descrito en el v. 18. Es él quien asegura que se lleve a cabo el mandato, aun a pesar de las debilidades de los discípulos o la interferencia de terceros . . . Como el poseedor de la ἐξουσία [= autoridad], Jesús es quien respalda el mandamiento del v. 19, él es la autoridad detrás de

---

[4] Ha habido mucha discusión sobre esta perícopa, y no es este el lugar para entrar en los pormenores del debate. No es posible negar que el encargo de la gran comisión salió de la boca misma del Jesús resucitado. Pero también hay que reconocer que el estilo y contenido teológico de la perícopa nos dice claramente que Mateo ha elaborado la tradición. Como he concluido en otra parte, "los pensamientos son tan mateanos que es casi imposible trasladarse más atrás del mensaje. El elemento dominante no es la tradición o el hecho histórico que está detrás de la tradición, sino el mensaje que es hecho subserviente al propósito de Mateo dentro de y en relación a, el tema general del primer Evangelio". H. Casanova. "Critical and Exegetical Paper on Matthew 28:16-20". Para una defensa del texto, cf. K. Barth. "An Exegetical Study of Matthew 28:16-20", en G.H. Anderson. *The Theology of the Christian Mission* (Nueva York: McGraw-Hill, 1961), pp. 65ss.

[5] En el original el imperativo *"id"* no es más que un participio pleonástico circunstancial que imita al hebreo. Cf. BDF §419 (2), Robertson. *Grammar*. p. 1126. Este uso del ptc. ocurre con bastante frecuencia en el Evangelio de Mateo.

los enviados, y como tal garantiza la implementación del mandato dado a los discípulos . . . ».[6]

***El horizonte de la misión***. La misión tiene un alcance universal. Además, la gran comisión adquiere urgencia, no sólo por el aoristo que está detrás del imperativo *"haced discípulos"* (μαθητεύσατε), sino por el momento en que se pronuncia. La resurrección de Cristo ya ha ocurrido, la nueva creación ha aparecido, es el momento oportuno y decisivo. Pero al hablar de la universalidad de la comisión, surge la pregunta: ¿Qué se quiere decir aquí con discipular a las *naciones*? No debemos cometer el error de pensar que la palabra "naciones" indica que los países como tales se harán cristianos. "Son los individuos, no los países los que son convertidos. No hay tal cosa como un 'evangelio social' aparte de la redención del individuo".[7] Esto se hace evidente cuando se observa que (al igual que en Mt. 25:32), el texto no registra un *"bautizándo-las* [αὐτά, neutro pl.] . . . *y enseñando-las"* [αὐτα, neutro pl.] que responda a *"naciones"* (ἔθνη, neutro pl.); lo que tenemos es más bien un *"bautizándo-los* [αὐτούς, masc. pl.] . . . *y enseñando-les"* [αὐτούς]. El objeto del discipulado no son los países como tales, lo que a fin de cuentas es una abstracción, sino los individuos de todo el mundo.

***El cómo de la misión***. Mateo 28:19-20 contiene dos participios adverbiales de modo (BDF §418.5), los cuales describen la forma en que debe llevarse a cabo el discipulado: *"bautizándolos . . . enseñándoles"* (βαπτίζοντες . . . διδάσκοντες). Los participios nos entregan dos etapas del discipulado.[8] La primera etapa cierra con el bautismo, que viene a ser la cúspide del proceso de conversión y la entrada al cuerpo de Cristo. Se trata de un bautismo que *"nos une al"* (εἰς) Padre, al Hijo y al Espíritu Santo en una relación de obediencia, adoración y lealtad.

Pero el discipulado no queda allí. La segunda etapa es la más larga, dura toda la vida. Jesús manda que la iglesia enseñe a los convertidos a poner por obra *"todas las cosas que os he mandado"* (28:20). Obviamente que en el contexto del Evangelio de Mateo, la frase *"todas las cosas"* tiene primera referencia a todo el contenido del primer Evangelio.[9] El hacer discípulos no es una tarea fácil, se trata de moldear la vida de los conversos para que en

---

[6] K. Barth. *Op. cit*, p. 60s.

[7] F.F. Bruce. «The End of the First Gospel», *EQ* 12 (1940): 209.

[8] Con todo, no es posible estar seguro sobre si los participios indican una secuencia temporal, de tal forma que primero viene el rito de iniciación y después la enseñanza, o si el primero es iterativo, ocurriendo dentro del contexto de una enseñanza continua.

todo refleje la voluntad de nuestro Señor. Terminemos esta sección citando las excelentes palabras de H. Ridderbos:

"[Jesús] habla de su propia autoridad ilimitada (todo poder); les entrega una tarea ilimitada (todas las naciones); les asegura una comunión ilimitada (todos los días) . . . Esta tarea ilimitada se hace posible sólo si viene acompañada de una comunión ilimitada con el Señor exaltado, lo cual él garantiza. Es en el cumplimiento de esta tarea y es en esta comunión que la iglesia vive. Pero cuando descuida su tarea o deja esta comunión, la iglesia muere".[10]

## LUCAS CAPÍTULO 14

Mateo 28:18-20 nos dio la tarea de hacer discípulos. Por cierto que no se trata de buscar seguidores nuestros, se trata de hacer discípulos *de Cristo* (cf. Mt. 23:10). La misión tampoco consiste en buscar estudiantes para entregarles un cúmulo de conocimientos sobre religión, pues el término "discípulo" no es aquí sinónimo de alumno o estudiante. No se trata de hablar de conocimientos abstractos o temas de interés, sin finalmente exigir un compromiso genuino con Cristo. Cuando así ocurre, la congregación se transforma en el mismo pequeño grupo de hermanos que se lo pasa estudiando, sin registrar crecimiento. Creen saberlo todo y tener respuesta para todo, pero son una congregación enferma y aburrida. Orgullosos de todo lo que dicen saber, pero a fin de cuentas no conocen que el Evangelio es poder de Dios.

La misión de hacer discípulos muchas veces se confunde con la forma superficial de evangelizar que con frecuencia se ve en las iglesias evangélicas. Este es un evangelio muy entusiasta y explosivo al principio, pero sus líderes no saben qué hacer con la gente una vez que se convierten, y desean mantenerlos de por vida en los rudimentos de la fe, registrándose una vida cristiana emocionalista que no transforma los matrimonios, los hogares, etc. Pero si la misión consiste en unir a los pecadores a Cristo, para hacerlos perfectos para el día de Jesucristo, entonces nuestra predicación debe buscar la transformación de cada creyente a la imagen del Señor. La misión es lograr que el hombre glorifique a Dios en todas las áreas de su vida. Como existe confusión sobre el tema, es importante que reflexionemos brevemente sobre qué es hacer discípulos. No es posible agotar aquí el tema

---

[9]Un estudio de Mt. 4:23; 5:2,19; 7:29; 9:35; 11:1; 13:54; 21:23; 22:16; 26:55, etc. revelará que para Mateo el ministerio de Jesús estuvo marcado por la enseñanza. Es particularmente en su enseñanza que Jesús muestra su autoridad en el Evangelio de Mateo.

[10]H. Ridderbos. *Matthew's Witness to Jesus Christ* (London: Lutterworth, 1958), p. 91.

del discipulado, pero creo que ayudará en algo el que tomemos algún tiempo para ilustrar este punto partiendo de Lucas capítulo 14, un capítulo sobre el costo del discipulado.

## 1. Contexto en el que se desarrollan los hechos kerygmáticos

El capítulo comienza situándonos en una comida que se lleva a cabo en la casa de un fariseo (14:1). Es importante que desde el principio nos demos cuenta de que el texto muestra que la mayoría de los asistentes a esta cena era gente del gobierno político-religioso judío, hayan sido del Sanedrín o de la Sinagoga, o ambas cosas. Esto se ve en frases como: *"... y ellos* [esto es, los fariseos] *lo vigilaban atentamente"* (14:1), *"habló a los intérpretes de la ley y a los fariseos"* (14:3), *"y dirigiéndose a ellos"*, esto es, a los intérpretes y fariseos de los vv. 3s. (14:5). En 14:7 se entiende que el sujeto gramatical del verbo *"escogían"* son las mismas personas; el invitado que interviene en 14:15 también debió ser uno de estos teólogos judíos. También es importante notar que Jesús dirige sus palabras a ellos (14:3,5,12,16). Notemos, finalmente, que la frase *"vecinos ricos"* (14:12) podría indicar que el gobernante judío, dueño de casa, vivía en el sector más acomodado de la ciudad, en el barrio alto.

### Primer indicio de lo que es hacer discípulos

Vemos aquí a Cristo, no como un Salvador que huye del mundo, sino que está metido en el centro mismo del poder y la sabiduría humana. Cristo no sólo estuvo junto a los pobres e ignorantes, sino que se introdujo también en el ambiente político y académico de su tiempo, para ser sal allí donde la ambición y la soberbia humana se hacen patentes en todo su esplendor. Si parte del desafío cristiano es influenciar y contrarrestar la cultura y la atmósfera impuesta por el mundo, entonces nos damos cuenta que el evangelio simplista no sirve.

## 2. Cristo como paradigma del discípulo: Lucas 14:2-11

En primer lugar, el Señor ejemplifica con *hechos* que ha venido a salvar. Cristo demuestra que su misión de salvación implica la compasión y restauración de los afligidos. El Señor sana a un enfermo (14:2-6). Su actuar viene siempre acompañado de su Palabra redentora. Su *enseñanza* nos pone en contacto con lo que debe ser un discípulo. Jesús hace algunas observaciones sobre lo poco sabio que es buscar el propio encumbramiento (14:7-11). Esto lo hace ante la conducta de los convidados (14:7), la que los delataba como gente que buscaban ser personas importantes. Tengamos cuidado con las palabras de Cristo en los vv. 8-10, porque fácilmente se podrían desfigurar, si se interpretan como si Jesús estuviese enseñando una estrategia para poder lograr los mejores puestos y lugares en una cena o en la sociedad. Recordemos que Lucas presenta lo dicho en los vv. 8-10 como una *"parábola"* (14:7). Esto se confirma en la clara conclusión de 14:11, la cual nos dice que el asunto tiene que ver con nuestra relación con Dios. Debemos buscar la humildad, para que así Dios nos exalte.[11] Con su exhortación Cristo busca corregir las ansias de poder que tiene el hombre. Por tanto, para que la acción de buscar sentarse en el último lugar (14:10) sea una acción con valor ético positivo y espiritual, no debe ser el producto de una humildad fingida y calculada, sino que debe ser genuina, debe surgir de la orientación que nuestros valores dan a nuestras acciones.

### Segundo indicio de lo que es hacer discípulos

Y encontramos aquí, entonces, el segundo indicio de un discipulado genuino, a saber, la ausencia de esa ambición mundana que nos lleva a competir con los demás, esa ansia y afán de estar por sobre todos. Hacer discípulos y ser un discípulo implica entender la verdad que subyace en el centro de la realidad de la vida: *"todo el que se exalta a sí mismo, será humillado; mas el que se humilla, será exaltado"* (Lc. 14:11).[12] La soberbia corona a los pecadores. No obstante, sólo a Dios le está reservado el derecho de ensalzar (cf. Stg. 4:10; 1 P. 5:6).

Si queremos hacer discípulos es menester crear en nosotros y en ellos un espíritu de humildad y servicio. Este espíritu surge cuando la iglesia tiene clara su *vocación*, esto es, cuando cada hermano sabe para qué está en este mundo, para qué hemos sido enviados al mundo. La pérdida de nuestra vocación, la ignorancia de nuestra misión nos llevará a poner en su lugar metas y propósitos mundanos y egoístas para nuestra vida. Pues bien, crear este espíritu de servicio y amor es algo que no se logra con una campaña evangelística ni con un evangelio que huye de la realidad concreta en la que vivimos. Hacer discípulos toma tiempo, es una tarea dura, pues consiste en cambiar los valores mundanos de ambición y opresión, por la vocación de ser una iglesia salvadora, luz del mundo, una iglesia que viene a servir.

## 3. Llamamiento al discipulado: Lucas 14:12-14

Después de desenmascarar las ansias de poder de los convidados, Jesús pasa a hacer otro tanto con el dueño de casa (14:12-14). Es bueno aclarar que es obvio que Jesús no quiere decir que cenar con amigos y familiares esté

---

[11] «Lucas afirma que se trata de una 'parábola', esto es, un argumento que habla de cosas divinas partiendo de relaciones humanas; es probable que Jesús transformara este familiar dicho de buenos modales en una parábola». A.M. Hunter. *Interpreting the Parables* (Philadelphia: Westminster, 1960), p. 58.

[12] Cf. Mt. 18:4; 20:16; 23:12; Lc. 13:30; 18:14.

malo.[13] Lo que Jesús ataca es el pecado de que nuestra inclinación fundamental esté dirigida siempre a ver qué provecho puedo sacar de cada situación. Se critica que hagamos favores o reverencias sólo a aquellos de quienes podemos obtener algún beneficio. En estos casos el amor que fingimos no es más que una estrategia hipócrita por la que conseguimos nuestros fines. Adulamos a quienes nos conviene agradar. Cristo nos invita a examinar nuestra vida, pues si en ella están ausentes las demostraciones de amor a personas de las cuales nada podemos sacar, es muy posible que el objetivo que nos orienta sea, no el de hacer la voluntad de Dios, sino sólo el de sacar provecho.

En vista de esto, Jesús exhorta al dueño de casa a buscar la dicha, no en lo que pueda obtener por los favores que haga a amigos, familiares o *«vecinos ricos»*, sino en el servicio a los pobres y afligidos (14:13s.). Jesús enfoca el asunto desde la óptica de llevar a cabo la voluntad de Dios, de imitarle a Él (cf. 14:2-6), a fin de llevar un estilo de vida que no tiene como motor una mentalidad utilitarista, sino que tiene como meta amar al prójimo. El amor se ve cuando hacemos las cosas desinteresadamente, pues nuestra meta es servir, salvar y amar al prójimo. Cuando los creyentes hacemos el bien, no lo hacemos motivados por lo que pudiéramos sacar de los hombres aquí en este mundo, sino que más bien esperamos nuestra recompensa de Dios, esperamos la *«resurrección de los justos»* (14:14). Subrayemos, pues, que con estas palabras Jesús está invitando a los convidados y al dueño de casa a que le sigan. Sus palabras son una exhortación al arrepentimiento.

## 4. El llamamiento encuentra la oposición de un académico: Lucas 14:15

Pero al oír esto de la dicha y de la resurrección, uno de los convidados corrige a Jesús (14:15). El hombre desvía o apura el asunto para orientarlo a la dicha de participar en el gran banquete mesiánico, evento que los judíos creían inaguraría el Reino de Dios. Cuando Jesús habla (en 14:14) del servicio a los pobres y de la resurrección de los *justos* (es decir, solo ellos recibirán recompensa), lo que hace es restringir la felicidad escatológica a quienes aman desinteresadamente. Pero el invitado simplemente diluye el asunto hablando directamente de la dicha de poder participar en el gran

---

[13]Por cierto, se trata aquí de un modismo semítico. Cf. «"Dialektische Negation" als semitisches Idiom», *VT* 4 (1954), pp. 385-400. M. Zerwick también nos informa que dentro de una oración disyuntiva, «Es una peculiaridad semítica expresar un miembro en forma negativa a fin de subrayar más el otro, diciendo 'no A pero B', cuando lo que se quiere decir es 'no tanto A como B', o 'B más bien que A'». *Biblical Greek* (Roma:Scripta Pontificii Instituti Biblici, 1963), § 445 (p. 150). Cf. Os. 6:6; Jn. 12:44, etc.

banquete del Reino. Mientras que Jesús habla de la importancia de nuestra participación aquí en esta vida a favor de los más necesitados como algo decisivo respecto a nuestro futuro, el invitado simplemente da por sentado que participará en ese banquete futuro, sin mencionar para nada nuestra conducta aquí. Vemos, pues, un contraste entre lo que es la bienaventuranza para Jesús (14:14) y lo que ella es para este teólogo (14:15).

## 5. La respuesta de Jesús: Lucas 14:16-24

Jesús le responde con una parábola (14:16-24). En este contexto y redacción lucana, la parábola tiene como fin hacer ver que la participación en la manifestación final de la salvación no debe desligarse de nuestra vida aquí en este mundo, pues para participar en ese banquete es necesario primero que *aquí* respondamos como corresponde al llamado e invitación de Dios. No hay que decir "¡Amén!" con tanta rapidez, porque el llamado al banquete celestial quizá no sea del tipo que nosotros hemos imaginado (cf. 14:28ss.). Sucede que con frecuencia falsificamos la invitación de Dios, definiéndola en términos de una gracia que solo da y otorga bendiciones, sin producir ningún cambio de vida. Si este es nuestro concepto, nuestra respuesta al llamado será una reacción emocional que infundirá en nosotros una falsa seguridad que no toca nuestra vida, ni nuestros valores mundanos.

### Tercer indicio de lo que es hacer discípulos

Este texto nos enseña que el llamamiento que hacemos a los hombres para convertirlos en discípulos no puede ser un llamamiento superficial, ni tampoco puede desfigurarse terminando en una gracia barata, porque la parábola de Jesús muestra que la invitación de Dios al banquete de la salvación final *siempre incluye renuncia y arrepentimiento*. Cristo nos llama a renunciar a todo aquello que refrena nuestra total consagración a la voluntad de Dios. El llamado es un llamado a dejarlo todo para correr a cumplir su voluntad. Pero cuando el llamado a la salvación se formula en términos de renunciar a la ambición de los *"primeros asientos"* (14:7) y de abandonar las atenciones que hacemos a otros con el fin de ser recompensados (14:12), entonces con frecuencia se escucha la respuesta: *"te ruego que me excuses"* (14:18,19), *"no puedo ir"* (14:20). Dicho de otra manera, para muchos el cristianismo es bueno, mientras el elemento de renuncia no esté presente. De esta manera, la parábola forma un contraste entre la opinión del invitado (14:15), que simplemente presupone que participará en la salvación, y la posición de Jesús, quien afirma que esa dicha está reservada para quienes se someten a la voluntad divina, para aquellos que *sin disculpas* acuden al llamado de Dios.

## Cuarto indicio de lo que es hacer discípulos

Ahora bien, de estos textos aprendemos también que el llamado a la salvación que la iglesia debe hacer a los inconversos es concomitante con el *llamado al servicio*. En otros términos, la invitación a la salvación es también en su centro y esencia un *llamado a amar*. Así como Dios amó de tal manera al mundo, nosotros también debemos amar. En el presente contexto esto es evidente, ya que el servicio desinteresado a los pobres y afligidos son parte de la invitación de Dios a participar de su Reino (14:12-14). Esto se discierne claramente cuando advertimos que el llamado al servicio son palabras que tienen como fin descubrir si este fariseo y sus invitados estaban dispuestos a cambiar y a dejarlo todo por Jesús. Entendamos bien que cuando Jesús dice *"siéntate en el último lugar"* (14:10) y cuando dice *"llama a los pobres"* (14:13) está diciendo: *"venid a mí que todo está preparado"* (14:17). Formulado de esta manera, el llamado a la salvación dejará de ser atractivo, pues demanda que nos arrepintamos de nuestros pecados, de nuestro egoísmo y conveniencia. Como lo ha expresado C. H. Dodd:

> "las palabras de invitación 'venid que ya todo está preparado' 14:17, corresponden al llamado de Jesús, 'arrepentíos porque el reino de los cielos se ha acercado'".[14]

No es, por tanto, un venid no importa como sea nuestra vida, sino un venid arrepentidos. Al darnos cuenta del costo del discipulado, reparamos que la conversión es sólo una obra del Espíritu, un verdadero don de Dios. Los gobernantes judíos aparecen en el texto como rechazando el llamado de Dios a la salvación. Las ambiciones y las ansias de poder son un obstáculo para acudir al llamado de Dios. Al igual que muchos cristianos modernos, estas autoridades públicas podrían acudir a un pseudo llamado de Dios, a uno que no exija renuncia, uno que no implique amar desinteresadamente, uno que nos permita seguir orientando todas nuestras acciones en busca de la gloria personal; un llamado que solo hable de que Cristo da vida eterna a sus ovejas, y que ellas están seguras, pues nadie las arrebatará de su mano (Jn. 10:28); un evangelio que solo subraye que nada nos puede separar del amor de Dios, que es en Cristo Jesús (Ro. 8:35-39), pero que olvida que las ovejas de Cristo obedecen su voz (Jn. 10:26s.) y que se caracterizan por un amor incondicional a Dios (Ro. 8:28), un amor que implica obediencia a su voluntad.

Resumiendo, el fariseo o intérprete decía: *"dichoso el que participe del banquete del reinado de Dios"* (14:15), sin darse cuenta que en las palabras

---

[14]C.H. Dodd. *The Parables of the Kingdom* (NY: Scribners, 1961), p. 93.

de Cristo, *"cuando hagas banquete, llama a los pobres, los mancos, los cojos y los ciegos»* (14:13), estaba precisamente recibiendo la invitación a la salvación, una invitación a arrepentirse y a seguir a Cristo. Esa invitación ponía en evidencia su pecado. Con esto Cristo le hacía un favor, ya que el reconocimiento de nuestro pecado y miseria es el requisito fundamental para convertirnos. Esa invitación era el exámen que mostraría si había en ellos el verdadero espíritu del discipulado, o si responderían: *"te ruego que me excuses»* (14:18s.), *"no puedo ir»* (14:20).

## 6. Reforzamiento adicional de lo que es hacer discípulos: Lucas 14:25-35

No es ninguna casualidad que Lucas, acto seguido, coloque una perícopa que habla sobre el costo del discipulado (14:25ss.) y otra sobre el peligro de un cristianismo inservible (14:34s.). Estos textos son una continuación del tema sobre lo que implica ser salvo, pero ahora como una aplicación dirigida *a la iglesia* que lee este Evangelio. Porque al igual que el pueblo de Dios en los días de Jesús, hoy la iglesia también reniega de la fe que dice sostener. Por tanto, aquí se vuelve a plantear el problema de la renuncia. La parábola habló de gente que no estaba dispuesta a dejar campo, bueyes o esposa, ante la invitación que se les hacía. Lucas 14:25ss. vuelve a plantear el problema de que el llamamiento de Cristo implica desprendernos de nosotros mismos.

### Quinto indicio de lo que es hacer discípulos[15]

A menudo tenemos que soportar un tipo de evangelización que ofrece la salvación sin exigir arrepentimiento. Pero el Evangelio no busca decisiones precipitadas ni profesiones sacadas violentando las conciencias mediante efectos especiales. Todo lo contrario, Dios quiere que al convertirse, el ser humano esté lo más lúcido posible. Como el hombre de la parábola, que se sienta calmadamente a calcular los gastos (14:28); Dios quiere que el hombre esté bien conciente del camino que va a emprender. El Señor no le esconde sus exigencias, temiendo caer mal o ser rechazado. Es por eso que Lucas 14:28ss. añade dos dichos parabólicos que tienen un solo punto de comparación (*tertium comparationis*), esto es, su propósito es hacer que la gente sopese bien el costo de lo que significa hacerse cristiano. El recién convertido debe saber que le espera un camino de conflictos constantes, y debe estar preparado para una lucha férrea contra

---

[15] Es obvio que en Lc. 14:26 no hay que tomar el verbo *"odia"* en forma literal. Es evidente que la exigencia primordial del reino es el amor a Dios y al prójimo, y nuestra familia está ciertamente incluída en esa exigencia.

el pecado. Si no lo está, lo único que logrará será el menosprecio del mundo, pues no hay nada más despreciable en una persona que la incoherencia.

Lo que el texto hace es plantear la pregunta que subyace en los cimientos mismos de la vida humana: ¿A quién debo lealtad última? La vida constantemente nos pone frente a la encrucijada de tener que decidir entre Cristo o mis intereses, entre Cristo y mis opiniones, entre Cristo y mi propia seguridad, entre mi voluntad y la suya, entre su Palabra y mi propia sabiduría (secularización). La idea se expresa claramente en la aplicación que se da de la parábola en el v. 33:

> *«cualquiera de vosotros que no renuncia a todo lo que posee, no puede ser mi discípulo».*

El discipulado reclama para Cristo una lealtad y amor incondicional que está por sobre todo, aun nuestra propia vida. Esto se puede ejemplificar positivamente en los discípulos que lo dejaron todo para seguir a Jesús (Mr. 1:16-20) y negativamente en la experiencia del joven rico, que no estuvo dispuesto a dejar su fortuna cuando el Señor se lo ordenó (Mr. 10:21-23).

## 7. La iglesia como discípulo de Cristo: Lucas 14:34-35

La santidad de la Iglesia cumple un papel misionero, y aquí se subraya este hecho: para que podamos hacer discípulos, primero debemos ser discípulos *nosotros mismos*, y en muchos casos esto requerirá que la iglesia se arrepienta del tipo de Evangelio que vive y predica. La iglesia debe rechazar el evangelio que no incómoda, que nos deja tranquilos viviendo como nos da la gana. Es con este propósito que se introduce Lucas 14:34s. La sal cumple un servicio específico, sirve para sazonar. Si se hiciera insípida, dejaría de ser sal, dejaría de servir. De igual forma, *la iglesia está en el mundo para hacer discípulos y para mostrar en su vida lo que es la salvación*. Al evangelizar y vivir el evangelio, la iglesia cumple con su vocación, con su razón de ser. No existe para otra cosa, y su vocación no es algo optativo, ya que si nuestra iglesia deja de dar testimonio de la gracia salvadora de Dios, *deja de ser iglesia*, porque su naturaleza e identidad se definen en términos de su misión, de su testimonio. Tan absurdo como una sal sin sabor, una iglesia sin evangelización. Tan absurdo como colocar una luz debajo de un recipiente, es una iglesia que no testifica con su vida. La luz fue hecha para alumbrar, esa es su razón de ser, la iglesia fue hecha para anunciar el nombre y salvación de Cristo. *La iglesia está para hacer discípulos*.

## Conclusión

Hemos caminado juntos por Lucas 14 para ver que hacer discípulos no es trabajo de un día. Requiere enseñar, corregir, exhortar, consolar, etc.

Requiere que por la Palabra y el poder del Espíritu logremos que la gente llegue a tener a Cristo como Señor de sus vidas, generándose un amor y lealtad incondicional a Cristo, haciendo que todo otro amor y lealtad sea algo secundario y subordinado. El fin principal del hombre es glorificar a Dios y disfrutar de Él para siempre. En virtud de la obra de Cristo y por el poder del Espíritu, que se manifiesta en la predicación del Evangelio, la iglesia tiene la misión de lograr que el ser humano cumpla la finalidad para la cual fue creado: glorificar a Dios.

CAPÍTULO V

# La misión hacia dentro y hacia fuera

## INTRODUCCIÓN

Dios nos ha predestinado *"para reproducir la imagen de su Hijo"* (Ro. 8:29). Cristo es el prototipo o molde original al cual debe conformarse todo cristiano.[1] Colosenses 1:19-22 nos dice que el fin que *Cristo* persigue con su muerte es reconciliarnos con Dios, *"para presentaros santos, sin defectos e irreprochables delante de él"* (1:22). Esa es la meta de Cristo, y Pablo la hace su misión. Para el apóstol el objetivo de su vida era presentarle al Padre, en la segunda venida de Cristo, a todo hombre perfecto en Cristo (Col. 1:28).[2] Ahora bien, cuando la iglesia adopta este mismo propósito, sólo está participando *en la misión de Dios mismo*. La *Misio Dei* se convierte así en la misión de la iglesia. Esta perfección se alcanzará cuando, como hombres nuevos, todos lleguemos a una vida en la que *"Cristo es el todo, y en todos"* (Col. 3:9-11). La iglesia debe tomar el propósito de Dios y hacerlo su razón de existir. Ya vimos que nuestra Confesión afirmaba que para lograr este objetivo, la iglesia debe tener *un doble accionar, uno hacia fuera (reunir) y otro hacia dentro (perfeccionar).*[3] Es necesario que ahora ampliemos un poco esta verdad.

## LA MISIÓN HACIA DENTRO

### La vocación de la iglesia: Fundamento de la misión hacia dentro

La *vocación* de la iglesia le exige llevar a cabo una misión hacia su interior. Esta es otra manera de describir el objetivo que persigue la misión.

---

[1]Véase lo dicho en el Cap. II sobre Cristo y la misión.

[2]Véase lo dicho en el Cap. II sobre la misión como la acción de producir una nueva creación.

[3]Véase lo dicho en el Cap. III sobre la afirmación de la *Confesión de Westminster.*

123

Como ya vimos, Pablo define a los cristianos como *"santos por vocación"* (así BJ en Ro. 1:7), esto es, santos en virtud de haber sido llamados.[4] Sobre esta base se manda a los Efesios:

> *"os exhorto . . . a que viváis de una manera digna del llamamiento que habéis recibido, esto es, con toda humildad . . ."* (Ef. 4:1ss.).

Con lo que estamos diciendo descubrimos que el llamamiento no sólo se elabora desde la perspectiva de la acción soberana de Dios (*Gabe*), sino de la acción humana responsable (*Aufgabe*), lo cual es posible en virtud de la redención. En base a nuestra unión con Cristo, se nos exige romper con la antigua forma de vida que teníamos antes de ser rescatados por Cristo, *"porque Dios no nos llamó a inmundicia, sino a santificación"* (1 Ts. 4:7; cf. 2 Co. 7:1). Nuestra vocación nos exige ser como nuestro Padre que está en los cielos:

> *"Como hijos de la obediencia, no os amoldéis a los apetitos que antes teníais en vuestra ignorancia; sino, así como el que os llamó es santo, sed también vosotros santos en toda vuestra conducta"* (1 P. 1:14s.).

Por cierto, la Escritura llama a los creyentes convertidos del paganismo a que rompan con la forma de vida pecaminosa que tenían antes de conocer a Cristo. Y la tarea de la iglesia es edificar de tal manera a la gente que se convierte, que puedan irse liberando del poder del pecado, para servir a Dios en toda área de la vida. Esta exhortación a romper con la vida antigua de pecado es firme e insistente. Pedro vuelve a hablar de lo mismo en 2:1s.:

> *"despojaos, pues, de toda malignidad,[5] de todo engaño, hipocresía, envidia y de toda clase de calumnia. Antes bien, como niños recién nacidos, tened ansias de esa leche espiritual pura, para que por ella crezcáis hasta la salvación".*

En 4:2s. Pedro vuelve a insistir en que, habiendo roto con el pecado, el creyente debe vivir según la voluntad de Dios:

> *"armaos con . . . , a fin de no vivir ya más, el tiempo que nos queda en esta vida, según las pasiones humanas, sino según la voluntad de Dios. Porque el tiempo pasado ha sido <más que> suficiente para*

---

[4] Para el tema del llamamiento desde la perspectiva de la acción soberana de Dios, véase lo dicho en el Cap. I, punto 1.

[5] El término *kakía* (κακία) significa "inclinación a pensar y obrar lo que es malo moralmente".

*hacer lo que a los paganos les gusta, viviendo en libertinaje descarado, pasiones, borracheras, orgías, festines y abominables idolatrías».*

Efesios 4:17ss. también exhorta a los creyentes a no actuar más como lo hacían antes, sino a despojarse de la forma de vida que antes tenían, y en 5:8ss. se vuelve a insistir en que en otro tiempo eran tinieblas, pero ahora son luz (cf. Col. 3:1ss.). La misma ruptura se exige en Tito 3:1ss., donde se vuelve al tema de que antes de conocer a Cristo el hombre vivía en pecado, pero al manifestarse la bondad de Dios se efectuó aquel cambio renovador del Espíritu. Esta ruptura con el mal se repite por medio de términos como *apéjō* (ἀπέχω = *"mantenerse alejado de"* o *"abstenerse de"*, en 1 Ts. 4:3; 5:22; 1 P. 2:11), y *apotíthēmi* (ἀποτίθημι = *"despojarse de"*, Ro. 13:12; Ef. 4:22,25; Col. 3:8; Heb. 12:1; Stg. 1:21; 1 P. 2:1). También se habla de hacer morir el pecado (Col. 3:5). No se trata de un legalismo negativo. Se trata más bien de que uno rompe con el pecado para asumir una conducta positiva de justicia. Ya vimos en Lucas 14 que el llamado del evangelio es un llamado, no sólo a dejar la ambición, sino que un llamado positivo al servicio y amor al prójimo.[6] Muchos de los pasajes citados contienen, no sólo el aspecto negativo de la ruptura con el mal, sino que el aspecto positivo de un compromiso concreto con la justicia (cf. Ro. 12:1ss.; 13:12ss.; Ef. 4:23s., 28ss. 5:1ss.; Col. 3:12ss., etc.). Onésimo fue un inútil antes de su conversión, pero la fe hizo de él un hombre útil (Flm. 11).

## LA MISIÓN HACIA FUERA

Pero al vivir el reinado de Cristo en las diferentes áreas de su propia vida (en lo personal, el matrimonio, la familia, etc.), la iglesia jamás debe convertir esa experiencia en un fin en sí mismo. De hacerlo así, toda la actividad descrita se pudrirá. Todo discipulado que no esté orientado a la misión y al servicio *al mundo* que está sin Cristo, no será un discipulado verdadero. El llamado a ser discípulos es un llamado a continuar la obra de Jesús. De tal forma que, la misión de la iglesia no se agota cuando ella se edifica a sí misma. Y no se agota porque la meta es nada menos que presentar *a todo hombre* perfecto en Cristo (Col. 1:28), la meta es hacer discípulos *a todas las naciones* (Mt. 28:19). De tal forma que, la edificación de la iglesia no es tal, si no está orientada a la misión, a la evangelización. Por tanto, todo y cada uno de los hermanos, todo y cada uno de los esfuerzos que la iglesia haga, deberán estar consciente y organizadamente orientados a cumplir con la misión de llevar al mundo a Cristo. Cuando la iglesia se olvida de esto, ha perdido su razón de ser, ha dejado de ser iglesia. Es por esto que, siguiendo

---

[6]Véase lo dicho en el Cap. IV.

a nuestra Confesión, hemos dicho que el accionar de la iglesia es doble: hacia dentro y hacia fuera.

## La vocación de la iglesia: Fundamento de la misión hacia fuera

Bajo este subtítulo quiero mencionar tres atributos de la iglesia que tienen que ver con su misión al mundo. Al hablar de «atributos» no nos referimos a alguna cualidad estática e inexpugnable que se mantiene inherente a la iglesia, no importa cuánto pecado haya en su seno. Creemos, más bien, que los atributos de la iglesia son un don y una tarea.[7]

### 1. Santidad y misión

Filipenses 2:14 habla de la importancia radical que tiene la santidad para el testimonio y la evangelización:

> *«hacedlo todo sin quejas ni discusiones,[8]*
> *a fin de que* (ἵνα) *seáis irreprochables y puros,*
> *hijos de Dios irreprensibles*
> *en medio de gente[9] torcida y depravada,*
> *entre los cuales brilláis como estrellas en el*
> *firmamento».[10]*

Pongamos atención al hecho de que se exhorta a los Filipenses a que trabajen en su salvación, esto es, en su liberación del poder del pecado y su transformación a la imagen de Cristo,[11] pero todo esto se hace *con el*

---

[7]Véase lo dicho en el Cap. I sobre las marcas de la iglesia.

[8]No es posible precisar con certeza cuál es el sentido de la palabra *dialogismós* (διαλογισμός) en el presente contexto. Literalmente sólo significa «reflexión, pensamiento», predominando en el NT el sentido negativo de «malos pensamientos» (cf. G. Schrenk en *TDNT* vol. II, p. 97). Las posibilidades son: **1.** En sus comentarios, autores como J.B. Lightfoot 117, J.C. Ellicott 65, H.A.W. Meyer 90s., R.M. Vincent (ICC) 67, y D. Fürts *DTNT*, vol. III, p. 329, insisten que aquí el sentido pasa del simple pensamiento a la idea de reflexión ansiosa (cf. Schrenk). Traducen entonces: «dudas», «vacilaciones», «cuestionamientos». **2.** R.P. Martin (en TNTC 113 y en el NCB 104), propone el sentido de «litigios», basado en el uso legal del término (cf. MM 151). **3.** H. Alford 172, H.A.A. Kennedy (EGT) 441 y las Versiones NBE, CI, BJ, RV60, RV95 y NVI95 traducen: «contiendas», «discusiones», «disputas» (cf. 1 Ti. 2:8). Me parece que el contexto favorece esta última opinión.

[9]Lit. *«generación»*, en el sentido de toda la gente nacida en un mismo período o época, esto es, «contemporáneos».

[10]Con *«firmamento»* (cf. NVI95, Lightfoot 117) reproducimos el griego *kósmos* (κόσμος), que aquí tiene más o menos el sentido de «universo» (CI). Cf. Jn. 3:19.

[11]Véase lo dicho en el Cap. VII sobre la importancia de nuestra propia participación activa en la santidad y la salvación.

*propósito* claro y definido de poder brillar en medio de un mundo lleno de pecado. Vemos, pues, que la santidad de la iglesia tiene una función de testimonio, una función misionera. Esto llega a detalles tan domésticos como el testimonio de una esposa frente a su marido inconverso, el cual es ganado para el Señor a causa de la conducta que pudo observar en ella (1 P. 3:2). Es por todo esto que se nos llama *"luz del mundo"* y *"sal de la tierra"*, porque nuestra vocación esta definida en la exhortación:

> *"De esa manera alumbre vuestra luz delante de los hombres, a fin de que* (ὅπως) *vean que hacéis el bien y sean así llevados a glorificar a vuestro Padre celestial"* (Mt. 5:16).

No puede haber evangelización eficaz, si la iglesia deja el camino de la santificación, para llenarse de envidias, peleas internas y mal testimonio. Una iglesia sin santidad está dejando de ser iglesia, ya que la edificación que Cristo lleva a cabo sobre el fundamento de sí mismo no tiene otro fin que no sea que este edificio vaya *"creciendo hasta llegar a ser un templo santo en el Señor"* (Ef. 2:21). Además, si la iglesia descuida la *disciplina* y permite la liviandad y el pecado, sólo se logrará que el nombre de Dios sea blasfemado por los de afuera (cf. Ro. 2:17-24; 1 Co. 5:11-13; Ef. 5:11ss.).

## 2. Catolicidad y misión[12]

La catolicidad de la iglesia está basada en que su horizonte no está confinado a una región, ciudad o lugar, no está reducido a un sólo tipo de persona, edad o condición social, ni está limitado a una sola época. Ya vimos que Mateo 28:19 nos ordena hacer discípulos *"a todas las naciones"*. Hechos 17:30 afirma que Dios *"ahora manda a todos los hombres en todo lugar, que se arrepientan"*. Por esto, la iglesia no tiene límites en su misión, sino que tiene el deber de llegar a todo el género humano. Por tanto, podemos afirmar de que la iglesia es católica sólo cuando sale en forma constante a buscar a los perdidos para ganarlos con el evangelio. La catolicidad es un atributo que ante todo apunta a la universalidad del evangelio, es el hecho de que debemos ser testigos *"hasta lo último de la tierra"* (Hch. 1:8). Lo que hace de la iglesia una iglesia católica es el hecho claro y definido de que *"todo aquel que invocare el nombre del Señor, será salvo"* (Ro. 10:13).

## 3. Unidad y misión

En el contexto de la misión hacia fuera, cabe señalar que la unidad de la iglesia está íntimamente ligada a la *santificación*. El pecado divide, destruye

---

[12]Véase lo dicho en el Cap. III. punto 1, sobre la catolicidad de la iglesia.

y corrompe toda comunión. Cuando veamos que nuestras conductas y opiniones llevan a la iglesia a un quiebre, Dios tenga misericordia de nosotros y nos libre de producirlo. En la medida que todos avancemos en el camino de la santificación, en esa medida la iglesia estará más unida. Los cismas y divisiones también dañan profundamente la tarea de la misión. ¿Cómo podremos dar testimonio de la gracia de Dios, si en la iglesia surgen constantes rivalidades y peleas? Una mirada a Juan 17:15-21 nos recordará que Cristo conectó la santificación con la unidad. El Señor oró por los suyos de esta manera:

> *"No te estoy pidiendo que los saques del mundo, sino que los protejas del mal.*[13] *Del mundo no son, así como yo tampoco soy del mundo. Santifícalos en la verdad: tu palabra es la verdad. Así como tú me enviaste al mundo, así yo también los envié al mundo. Y es en favor de ellos que yo me santifico, a fin de que también ellos sean santificados en la verdad. Mas no te ruego por éstos solamente, sino también por aquellos que, por medio de su palabra, creerán en mí: que*[14] *todos sean uno, que así como tú, Padre, en mí y yo en ti, que ellos también sean*[15] *en nosotros, para que el mundo crea que tú me enviaste. Y yo les he dado la gloria que tú me diste, a fin de que sean uno, como nosotros <somos> uno. Yo en ellos y tú en mí, para que sean perfeccionados hasta llegar a ser uno, para que el mundo sepa que tú me enviaste y los amaste a ellos como me amaste a mí".*

Vemos aquí un tejido confeccionado con las ideas de: santificación, apostolicidad, unidad y testimonio. La iglesia debe ser santa y debe estar apegada a la Palabra. Esta santidad y apostolicidad hace posible la unidad que los creyentes tienen entre sí. Esta unidad no se realiza en algún mundo misterioso, oculto del mundo, sino que es una unidad verificable y accesible a los sentidos. Esta unidad es tan preciosa y fraterna, que el mundo se verá forzado a reconocer que la comunidad cristiana es verdaderamente una obra de Dios. Pero esta unidad es constantemente amenazada por el pecado. En 1 Corintios 1:10ss. Pablo hace referencia al peligro de la división, exhortando a mantener la unidad del cuerpo de Cristo, ya que Cristo es uno solo y no está dividido. Efesios 4:1ss. también nos exhorta a ser solícitos en

---

[13]La NVI95 traduce: *"que los protejas del maligno"*, lo cual es muy probable por textos como 1 Jn. 2:13-14; 3:12; 5:18-19.

[14]La RV60, RV95 y NVI95 traducen "para que todos sean uno" (v. 21), tomando *hina* (ἵνα) como si indicara propósito. Pero aquí ἵνα introduce claramente el contenido del ruego, y depende directamente del verbo: *"te ruego . . . que . . . "*.

[15]Cf. "Ellos también estén en nosotros" (NVI95). Algunos mss. añaden *"uno"*.

guardar *"la unidad creada por el Espíritu"*.[16] En todo esto el amor producido por el Espíritu será siempre uno de los factores de unidad más poderosos. Cuando Pablo plantea después el fin que persigue el ministerio de líderes e iglesia (vv. 11-12), el amor juega un papel de primera importancia: *"con el fin de que . . . , siendo veraces en amor, crezcamos hasta ser* (εἰς) *en todas las áreas de la vida como él, quien es la cabeza, Cristo, de quien todo el cuerpo . . . efectúa el crecimiento del cuerpo para su propia edificación en amor"* (vv. 15-16; cf. la frase *en amor* en 1:4; 3:17; 4:2; 5:2). En Colosenses, después de haber exhortado a cultivar la misericordia, la benignidad, la humildad, etc., (3:12ss), el apóstol hace notar que por sobre todas estas cosas se debe cultivar el amor como fuente de toda otra virtud: *"y además de todas estas cosas, vestíos de amor, que es el vínculo para la perfección"*,[17] esto es, el amor es el vínculo que lleva a la perfección, que nos conduce a un estado en que el ser humano es maduro, completo, acabado.[18] El amor mantiene a raya el egoísmo, el orgullo, la envidia y tantos otros pecados que dividen a la iglesia. Según Gálatas 5:22s., el amor es el principal fruto del Espíritu.

Las falsas doctrinas también hacen otro tanto en la división de la iglesia.[19] Esto es importante subrayarlo, ya que el significado del amor debe estructurarse a partir de las Escrituras. Si el amor es producto de la santidad, hay que recordar que la santidad es producto de la verdad: *"Santifícalos en la verdad: tu palabra es la verdad . . . es en favor de ellos que yo me santifico, a fin de que también ellos sean santificados en la verdad"* (Jn. 17:17-19). En el siguiente capítulo examinaremos con detención Efesios 4:1-16.[20] En el presente contexto, es importante hacer las siguientes observaciones: El Señor resucitado (4:8-10) reparte dones para que el liderazgo de la iglesia (v. 11) capacite a los miembros, para que estos *"lleven a cabo . . . la edificación del cuerpo de Cristo"* (v. 12). Esta tarea se extiende *"hasta que la totalidad de nosotros alcance la unidad de la fe y del conocimiento del*

---

[16]El genitivo *tou pneúmatos* (τοῦ πνεύματος) es subjetivo (DM §90.5 *a*).

[17]El término griego *súndesmos* (σύνδεσμος) significa "lazo, atadura, ligamento" (cf. Col. 2:19).

[18]El genitivo *tēs teleiótētos* (τῆς τελειότητος = lit. *"de la perfección"*) es un genit. objetivo. Cf. BDF § 163, Moulton, vol. III. *Syntax*, p. 212, y los Comentarios de E. Lohse 148s., Dibelius-Greeven 43s., E. Schweizer 208. La palabra *teleiótēs* (τελειότης) está relacionada con aquella madurez y desarrollo del que ya hemos hablado.

[19]Cf. Ro. 16:17s.; 2 Ti. 2:18; Tit. 3:9-11; 2 P. 2:1.

[20]Véase el siguiente capítulo para otros detalles gramaticales y exegéticos.

*Hijo de Dios, a un varón perfecto, < a saber,> a la medida de la estatura de la plenitud de Cristo"* (v. 13). Lo que se busca es que *crezcamos hasta ser en todas las áreas de la vida como él, quien es la cabeza, Cristo,"* (vv. 14-16). Como vemos, *Cristo* es el centro de nuestra unidad. Pero esta unión en Cristo no es algo desprovisto de contenido doctrinal. Pues uno de los fines de crecer en Cristo es precisamente:

> *"que ya no seamos más párvulos,*
> *lanzados y llevados de aquí para allá*
> *por cualquier²¹ viento de doctrina,²²*
> *en la estratagema de hombres,*
> *<esto es>, en los artificios²³ que tienen como fin la*
> *maquinación del error"²⁴* (v. 14).

Para Pablo existe una *"verdad"* (v. 15) que se opone al *"error"* (v. 14). La frase *"ya no seamos más párvulos"* indica que el ser humano sin Cristo tiene la propensión natural a engañarse y a ser engañado. Ese estado de inestabilidad se describe con dos participios: lanzados o sacudidos como olas (κλυδωνιζόμενοι) y llevados de aquí para allá (περιφερόμενοι). El texto registra otro contraste, el que se da entre el uso peyorativo de *"hombres"* (v. 14) y el uso majestuoso de *"Cristo"* (v. 15), como ocurre también en Colosenses 2:8,22 (cf. Ga. 1:1,11). No toda *"doctrina"²⁵* es verdadera. Hay enseñanzas que se gestan en una atmósfera de astucia y

---

²¹El adj. *panti* (παντί) tiene aquí el sentido de «cualquier y todo» (BAGD, p. 631). «Todo viento de doctrina, por pequeño que sea, cualquier doctrina que sople». Heinrich Schlier, *La carta a los Efesios* (1971, Salamanca: Sígueme, 1991), p. 267.

²²El dat. *anemō* (ἀνέμῳ) es instrumental. El genit. que le sigue, *tēs didaskalias* (τῆς διδασκαλίας), puede ser explicativo: «el viento que consiste en la doctrina» (DM §90.6) o subjetivo: «el viento que la doctrina produce» (DM §90.5 *a*).

²³La frase *en panourgia* (ἐν πανουργίᾳ) parece explicar la anterior *en te kubeia* (ἐν τῇ κυβείᾳ). Ambas aparecen precedidas de la prep. ἐν la cual podría ser instrumental: «*por* la estratagema de hombres, <esto es>, *por* los artificios». Pero se argumenta (cf. Alford, Ellicott, Salmon, Schlier) **1.** que este sentido sería pleonástico después del instrumental παντί ἀνέμῳ (=«por todo viento») y **2.** que las frases están en paralelismo antitético con *en agapē* (ἐν ἀγάπη=en amor) en el siguiente versículo (v. 15). Así, «en la estratagema de hombres» quiere decir: dentro del ambiente o esfera creada por simples hombres, en contraste con la atmósfera de amor creada por Cristo.

²⁴La última frase es *pros tēn methodeian tēs planes* (πρὸς τὴν μεθοδείαν τῆς πλάνης). La preposición πρός indica finalidad (BAGD, p. 710). Pueden darse diferentes matices: «artificios que fomentan el sistema del error», o «artificios que conducen al sistema que el error adopta» (el genit. τῆς πλάνης tomado como subjetivo), o «mediante un plan premeditado para inducir al error» (Schlier, *op.cit*, p. 268).

fingimiento (κυβεία), dentro de la esfera de la prestidigitación y destreza (πανουργία) que algunos tienen para promover el error. Existe todo un sistema, maquinación, artificios oratorios y métodos de engaño (μεθοδεία, cf. Ef. 6:11) que terminan hundiendo a los inmaduros. Desde el tiempo de Pablo que la iglesia sufre a causa de simples hombres mortales que se levantan a cuestionar la palabra y mensaje evangélico. Defienden el *error* con gran habilidad.[26] Esto está en agudo contraste con el hablar *"la verdad en amor"* (v. 15), una verdad que nos lleva a ser como Cristo *"en todas las áreas de la vida"* (v. 15). Es importante hacer notar que Pablo dice *"hablando la verdad en amor"*. La NVI95 traduce: "vivir la verdad en amor". Aunque esta es una excelente traducción, no hay que eliminar el énfasis que se hace en *hablar* la verdad. El siglo XX se ha destacado por el estudio del lenguaje,[27] y uno de sus descubrimientos es que el lenguaje *crea* la realidad en la que vivimos. Hans-Georg Gadamer dice, por ejemplo, que "El lenguaje no es sólo una posesión más del hombre en el mundo, sino que de él depende el hecho de que el hombre tenga un mundo".[28] Ludwig Wittgenstein habla de que cada comunidad forma reglas que controlan su propio "juego lingüístico". Por consiguiente, es de suma importancia que la iglesia se apegue a las palabras de la Escritura. Cada vez que hablamos interpretamos la realidad, decimos cómo es el mundo para nosotros, y de esa forma creamos realidad. Además, cada vez que hablamos mostramos quienes somos, nuestra identidad se expresa en nuestras palabras. Identidad, mundo y lenguaje son realidades interconectadas. El lenguaje es un acto de *revelación*. Por eso, en la medida que la iglesia *habla la verdad,* en la medida que deja que su discurso y su mundo sea formado por el lenguaje de la Palabra, la iglesia crece en Cristo. En lugar de dejarse llevar por el "error" (v. 14), la iglesia debe retener el evangelio (cf. 1 Jn. 2:24). Esta resistencia a cambiar las reglas del juego lingüístico es una característica de la doctrina apostólica. Por ejemplo, nuestro discurso afirma que Cristo *"resucitó al tercer día"* (1 Co. 15:4). Frente a la incursión de una narración distinta, que amenaza cambiar el lenguaje y, por tanto, el mundo de la iglesia, Pablo pregunta: *"Si se predica que Cristo resucitó de los muertos, ¿cómo dicen algunos entre vosotros que no hay resurrección de muertos?"* (15:12). Pero el evangelio no sólo incorpora doctrina, sino que un mundo *ético* que rechaza cualquier lenguaje extraño:

---

[25]El sustantivo διδασκαλία no apunta a la acción de enseñar (Ro. 12:7; 15:4), sino a lo enseñado, al contenido de la enseñanza (Col. 2:22; 1 Ti. 4:1).

[26]Cf. 2 Ts. 2:10-12; 1 Ti. 4:1-5; 2 Ti. 3:13; 2 P. 2:1-3; 2:18-19; 3:17.

[27]Véase lo dicho en el Capítulo 7 sobre la posmodernidad.

[28]Hans-Georg Gadamer, *Truth and Method* (Londres: Sheed & Ward, 1975), p. 401.

*"Que ninguna palabra grosera[29] salga de vuestra boca, sino sólo la que sea útil para la edificación que sea necesaria . . . pero inmoralidad sexual y todo tipo de impureza[30] y codicia ni siquiera se mencionen entre vosotros,[31] como conviene a santos; ni \<se mencionen\> obscenidades, ni se hablen tonterías ni se hagan chistes vulgares»* (Ef. 4:29; 5:3-4).

De que no se trata de un moralismo fariseo, queda claro por dos cosas que el texto afirma respecto al lenguaje. Primero, al mencionar la *"edificación»*, Pablo afirma que nuestra forma de hablar afecta a la gente, la edifica o la destruye (cf. 1 Co. 14:3,5,12,26; 2 Co. 12:19). En este sentido, nuestro hablar crea realidad. Segundo, al decir que hay lenguaje que *"no conviene a santos»*, Pablo afirma que nuestro hablar es un acto de revelación:

*"lo que sale de la boca, del corazón sale . . . del corazón salen los malos pensamientos, los homicidios, los adulterios, la inmoralidad sexual, los hurtos, los falsos testimonios, las blasfemias»* (Mt. 15:18-19).

En el acto de revelación yo dejo caer la máscara o me muestro al mundo como soy. Por tanto, hay ciertos gestos, vocabulario y expresiones que son propios de un cristiano, porque revelan adecuadamente su identidad, como en el caso de Jesús, respecto al cual *"todos . . . estaban maravillados de las palabras de gracia que salían de su boca»* (Lc. 4:22). Por otro lado, hay una conversación que niega nuestra identidad cristiana, que la desfigura, la cambia y destruye. Se trata de lenguaje que *"no conviene a santos»*, que no rima con nosotros. En contraste con el mundo, los que están llenos del Espíritu, *hablan* entre sí *"con salmos, con himnos y cánticos espirituales»* (Ef. 5:19).

---

[29]Literalmente se habla de una palabra "podrida" (σαπρός), "y en este sentido una palabra positivamente mala». H. Schlier, *op. cit,* p. 297. Cf. Mt. 13:48, donde se usa el término para apuntar a pescado descompuesto.

[30]Las palabras πορνεία y ἀκαθαρσία a menudo aparecen juntas (2 Co. 12:21; Ga. 5:19; Ef. 5:3; Col. 3:5) para referirse a la inmoralidad sexual.

[31]La frase *"ni siquiera se mencionen entre vosotros»* es una hipérbole. La idea es que, si ni siquiera se puede hablar de ello, menos se espera que dichos pecados ocurran. La situación sólo se radicaliza con el fin de subrayar con fuerza que hay ciertas cosas que no debieran verse dentro de la iglesia. No se está prohibido tocar el tema de la inmoralidad en toda circunstancia y ocasión. En la pastoral muchas veces habrá que abordar el tema de la impureza sexual, de la codicia, etc.

El apóstol Juan también resiste la intromisión de un lenguaje distinto, cuando rechaza a los que no confiesan que Cristo ha venido en carne (1 Jn. 4:1-3; cf. 2:22-23; 2 Jn. 7-11), añadiendo después:

> *«Ellos son del mundo, por eso del mundo hablan y el mundo les hace caso. Nosotros somos de Dios, el que conoce a Dios nos hace caso a nosotros, el que no es de Dios no nos hace caso.[32] Así conocemos el Espíritu de verdad y el espíritu del error»* (4:5-6).

El *"por eso"* (διά τοῦτο), muestra claramente que lo que uno habla y a lo que uno hace caso está determinado por lo que uno es. En otros términos, nuestras palabras y obras son un acto de revelación (cf. Jn. 15:19; 17:14,16). La fe en la palabra apostólica marca nuestra identidad como cristianos: *"El que persevera en la doctrina de Cristo, ése tiene al Padre y al Hijo"* (2 Jn. 9). Al hablar damos a conocer el mundo tal como nosotros lo concebimos. Más aún, al hablar creamos ese mundo; la repetición constante del mismo mensaje termina creando para los demás el mundo del cual hablamos y, a menos que haya resistencia, los demás son absorbidos dentro del mundo de nuestro lenguaje. No se trata sólo de palabras, las fuerzas que moldean la vida por medio del lenguaje son descritas por Juan como *"el Espíritu de verdad y el espíritu del error"*. Juan se da cuenta de que una narración ajena a la de la iglesia no es algo inocuo e inofensivo, sino una amenaza a la vida e identidad misma de la iglesia. Por eso, Juan afirma que uno no debe llegar y tragarse todo lo que escucha, sino que debe de someterlo a una prueba de contenido (1 Jn. 4:1-3), la forma de distinguir entre la verdad y el error es contrastarlo todo con la palabra apostólica. Además, nuestro apego o desinterés en la doctrina y ética cristiana delata quienes somos. Si hacemos caso a una narración distinta del evangelio, mostramos que pertenecemos a otro mundo discursivo, que nuestro marco de referencia e identidad es otro, pues somos lo que hablamos. Ese mundo distinto tampoco es neutral o indiferente. Juan afirma que los que niegan que Jesús vino en carne son "falsos profetas" (1 Jn. 4:1,4), son del "anticristo" (v. 3) y predican el "error" (v. 6).

Ahora bien, si bien es cierto que es imposible *ser* cristiano sin hablar la verdad, sí es posible recitar la doctrina correcta sin ser cristiano. Esto puede crear dos tipos de inconsistencia: una es el fariseísmo externalista que se

---

[32]El texto lit. dice: "y el mundo los escucha . . . el que conoce a Dios nos escucha; pero el que no es de Dios no nos escucha" (NVI95, ὁ κόσμος αὐτῶν ἀκούει . . . ὁ γινώσκων τὸν θεὸν ἀκούει ἡμῶν, ὅς οὐκ ἔστιν ἐκ τοῦ θεοῦ οὐκ ἀκούει ἡμῶν). Pero el verbo *escuchar* no se limita aquí a indicar una percepción sensorial, sino que se usa en el sentido de poner atención y hacer caso a lo que se dice (cf. Mt. 17:5; 18:15; Jn. 5:25b).

contenta con cumplir externamente la voluntad de Dios, mientras el corazón no se deleita en ella. A esto se refiere Jesús al hablar de sepulcros blanqueados que se muestran justos por fuera, pero que por dentro están llenos de maldad (Mt. 23:25-28). La segunda contradicción ocurre cuando la vida no respalda lo que uno dice. La narración da a entender una cosa, los hechos otra. En muchos líderes religiosos que usan a la gente, el discurso cristiano es sólo un instrumento de engaño, tiene el fin de crear una apariencia, un espejismo, a fin de manipular y seducir. Contra esta incoherencia se levanta Juan, al decir: *"Si decimos que tenemos comunión con él, y andamos en tinieblas, mentimos, y no practicamos la verdad . . . Si decimos que no tenemos pecado, nos engañamos a nosotros mismos . . . El que dice: Yo le conozco, y no guarda sus mandamientos, el tal es mentiroso"* (1 Jn. 1:6,8; 2:4; cf. 3 Jn. 9-10). La vida cristiana no consiste sólo en hablar la verdad, se trata más bien de que *"hablando la verdad en amor, crezcamos hasta ser en todas las áreas de la vida como él, quien es la cabeza, Cristo"* (Ef. 4:15).

Resumiendo, la unidad de la iglesia, entonces, está íntimamente ligada a su crecimiento espiritual en doctrina y vida. La iglesia es una en la medida que llega a ser como Cristo, en la medida que desecha el error y las doctrinas heréticas, y abraza a Cristo en toda su pureza. La unidad de la iglesia no se basa en una verdad diluida, la unidad de la iglesia distigue entre *verdad* y *error*, es una unidad que el Espíritu crea (Ef. 4:3), una unidad en la que sólo hay *"un cuerpo y un Espíritu (como, por cierto, habéis sido llamados en la esperanza que surge de vuestra vocación); un Señor, una fe, un bautismo, un Dios y Padre de todos, el cual es sobre todos, por medio de todos y en todos"* (vv. 3-6).

# La misión de todos los creyentes

Hemos venido insinuando *que todos los creyentes* deben estar de alguna manera trabajando activamente en llevar a cabo la misión. Ahora nos toca abordar este tema con más detención.

## EL TESTIMONIO ESCRITURAL

Regresemos a Efesios 4:7-16. El pasaje comienza con el mismo tono triunfal de Mateo 28:18, porque habla de la exaltación de Cristo: *"subiendo a lo alto . . . subió por encima de todos los cielos para llenarlo todo"*. Tengamos siempre presente que los dones que Cristo ha dado a su iglesia fueron obtenidos por su muerte y resurrección. Sólo habiendo resucitado, Cristo puede ejercer dominio universal. Los ministerios de la iglesia no surgen al azar, sino que son el resultado directo del ejercicio de su poder real, a fin de llevar a cabo su plan redentivo. El texto de Efesios 4:11 dice así:

> *"Y él* [= Cristo] *dio[1] a unos ser apóstoles, a otros ser profetas, a otros evangelistas, a otros pastores y maestros".[2]*

Este pasaje nos dice que el Cristo resucitado ha dado dones a los hombres (4:8). Llama la atención que, a diferencia de Romanos 12:6ss. y

---

[1]Algunas Versiones (VM, NC, RV60, RV89, RV95 y NVI95), traducen "él mismo constituyó", tomando el aoristo *édoken* (ἔδωκεν ="dar") como sinónimo de *títhemi* (τίθημι ="poner, establecer, ordenar"). Esto no parece correcto. Es cierto que *dídomi* (δίδωμι) podría tomar un sentido similar a τίθημι ("dar" en el sentido de "poner, depositar", cf. Lc. 19:23), pero en el presente caso el contexto muestra otra cosa. Observemos que δίδωμι ya apareció en 4:7 (*"pero a cada uno de nosotros fue dada la gracia . . . "*) y en 4:8 (*"y dio dones a los hombres"*). Pablo habla de los dones que Cristo ha dado. Por otro lado, los acusativos "apóstoles, profetas, evangelistas, pastores y maestros" los hemos tomamos como predicativos: *"y él dio a unos el <don de> ser . . . "*, tal como lo sugiere mi traducción (cf. RV77). Otra opción sería presuponer un dativo tácito con referencia a la iglesia: *"y él dio <a la iglesia> a unos como apóstoles . . . "*. .

1 Corintios 12:28ss., Pablo se limite aquí a los dones que, de una u otra forma, tienen que ver con la predicación y la enseñanza. El presente contexto nos muestra que con esto quiere hacer énfasis en su idea de que los dones que edifican son los más importantes (cf. 1 Co. 14). El v. 12 nos da la razón de por qué subraya los dones del apostolado, la profecía, etc. El texto dice:

*"a fin de* (πρός) *equipar a los santos*
*para* (εἰς) *<que lleven a cabo>*
*la tarea del servicio <mutuo>,*[3]
*<a saber,>* (εἰς)[4] *la edificación del cuerpo de Cristo".*

## EXCURSUS SOBRE EFESIOS 4:12

Nuestra interpretación debe quedar bien establecida, por lo que me parece necesario detenerme un momento para refutar la interpretación que el inigualable Charles Hodge dio a este texto. En el caso de que a alguno no le interese seguir el debate, puede saltárselo. El hecho es que según Hodge las tres oraciones del v. 12 apuntan al servicio que los ministros ordenados deben desarrollar. Esto quiere decir que ya no son los santos los que realizan la diakonía o servicio, sino que son los «ministros» descritos en el v. 11. Para esto Hodge tiene que presuponer varias cosas:

**1.** Cree que aquí *katartismós* (καταρτισμός, «perfeccionar» en RV60, RV95) debe significar «perfección». Este sentido no lo registran Liddell-Scott 910 ni BAGD 418,[5] pero suponiendo que la palabra pudiera adquirir ese

---

[2]En el original, los artículos *tous* (τούς) son usados como pronombres partitivos, por medio de la secuencia τούς μέν ... τούς δέ. Ahora bien, el hecho de que el artículo τούς no se repita otra vez delante de "maestros" parece indicar que ambos términos ("pastores" y "maestros") apuntan a un sólo ministerio. El pastor es a la vez un docente.

[3]La frase literal *"para la obra de la diakonía"*, quiere decir: *"para la obra que el servicio lleva a cabo"*. El genitivo *diakonías* (διακονίας ="servicio") es un genit. subjetivo (DM §90.5.*a*, Robertson, *Grammar*, p. 488). El mismo uso del genitivo lo encontramos en una frase como *"la obra de la fe"*, que quiere decir: *"la obra que la fe lleva a cabo"* (1 Ts. 1:3). Otra posibilidad es que *diakonías* sea un genitivo epexegético: la obra que consiste en el servicio (DM § 90.6, BDF §167).

[4]Lit. el texto sólo dice: *"para* (εἰς) *la edificación del cuerpo de Cristo"*. Suplimos un *"a saber"*, pues la segunda oración con εἰς explica la primera. La segunda oración nos dice cuál es la obra o tarea que el servicio realiza.

[5]Para καταρτισμός el Léxicon de Liddel-Scott entrega cuatro acepciones: restauración / acción de encasar / equipamiento, preparación / entrenamiento, disciplina. Por su parte, BAGD cree que en Ef. 4:12 el término podría tener uno de estos dos significados: equipamiento / entrenamiento. Lo correcto es traducir: "a fin de equipar" (RV77), "a fin de capacitar" (RV89).

sentido, el contexto apunta en otra dirección. Bien dice R. Schippers que aquí καταρτισμός alude al equipamiento de la comunidad para que consiga su perfección, pero no apunta todavía a la perfección misma, la cual recién aparece en el v. 13 con el uso de términos como «perfecto», «madurez»[6] y «plenitud».[7] Que la perfección sólo llega en el v. 13 se ve también en el *«hasta que todos lleguemos a . . .»*. La palabra καταρτισμός debe traducirse aquí por «equipamiento, preparación, entrenamiento».[8]

**2.** Hodge también insiste en que el término *diakonías* (διακονίας, «ministerio» en RV60) debe por necesidad referirse al oficio de los ministros ordenados. Se olvida, sin embargo, que dicha palabra sólo significa «servicio»,

«siendo usada a la vez para toda forma de ministerio cristiano. Tenemos, pues, *'la diakonía de la palabra'* en contraste con la *'diakonía diaria'* (Hch. 6:1,4). La palabra se usa en sentido amplio, para hablar desde la obra apostólica (Hch. 1:17,25; Ro. 11:13) hasta el informal 'servicio a los santos', al cual se había dedicado la familia de Estéfanas (1 Co. 16:15). Aquí en Efesios 4:12 podemos interpretar el término como refiriéndose a cualquier servicio que los santos se hacen unos a otros, o al cuerpo del cual son miembros, o (lo cual viene a ser lo mismo) al Señor que es su cabeza».[9]

**3.** Finalmente Hodge afirma que la primera oración [= *«a fin de* (πρός) *equipar a los santos»*] introduciría la meta más remota, mientras que las dos que le siguen [= *para* (εἰς) *la tarea del servicio,* (εἰς) *la edificación del cuerpo de Cristo»*] apuntarían al objetivo inmediato. Es así como llega a decir:

«Con el fin de perfeccionar a los santos [meta mediata], Cristo ha ordenado a estos oficiales (descritos en el v. 11) para la obra del ministerio, para la edificación del cuerpo de Cristo [meta inmediata]».[10]

Pero como afirma B. F. Westcott:

«Para poder interpretar correctamente las oraciones εἰς ἔργον διακ. εἰς οἰκοδ. τ. σ. τ. χ. [= para la obra de la diakonía, para la edificación, etc.],

---

[6]Otra posibilidad es *"estatura"* (RV60, RV89, RV95, NVI95).

[7]R. Schippers. *DTNT*, vol. III, p. 347.

[8]La NVI95 traduce: "a fin de capacitar al pueblo de Dios para la obra del servicio".

[9]J.A. Robinson, *Commentary on Ephesians* (London: Macmillan, 1904), p. 182. Por su lado, B.F. Westcott, *Saint Paul's Epistle to the Ephesians* (London: Macmillan, 1906), p. 63, afirma que "no existe evidencia de que en ese tiempo διακονία o διακονεῖν hayan tenido un sentido exclusivamente oficial".

[10]C. Hodge, *Commentary on the Epistle to the Ephesians* (New Jersey: Fleming H. Revell, s.f.), p. 229. Los corchetes son míos.

es absolutamente necesario considerar el alcance de todo el pasaje, el cual hace especial incapié en el ministerio de cada miembro, para el bien de la totalidad. El cambio de las preposiciones muestra claramente que las tres oraciones (πρός . . . εἰς . . . εἰς) no están coordinadas. Y no importa cuán extraña nos parezca la idea del ministerio espiritual de todos 'los santos', esa era precisamente la vida de la iglesia apostólica. Los ministros responsables de la congregación trabajan a través de otros, y no descansan hasta que cada uno realice su función».[11]

La sintaxis del texto declara que los oficiales del v. 11 tienen como su responsabilidad equipar a los creyentes, *a fin de que los creyentes edifiquen el cuerpo de Cristo*. Efesios 4:12 enseña lo que ya hemos venido recalcando: Que la misión de la iglesia es una misión en la que participa *cada uno de los hermanos de la congregación local*. El Señor en su gracia real ha dado diversos dones a personas que actuarán en la iglesia como apóstoles, profetas, evangelistas, pastores y maestros. Pero *el fin* que Cristo persigue es que estos ministros preparen y entrenen a la congregación local, a los santos, *para que sean los santos los que edifiquen el cuerpo de Cristo*. De manera que, « . . . Los dones enumerados en el v. 11 no monopolizan el ministerio de la iglesia; su función es más bien ayudar y dirigir a la iglesia de tal forma que todos sus miembros puedan desempeñar sus diversos ministerios para el bien de toda la comunidad».[12] Otro comentarista señala:

«*La obra del ministerio* no es algo llevado a cabo por alguna persona especial . . . El énfasis en el *ministerio* no recae en cierta gente con un status especial y con posiciones oficiales . . . La primera función de todos aquellos que tienen dones especiales es *equipar* al pueblo de Dios, a los *santos*, para el servicio. Su función no es hacer lo que a ellos les corresponde (como si fueran unos incapaces), sino entrenarlos para que ellos mismos sean ministros en y a través de la vida de la iglesia. Todos los cristianos están llamados a *la obra del ministerio o diakonia*. Esto quiere decir algo más que sólo poseer el oficio de diácono. Aquí no hay rastro alguno de cierta posición oficial. La palabra *ministerio* (*diakonia*) tiene un pasado honorable dentro del círculo cristiano y era la antítesis del status. '*El Hijo del hombre*

---

[11]B.F. Westcott. *Op. cit,* p. 63. Véase también F.F. Bruce. *The Epistles to the Colossians, to Philemon and to the Ephesians* (Grand Rapids: Eerdmans, 1984), p. 349. W. Hendriksen. *Ephesians* (Edimburgo: Banner, 1967), p. 197s.

[12]F.F. Bruce, *The Epistle to the Ephesians* (New Jersey: Fleming H. Revell, 1961), p. 86. Cf. la linda expresión: «De hecho en la teocracia de la gracia no hay laicos». E.K. Simpson and F.F. Bruce, *The Epistles to the Ephesians and Colossians* (Grand Rapids: Eerdmans, 1957), p. 95.

*vino a servir, no a ser servido'* (Mr. 10:45). La palabra bien podría implicar un trabajo práctico".[13]

El v. 13 afirma que la actividad de los líderes (v. 11) y de la iglesia (v. 12) debe continuar: *"hasta que la totalidad de nosotros[14] alcance"* lo siguiente:

*"a (εἰς) la unidad de la fe y del conocimiento del Hijo de Dios,*
*a (εἰς) un varón perfecto, <a saber,>*
*a (εἰς) la medida de la estatura[15] de la plenitud de Cristo"*
(v. 13).[16]

Dos cosas se pueden decir de este texto: **1.** Aunque la tecnología y las disciplinas humanas tienen un papel que cumplir dentro del ministerio de la iglesia, la unidad y perfección de la nueva humanidad no se consigue de otra forma que no sea por Cristo. La meta que se busca es que todos gocemos de la unidad de la fe que tiene como su objeto al Hijo de Dios; el objetivo es la unidad en el conocimiento que tiene como su objeto al Hijo de Dios. **2.** En Efesios 3:19, Pablo pide que la iglesia sea llena *"hasta <contener> (εἰς) toda la plenitud de Dios".* Como en Cristo habita corporalmente toda la plenitud de la deidad (Col. 2:9), *"en <unión a> él"* la iglesia ha sido llenada de esa plenitud (Col. 2:10). En ese sentido la iglesia se convierte en la plenitud de Cristo (Ef. 1:23). Cristo llena a la iglesia en su calidad de Señor exaltado que gobierna sobre todo el universo (Ef. 1:20-22; 4:8-10; Col. 1:16-19; 2:9-10). Por tanto, la iglesia no necesita de suplementos humanistas ni de poderes humanos para lograr su perfección y madurez espiritual. Todo lo encuentra en la plenitud de Cristo.

---

[13]C.L. Mitton, *Ephesians* (Grand Rapids: Eerdmans, 1973), p. 151. O como lo ha dicho Orlando Costas: " . . . por cuanto cada creyente es miembro del cuerpo de Cristo, tiene una función, un ministerio y una misión particular que ejecutar. Dicha misión no es distinta a la misión de la Iglesia, sino que está íntimamente vinculada a ésta. En otras palabras, la gran Comisión no es responsabilidad de una casta selecta dentro de la Iglesia, sino que de cada creyente, no importa cuán humilde o cuán ignorante sea. De modo que, cada cristiano es un ministro de Jesucristo, y, por lo tanto, está llamado a participar en la obra redentora de Dios". *La iglesia y su misión evangelizadora* (Buenos Aires: Aurora, 1971), p. 64.

[14]El artículo de la frase *hoi pántes* (οἱ πάντες hace énfasis en la unidad del todo. Cf. BAGD p. 633.

[15]Otra posibilidad es traducir: "a la medida de la madurez". Sea que tomemos *hēlikía* (ἡλικία) como "talla, estatura" o "madurez, desarrollo" el sentido apunta al hombre adulto en contraste con el *nēpios* (νήπιος= niño, v. 14). Cf 1 Co. 13:11; Ga. 4:1.

[16]Aunque en lo abstracto la frase *hēlikias tou plērōmatos tou jristou* (ἡλικίας τοῦ πληρώματος τοῦ Χριστοῦ) podría significar "la plena estatura de Cristo" (NVI95, tomando τοῦ πληρώματος como genit. adjetival), el uso paulino (cf. el punto 2 que sigue) confirma la traducción: "la estatura de la plenitud contenida en Cristo".

Efesios 4:14-16 vuelve a plantear el objetivo que persigue el ministerio de líderes e iglesia (vv. 11-12). La estructura básica de la oración la marcan dos subjuntivos: *"con el fin de que no seamos ya más párvulos . . . , sino que crezcamos"*. Aquí nos interesa la parte positiva:

> *"con el fin de que . . . , hablando la verdad en amor,*[17] *crezcamos hasta ser* (εἰς) *en todas las áreas de la vida*[18] *como él, quien es la cabeza, Cristo, de quien todo el cuerpo (ajustado y ensamblado por medio de cada ligamento de apoyo, según la actividad en la medida de cada miembro) efectua el crecimiento del cuerpo para su propia edificación en amor"*.

Pablo combina el aspecto divino y humano de la misión en una forma maravillosa. El crecimiento viene o fluye de Cristo ( *"de quien"*, ἐξ οὖ). Pero esto ocurre a través del sacerdocio de todos los creyentes. Todo el cuerpo efectua el crecimiento del cuerpo. En la iglesia de Jesucristo cada creyente es sujeto y objeto de la misión. A cada miembro del cuerpo se le ha dado *"la gracia según la medida en que Cristo ha repartido sus dones"* (v. 7, NVI95). El v. 16 añade que cada miembro tiene una actividad que ejercer dentro de la iglesia según la medida del don que ha recibido.

Si el Consistorio busca orientación para lo que debe hacer con su congregación local, el texto de Efesios les orienta a las mil maravillas. ¿Para qué estamos los pastores y ancianos en la iglesia? Efesios 4:11s. nos dice que, a través de su Espíritu, Cristo nos entregó los dones que necesitamos a fin de equipar a la congregación, para que ésta lleve a cabo la edificación del cuerpo de Cristo. Hay que insistir en que los líderes no deben realizarlo todo, ni hacer lo que corresponde a otros. La tarea de los pastores es equipar y entrenar a la congregación, para que a su vez ésta edifique el cuerpo de Cristo. Esta es una tarea difícil y pesada, pues no basta que el Consistorio divida a la congregación en diferentes Departamentos, para después dejarlos botados, para que se las arreglen solos. Tres cosas deben de subrayarse en conexión con el equipamiento de los miembros de la iglesia para que lleven a cabo la misión:

**1.** Se debe *capacitar* a los hermanos, a fin de que cada hermano, grupo, sociedad o departamento cumpla la labor de edificar la iglesia, para que así

---

[17]La NVI95 tiene una bonita traducción: «al vivir la verdad en amor». El contraste con «error» (v. 14) indica que no se trata sólo de ser veraz, en el sentido de una persona que no miente, sino que se trata de hablar lo que es correcto moral y doctrinalmente.

[18]«En todas las áreas de la vida», lit. es «respecto a todas las cosas».

pueda llegar también a los no creyentes de afuera (el doble accionar hacia dentro y fuera). Es necesario planificar, fijar metas, organizar, supervisar y controlar, evaluar, hacer ajustes, y sobre todo enseñarles a realizar su labor, pero nunca hacerla por ellos.

**2.** Pero para que la gente bien entrenada y equipada trabaje bien es necesario *pastorearlos*. Demos un ejemplo. Supongamos que en la congregación, el pastor detecta un hermano con claros dones de evangelista. Después de cierto entrenamiento y estudio este hermano asume como líder del Departamento de evangelización. Sin embargo, durante la marcha, el pastor observa que el ministerio de evangelización no anda bien. Escarbando un poco, el pastor se da cuenta de que el director tiene problemas matrimoniales. Para que su labor como evangelista sea eficaz, es imprescindible atender ese problema. El pastor se da cuenta de que no basta equipar a la gente con las herramientas y conocimientos necesarios para realizar una labor, también se necesita hacerlos madurar en su vida cristiana.

**3.** El equipamiento de todos los miembros descansa sobre el supuesto de que, como blanco de la gracia de Dios, *todos* los creyentes han recibido dones del Espíritu. El concepto de la «gracia de Dios» está íntimamente ligado al concepto de los dones del Espíritu. Como he dicho más brevemente en otra parte,[19] el verbo griego *jarísomai* (χαρίζομαι) apunta a la acción de «conceder un favor gratuito».[20] Por ejemplo, mediante una pregunta retórica, Romanos 8:32 afirma que en Cristo se nos ha dado *de gracia* todas las cosas necesarias para nuestra salvación (τὰ πάντα ἡμῖν χαρίσεται). 1 Corintios 2:9 dice que Dios *"preparó"* para nosotros una salvación maravillosa. Es el Espíritu el que nos revela esas maravillas (v. 10), pues Dios nos lo ha dado para que sepamos *"las cosas que Dios nos ha concedido de pura gracia"* (τὰ . . . χαρίσεται v. 12). A la misma raíz pertenece la palabra *gracia* (χάρις). La palabra *gracia* se refiere a una actitud o atributo de Dios (Hch. 14:26; 15:40). Con todo, la mayor parte de las veces no apunta a un atributo divino, sino que (por metonimia) a la

---

[19]Me refiero a lo que escribí para la introducción y los sermones de: *Descubra sus dones* (Grand Rapids: Desafío, 1996). Este material se compone de un *Manual de líderes* y de un *Cuaderno de trabajo*. La obra pone en marcha un taller que lleva a la congregación a descubrir los dones de todos sus miembros.

[20]En Lucas 7:21 Jesús concede *de gracia* la vista a muchos ciegos. El verbo se usa en Hechos para la acción de conceder la vida de alguien, sea para librarlo de la muerte (3:14; 27:24) o para entregarlo a ella (25:11,6). Como el verbo apunta a un favor inmerecido, también toma el sentido de "perdonar" (Lc. 7:42,43; Ef. 4:32; Col. 2:13; 3:13). Nuestra palabra española *caridad* procede del verbo χαρίζομαι.

*acción* de Dios o a los *dones* gratuitos que Dios nos da. Por lo menos, es claro que Pablo "no se orienta hacia la naturaleza de Dios, sino a la manifestación histórica de la salvación de Cristo. No habla de un Dios que tiene la virtud de la gracia, sino que habla de la gracia que se actualiza en la cruz de Cristo".[21] De esta forma la gracia de Dios no queda como un atributo abstracto, sino que se evidencia claramente en acciones y dones de gracia. En Gálatas 2:21, cuando Pablo dice que no desecha *"la gracia de Dios"* quiere decir que no desecha el *acontecimiento* por el cual Cristo *"me amó y se entregó a sí mismo por mí"* (2:20). Por tanto, concebida como acontecimiento o acción concreta, la gracia de Dios no es otra que *"la gracia de nuestro Señor Jesucristo, que por amor a vosotros se hizo pobre, siendo rico"* (2 Co. 8:9; cf. Hch. 15:11; Ro. 5:15b; 1 Ti. 1:14).[22] El don supremo de la gracia divina es, por supuesto, la salvación, por eso se la puede definir como *"la gracia de Dios, salvadora de todos los hombres"* (χάρις τοῦ θεοῦ σωτήριος πᾶσιν ἀνθρώποις, Tit. 2:11).[23] La justificación por la fe viene de pura gracia: *"siendo justificados gratuitamente por su gracia"* (Ro. 3:24). *"...No hay diferencia, por cuanto todos pecaron"*, afirman los vv. 22-23, es por eso que todos son justificados gratuita e inmerecidamente. Lo que todos merecen es ser condenados, nadie merece el favor de Dios. Si somos declarados justos es sólo como una dádiva que recibimos por gracia (cf. Ro. 4:1-8; 5:15-17). Otra palabra de la misma raíz es *carisma* (χάρισμα): "don de gracia, dádiva, favor concedido". Romanos 5:12-14 elabora un paralelismo entre Adán y Cristo. Al llegar a 5:15, Pablo dice que también hay un gran contraste:

*"Claro que no se puede comparar la obra de gracia con la caída, porque si por la caída de uno murieron los muchos, la gracia de Dios y el regalo <que consiste> en la gracia de un hombre, Jesucristo, abundaron mucho más para los muchos".*[24]

---

[21]H. Conzelmann, *TDNT,* vol. IX, p. 394.

[22]"Para *Pablo, cháris* es la recapitulación de la decisiva acción salvadora de Dios en Jesucristo, acontecida en su muerte sacrificial, y de las consecuencias de su carácter actual y definitivo (Ro. 3:24ss.)". H.H. Esser, *DTNT,* vol. II, p. 239.

[23]2 Co. 6:1-2 hace la misma conexión entre gracia y salvación, y cf. Hch. 11:23; Ro. 11:29; Ga. 2:21; Col. 1:6, etc.

[24]Hemos construído ἡ δωρεά con ἐν χάριτι *"el regalo <que consiste> en la gracia"*, pero también es posible construir ἐν χάριτι con el verbo ἐπερίσσευσεν: "la gracia de Dios y el regalo *abundaron* mucho más para los muchos *por medio de la gracia* de un hombre, Jesucristo".

En Romanos 5:15, Pablo llama a la salvación *"obra de gracia"* (χάρισμα), y el regalo (δωρεά) que menciona es un *"regalo que consiste en la justicia"* (v. 17). En Romanos 6:23, la vida eterna es presentada como un *carisma* (χάρισμα), como una *"dádiva de gracia"* (Ro. 6:23). Vemos, pues, que la fe (Hch. 18:27), la salvación (Ef. 2:8-10), la vida eterna y la justificación son *carismas* o dones de gracia.

Pero como parte de esa salvación, Dios concede dones que nos permiten desarrollar un ministerio. Por tanto, la χάρις de la salvación no puede más que manifestarse en diversos *carismas* (χαρίσματα) que Dios reparte entre su pueblo. Ser salvo es ser un *carismático*, es decir, una persona que ha recibido la *gracia* de la salvación, la cual incluye dones con los que Dios equipa a su pueblo para el ministerio. Ahora bien, como los dones de la salvación los imparte el Espíritu (πνεῦμα), a estos *dones de gracia* o χαρίσματα también se les llama *"<dones> espirituales"* (πνευμάτικα, Ro. 1:11; 1 Co. 12:1; 14:1).[25] El poder de Dios actúa a través de los creyentes para edificación del cuerpo de Cristo. Por eso Pablo puede decir:

> *"del cual <evangelio> he llegado a ser ministro según el regalo* [δωρεά] *que consiste en la gracia*[26] *de Dios que me ha sido dada según la fuerza de su poder"* (Ef. 3:7).

Pablo tiene la gracia o don del apostolado como un regalo de Dios, pero esta χάρις le ha sido dada *"según la fuerza de su poder* [=de Dios]*"*. Es el mismo poder que actúa en los creyentes (1:19) y que resucitó a Cristo (1:20). Esta es otra referencia al poder de Dios canalizado a través de su Espíritu (cf. 3:5; 3:16).

Nadie que sea cristiano puede decir que el Señor lo dejó sin gracia. El Nuevo Testamento afirma explícitamente que todos los creyentes hemos recibido sus dones:

> *"Dado que tenemos*[27] *diferentes dones* [χαρίσματα], *según la gracia que nos es dada . . . "* (Ro. 12:6ss.).

---

[25]Para un estudio sobre los textos que hablan de los dones del Espíritu, véase los "Bosquejos de sermones" que incluyo en *Descubra sus dones: Manual de líderes* (Grand Rapids: Desafío, 1996).

[26]En la frase τὴν δωρεάν τῆς χάριτος (=lit. el regalo de la gracia), τῆς χάριτος es un genitivo epexegético. Cf. BDF §167, Robertson p. 498.

[27]El participio ἔχοντες ("teniendo", RV60) es causal: "dado que tenemos". Cf. BDF §418.1

*«A cada uno le es dada la manifestación del Espíritu para el bien común»* (1 Co. 12:7).

*«Cada uno, como buen mayordomo de la multiforme gracia de Dios, ponga al servicio de los demás el don que ha recibido»* (1 P. 4:10).

La típica frase "la gracia que me [o: nos, os] es dada" apunta a un carisma de gracia. Por ejemplo, cuando Pablo usa dicha expresión en Romanos 12:3, lo que quiere decir es que el don del apostolado le da la autoridad (cf. 2 Co. 13:10) y la capacidad (cf. Ef. 3:1-4) para decir lo que tiene que decir. En 1 Corintios 1:4, Pablo da gracias a Dios por la gracia que dio a los corintios, esto es, por los dones que han recibido (vv. 5-9), y es muy interesante notar que el apóstol usa χάρις (v. 4) y χάρισμα (v. 7) para referirse a lo mismo. En Romanos 1:5 encontramos la frase χάριν καὶ ἀποστολὴν (=lit. gracia y apostolado), que como hendiadis quiere decir *"la gracia del apostolado"*.[28] En consonancia con esto, "En *Hechos* gracia es aquella fuerza que sale de Dios o del Cristo resucitado y que acompaña la actividad de los apóstoles posibilitando el éxito de la misión (Hch. 6:8; 11:23 éxito de la misión; 14:26; 15:40; 18:27)".[29]

La idea de que cada persona que Dios salva recibe dones para el ministerio es parte de la médula misma del concepto de la gracia de Dios. Debemos proceder sobre el supuesto de que todos *tenemos diferentes dones*. La gracia de Dios se convierte así en el fundamento del sacerdocio de todos los creyentes. Todo el que es objeto de la gracia de Dios es sujeto de los dones de gracia.

Pasando a otro frente, cabe preguntarse: ¿quién capacita a los pastores para que ellos puedan capacitar a la iglesia? La respuesta obvia sería los seminarios. Pero muchas veces encontramos que "Los estudios bíblicos en la Academia terminan generando una entrenada incapacidad para resolver los verdaderos problemas de personas reales en su diario vivir".[30] Con esto ni sueñe el lector que estoy abogando por eliminar el Hebreo y el Griego del currículo académico. Cuando se rebaja el nivel de la preparación de los ministros, para hablar sólo de supuestas cosas prácticas y espirituales, se termina hiriendo de muerte a la misión. No debemos suavizar la rigidez

---

[28]Cf. Ro. 15:15; 1 Co. 3:5,10; 12:7-8; 2 Co. 5:18; 8:1; Ga. 2:9; Ef. 1:17; 4:7-8,11,16; Col. 1:25, etc.

[29]H.H. Esser. *DTNT*, vol. II, p. 239.

[30]W. Wink. *The Bible in Human Transformation* (Philadelphia: Fortress, 1973), p. 6.

académica, más bien debemos complementarla con una atmósfera y estudios que enseñen a los seminaristas a cómo usar *para la misión* todo lo que uno aprende. Más que rebajar el nivel, lo que muchos seminarios de América Latina necesitan es salir del oscurantismo y la mediocridad, para preparar a sus alumnos en forma integral: Por un lado, un alto nivel académico; por el otro, una vida entregada a usar todo lo aprendido para capacitar e impeler a la iglesia a que cumpla su misión. Es más, son las necesidades de la misión las que fijan el currículo de un seminario.

El problema actual radica en que nuestras iglesias han perdido su norte, y entonces nuestras actividades son un cúmulo de movimientos inconexos y sin objetivo claro. Las instituciones al interior de nuestras iglesias locales no están relacionadas entre sí para cumplir un *objetivo común*, porque hemos perdido de vista el objetivo. Es muy posible que si uno echa una mirada a una sociedad o grupo de la iglesia local, se dará cuenta que carece de una relación consciente, predeterminada y estructural con el resto de los grupos. Las personas que Dios lleva a la iglesia terminan haciéndose parte de un grupo desorganizado sin planes ni metas. Es gente que simplemente espera que las cosas ocurran, o bien se ve un activismo desorientado y sin fruto permanente. Esto se debe a que no hay unidad en nuestros esfuerzos, no existe una *meta común* hacia la cual todos empujamos y marchamos. La congregación no está unida en torno a su misión, de tal forma que todo impulso se convierta en un esfuerzo mancomunado hacia *una sola meta*. En estas condiciones será difícil sacar a la congregación de su letargo y enfermedad espiritual. Si los pastores llegan a ser embrujados por la visión de la misión de la iglesia e intentan equiparla para que la lleve a cabo, al principio encontrarán una fuerte resistencia, porque un todo desorientado y desorganizado trae la comodidad de no hacer nada, o bien hacer lo que uno quiera, cuando quiera, y como quiera.

El movimiento *laico* Grupo de Acción Evangélica que dio origen a la iglesia Presbiteriana Nacional de Chile, fue un grupo claramente misionero. En un artículo titulado "Responsabilidades y deberes de los Laicos", un hermano escribía palabras que hoy en día deberíamos recordar:

> "Es un funesto error suponer que la extensión del reino de Jesucristo dependa en primer y principal término del trabajo de los ministros. Este falso concepto, inspirado por el diablo con el fin de debilitar la acción de la iglesia, y que debe ser extirpado a todo trance del seno de nuestras congregaciones, constituye acaso, si no la mayor, por lo menos, una de las causas primordiales de la decadencia espiritual que nos ocupa . . . Una iglesia cuyos miembros no saben o no quieren cumplir con su deber, tiene que fatalmente aplastarse bajo el

peso de su propia inercia, por más esforzado y valiente que sea el siervo de Dios que esté a su frente . . . La acción de los laicos constituye el eje sobre el cual descansa, gira y se desarrolla la obra de Cristo en la tierra».[31]

Estas palabras, escritas hace tantos años, parecieran escritas hoy para nuestra actual situación. Es a esto que debe despertar la iglesia, a una conciencia de que es una iglesia *enviada*, una iglesia cuya tarea es continuar la obra de Cristo, una iglesia misionera. La labor de los pastores y ancianos es la de despertar en la iglesia la conciencia de que ha sido llamada a hacer discípulos, tenemos la responsabilidad de recordárselo constantemente, y tenemos la responsabilidad de capacitarlos para cumplir esa misión. La iglesia debe entender el mensaje de Pedro, el cual define para qué estamos en el mundo:

> *«Mas vosotros sois linaje escogido, sacerdocio real, nación consagrada, pueblo que ha llegado a ser propiedad <de Dios>, con el* fin de *que anunciéis las proezas de aquel que os llamó de las tinieblas a su luz maravillosa»* (1 P. 2:9).

## EL TESTIMONIO CONFESIONAL

## 1. El sentido de pertenencia a la iglesia y la misión

Las Confesiones reformadas muestran un robusto sentido de pertenencia a la iglesia. Este conocimiento se enraíza enérgicamente en el verdadero cristiano en virtud de la importancia decisiva de la iglesia como único lugar de salvación. El *Catecismo de Heidelberg* subraya firmemente este sentido de pertenencia a la iglesia, cuando dice:

> «Creo que el Hijo de Dios . . . congrega, protege y preserva . . . una comunidad elegida para vida eterna y unida en la fe verdadera. *Y de esa comunidad yo soy y siempre seré un miembro vivo».*[32]

Por su parte, la *Confesión de Westminster* testifica de que la iglesia es:

> «el reino del Señor Jesucristo, la casa y familia de Dios, fuera de la cual no existe posibilidad ordinaria de salvación».[33]

---

[31] *Acción Evangélica*, Noviembre de 1943, N°16, p. 7s. Para salir de la desoladora situación que vive la iglesia es necesaria «la desclericación de la evangelización y la transferencia del apostolado a la iglesia». O. Costas. *Compromiso y Misión* (Miami: Caribe, 1979), p. 64.

[32] Preg. 54 (la cursiva es mía).

En otras palabras, la *Confesión de Westminster* sostiene que el lugar donde ordinariamente encontraremos salvación es dentro de la iglesia, no fuera de ella. Es obvio que con estas declaraciones, la fe Reformada no quiere afirmar, como lo hace Roma, que es la simple pertenencia a la institución visible la que nos salva. Lo que se quiere decir es que, en la medida que cualquier congregación local muestre poseer las marcas de la iglesia[34] y tenga en su seno creyentes verdaderos, salvados por la santificación que opera el Espíritu y por la fe en la verdad, allí está la iglesia, y ese es el lugar de salvación, del cual nadie puede separarse, porque es *el cuerpo de Cristo*.

Lo mismo sostiene la *Confesión Belga*, cuando afirma:

«Dado que esta santa congregación es una asamblea de aquellos que son salvos y que fuera de ella no hay salvación, creemos que ninguna persona, cualquiera sea su estado o condición, debe separarse de ella, contento de valerse por sí mismo; sino que todos los hombres tienen el deber de juntarse y unirse a ella; manteniendo la unidad de la iglesia; sometiéndose a su doctrina y disciplina; inclinando su cabeza bajo el yugo de Jesucristo . . . es el deber de todos los creyentes, según la Palabra de Dios, separarse de todos aquellos que no pertenecen a la iglesia, y unirse a esta congregación dondequiera que Dios la haya establecido; aún en el caso de que los magistrados y los edictos de los príncipes estuviesen en contra, aún cuando tuviesen que sufrir la muerte o cualquier otro castigo físico. Por tanto, todos aquellos que se separan de la iglesia y no se unen a ella, actúan en contra de lo establecido por Dios».[35]

Lamentablemente hoy existen muchos creyentes "satélites", que menosprecian la iglesia, que no están dispuestos a someterse a sus autoridades ni a su disciplina. La gente olvida que los que son salvos son añadidos a la iglesia (Hch. 2:47). También es bueno recordar las palabras de Juan: *"si hubiesen sido de nosotros, habrían permanecido con nosotros"* (1 Jn. 2:19). Este punto es importantísimo para la misión, pues ¡no se puede llevar a cabo la salvación y edificación de los seres humanos fuera de la

---

[33]Cap. XXV. sec.ii. La Asamblea General del la Iglesia Presbiteriana en los EE.UU. modificó en 1939 la última parte de esta afirmación, de tal forma que ahora su Confesión dice: "a través de la cual los hombres son ordinariamente salvados, y unirse a ella es esencial para su mejor crecimiento y servicio". Esto tiene el fin de establecer la urgencia de hacerse miembro de la iglesia.

[34]Véase lo dicho en el Cap. I, punto 6, sobre las marcas de la iglesia.

[35]Art. § XXVIII.

iglesia y sin la iglesia! Por esto, debemos subrayar que toda organización y movimiento de evangelización o edificación debe necesariamente estar bajo el gobierno de la iglesia y debe ser un ministerio de la iglesia.

## 2. La misión de todos los creyentes

Al hablar de la comunión de los santos, *Confesión de Westminster* afirma:

«Todos los santos que están unidos a Jesucristo, su cabeza, por su Espíritu y por la fe, tienen comunión con él en sus gracias, sufrimientos, muerte, resurrección y gloria. Y al estar unidos unos a otros en amor, tienen comunión en los dones y gracias de cada uno; y están obligados a la ejecución de deberes tales, públicos o privados, que conduzcan a su mutuo bien, tanto en el hombre interior como en el exterior.

Santos por profesión, están obligados a mantener un compañerismo y comunión santos en el culto a Dios, y en la ejecución de otros servicios espirituales que tiendan a su edificación mutua; como también en aliviarse unos a otros en las cosas exteriores, según sus diversas habilidades y necesidades. Esta comunión, según Dios dé oportunidad, debe extenderse a todos aquellos que en todo lugar confiesan el nombre del Señor Jesús».[36]

La Confesión asevera que los creyentes tenemos comunión o participación en los dones y gracias de cada uno. Esto no es más que un recordatorio de lo que Pedro nos dice: *"Cada uno según el don que recibió, póngalo al servicio de los demás, como buenos mayordomos de la multiforme gracia de Dios"* (1 P. 4:10). Dado que los dones que la gracia de Dios otorga son variados y diversos, cada creyente ha recibido algún don de parte de Dios, el cual tiene el deber de ponerlo al servicio de sus hermanos. La Confesión subraya este deber de buscar el bien mutuo, *"tanto en el hombre interior como en el exterior"* (cf. 1 Jn. 3:17s.). La Confesión pone de relieve de que cada creyente tiene el deber de estar entregado a la misión de buscar la edificación de sus hermanos. Notemos cuidadosamente que la "comunión" no se define en la forma limitada y frívola en la que a menudo se entiende, como si apuntase a la camaradería que podamos tener en una fiesta o reunión social. La comunión se define en términos de una acción recíproca, por la cual todos compartimos con nuestros hermanos los dones y gracias que hemos recibido del Señor, materiales y espirituales, con el fin de edificarnos mutuamente. Tener comunión es servirnos unos a otros, es

---

[36]Cap. XXVI, § i y ii.

aliviarnos unos a otros en nuestras necesidades. Todo esto presupone un contacto que va más allá del que podamos tener el Domingo durante el culto. Lo mismo expresa el *Catecismo de Heidelberg*, cuando afirma que: «cada miembro debe tener como su deber usar sus dones pronta y gozosamente para el servicio y enriquecimiento de los otros miembros».[37]

La *Confesión Belga* también hace resaltar esta responsabilidad de estar activos en el ministerio de la iglesia:

« . . . como miembros entre sí del mismo cuerpo, sirviendo para la edificación de los hermanos, según los talentos que Dios les ha dado. Y para que esto sea observado más eficazmente, es el deber de todos los creyentes, según la Palabra de Dios . . . unirse a esta congregación dondequiera que Dios la haya establecido».[38]

---

[37]Preg. 55.

[38]Art. § XXVIII.

# CAPÍTULO VII

# Los desafíos de la misión

El presente libro no es un manual de historia ni de filosofía, pero este capítulo nos obliga a entrar *brevemente* en dichas áreas. La misión no ocurre en un vacío social. La tarea de «reunir a los pecadores y perfeccionar a los santos» se lleva a cabo dentro de un contexto, y es nuestra intención explorarlo para poder situar nuestra labor en dicho contexto.

## DIOS, EL MUNDO CAÍDO Y LA IGLESIA

### 1. Breve trasfondo

**a.** *Renacimiento.* Entre otras cosas, los cambios económicos, sociales y la decadencia del papado romano, trajeron una carencia de autoridad y significado que produjo la explosión del *Rinascimento* del siglo XV y XVI. Se produjo un «nuevo nacimiento» que hizo posible que el hombre empezara a andar por el camino del pensamiento creativo, independiente del romanismo. Bien dijo el suizo Jacob Burckhardt (1818-1897 d.C.), uno de los estudiosos de este período, que la característica central del Renacimiento fue el *individualismo*. El hombre despierta a su autoconciencia. La gente empieza a querer ver con sus propios ojos, y surge la pasión por volver a las fuentes clásicas. Se redescubre la Biblia y la Patrística, pero también la liviandad del paganismo expresado en su literatura. El hombre redescubre que el mundo es bello, y busca conocerlo, gozarlo, investigarlo (cf. A. Dante, 1265-1321; G. Boccacio, 1313-1375; Donatello, 1386-1466; S. Botticelli, 1445-1510; Filipo Lippi, 1457-1504; Miguel Angel, 1475-1564; Leonardo da Vinci, 1690-1730, etc.). Esto produce el amor por los viajes para descubrir el mundo (Martin Behaim, 1436-1507; Cristóbal Colón, 1451-1506; Vasco de Gama, 1468-1524; Nicolás Copérnico, 1473-1543; Hernando de Magallanes, 1480-1521; Johannes Kepler, 1571-1630, etc.). El arte, la ciencia, la literatura, la política, etc. vienen a ser formas de autorealización. Se empieza a desvincular al estado de la iglesia (cf. Nicolás Maquiavelo, 1469-1527). Surge el humanismo, esto es, el amor por la educación (= *studia humanitatis*) y las letras, junto con el estudio liberal (no profesional) de la historia, la poesía, etc. Son los laicos de la rica burguesía los que promueven y patrocinan este ambiente. Francis Bacon (1561-1626 d.C.) predecía que el método científico produciría la *Nueva Atlántis,* la sociedad ideal. «El conocimiento es poder», decía Bacon, y mediante el conocimiento producido por la ciencia, el ser humano será capaz de dominar la naturaleza, para crear un mundo nuevo. En la misma época, René Descartes (Cartesius, 1596-1650) empieza dudándolo todo, y de allí produce lo que será la concepción *moderna* del hombre y de la epistemología:

> «No importa cuánto deseara dedicarme de lleno a la búsqueda de la verdad, pensé que debía tomar el camino contrario, rechazando como absolutamente falso todo aquello de lo cual tuviese la más mínima duda, para ver si algo quedaba después de este procedimiento . . . Pero pronto me di cuenta de que mientras quería que todo fuese falso, era necesariamente cierto que yo el que así pensaba fuera algo. Como esta verdad, *pienso, por tanto soy,* era tan firme y segura que todas las más extravagantes suposiciones de los escépticos eran incapaces de hacerla tambalear, juzgué que podía aceptarla con seguridad como el primer principio de la filosofía que buscaba».[1]

Descartes hace del yo pensante (*res cogitans*), de la *razón* humana, el principal principio de su sistema. De esta manera crea un dualismo jerárquico entre la razón y el resto del ser humano. Con Descartes se establece definitivamente el concepto del hombre como un ser racional autónomo, el punto de partida de todo conocimiento y reflexión es el yo pensante, el individuo, que ya no tiene otro criterio para la verdad que la razón, pues si hay algo de lo que no se puede dudar es que ese yo pensante existe. Pero también se produce otro dualismo, el sujeto pensante que está consciente y seguro de sí más que de ninguna otra cosa, aborda al resto de la realidad como a un *objeto.* Surge la relación sujeto(activo)-objeto(pasivo). El sujeto conocedor es más importante y superior al objeto conocido, el mundo. Descartes introduce las matemáticas y la física como el *único* medio de conocimiento cierto y objetivo por estar anclado en el pensamiento. Un poco más adelante, Isaac Newton (1642-1727) refina el concepto del mundo como una gran máquina que opera bajo ciertas leyes ordenadas que el hombre puede descubrir.

---

[1]René Descartes, *Discourse in Method* (Indianapolis: Bobbs-Merrill, 1960), p. 24.

**b.** *Ilustración y Modernidad.* A comienzos del siglo XVII, y como hija del Renacimiento, surge la Ilustración (*Zeitalter der Aufklärung*), en la cual la razón humana termina de coronarse como ordenador absoluto de la realidad. El padre de esta época es Immanuel Kant (1724-1804), quien se propuso superar el atolladero creado por el escépticismo que David Hume (1711-1776) levantó contra el modelo Cartesiano de conocimiento. Por ejemplo, Hume argumentaba que si bien el ser humano percibe una secuencia de sucesos, de los cuales deduce entre ellos una relación de *causalidad,* nadie experimenta la relación causa-efecto misma. El concepto de causalidad es una ilusión que no se puede verificar. Por su parte, Kant negó que la experiencia sea la única forma de obtener conocimiento, como si la mente fuese una *tabula rasa* pasiva sobre la que se imprimen las sensaciones que obtenemos por los sentidos. Más bien, Kant propuso que la mente es un agente activo en el proceso cognitivo. Por medio de ciertas categorias de la sensibilidad (tiempo, espacio) y del entendimiento (cantidad, cualidad, relación, etc.), la mente misma relaciona o sintetiza los datos que le entregan los sentidos. Kant llegó a esta conclusión, porque pensó que si las categorías sintéticas, como la causalidad, no son accecibles a los sentidos, entonces son datos *a priori* anteriores a la experiencia. Por tanto, se trata de categorías transcendentales. Acto seguido, Kant afirma que estas categorías son condiciones necesarias de la experiencia, por lo que no sirven para conocer objetos que la transcienden. Esto lleva a Kant a concluir de que el ser humano sólo puede obtener conocimiento científico de los *phenomena* (=las cosas accesibles a la experiencia), mientras que los *noumena* (la realidad fuera del tiempo y el espacio: Dios, el alma, etc.) quedan fuera del alcance del conocimiento empírico, y no se pueden demostrar. No obstante, la *razón* también tiene un aspecto práctico conectado con la moral. Existe una experiencia moral universal, un sentido del deber que se impone en la consciencia humana (*imperativo categórico*). Nuevamente, en todo este esquema, la mente humana activa se establece como el criterio definitivo del conocimiento y del deber.

De esta forma se produce el «mito de la modernidad». El ser humano es capaz de descubrir los secretos del universo para usarlos en beneficio de la humanidad. Mediante la tecnología se llegará a crear un mundo perfecto. El método científico aplicado a todas la áreas de la vida y unificando toda la realidad, llevará a un *progreso* moral y social que producirá justicia y paz. Esto es posible porque se confía en el poder del hombre para adquirir conocimiento verdadero a través de la razón. El hombre puede ser un observador neutral e imparcial. El conocimiento, la educación y la ciencia hacen el progreso *inevitable*, todo lo cual promete librarnos de toda esclavitud y toda superstición.

Cabe mencionar que la iglesia tiene responsabilidad en que el mundo abandone la fe. El racionalismo de la época moderna se produce en parte como un rechazo a una iglesia que usa el discurso religioso como instrumento para manipular las consciencias, a fin de perpetuarse en el poder, a fin de dominarlo todo. Recordemos que la Reforma surge ante la bancarrota moral y espiritual de la iglesia. La búsqueda de la razón como árbitro absoluto surge en parte como otra reforma, como la búsqueda de un tribunal de apelaciones que no estuviese bajo el control de la iglesia. Por ejemplo, cuando John Locke (1632-1704) dijo «la razón debe ser nuestro juez y guía último en todo»,[2] lo dijo dentro de un contexto político en el que realistas (anglicanos) y parlamentaristas (presbiterianos) luchaban por legitimar sus sistemas políticos apelando a Dios y a las Escrituras. Frente a una iglesia no creíble, el mundo trata de construir su propia fe. El asunto no ha cambiado y es especialmente cierto en América Latina, donde se puede encontrar a muchos pastores y líderes religiosos que se autodenominan «ungidos de Jehová», siervos de Dios que reciben revelaciones divinas que legitimizan su tiranía sobre el pueblo. Estos ungidos de Dios tienen el control completo de las finanzas y de las conciencias de la gente. Cometen abusos físicos, emocionales y sexuales. Nadie puede cuestionarlos sin caer bajo la ira de Dios. Este uso del lenguaje religioso es un cáncer que reduce el evangelio a superstición y es la forma más eficaz para que la religión evangélica pierda toda credibilidad ante el mundo. Este tipo de pastor anda a la caza de personas necesitadas de afirmación personal (cf. 2 Ti. 3:6s.), gente llena de inseguridad, *muy preocupados de ellos mismos*. Estos religiosos son expertos en traficar con las debilidades de la gente (cf. 2 P. 2:3,17-19). Pero la madurez espiritual no hace que el mundo gire en torno mío, la madurez espiritual no se centra en el hombre. Como decía Dietrich Bonhoeffer (1906-1945), la verdadera conversión (μετάνοια) «no es ante todo pensar en las necesidades, problemas, pecados y temores propios, sino dejarse trasladar al camino de Jesús».[3] Otra forma de expresarlo es apuntando al lema reformado: *soli Deo gloria*. La única forma de que el discurso religioso no se transforme en una afirmación de poder manipulador, es que el siervo del Señor búsque la gloria de Dios. En el capítulo III ya hablamos de esto, pero es necesario recordarlo otra vez:

«El calvinista no parte de cierto interés sobre el hombre—por ejemplo, su conversión, o su justificación—, sino que el pensamiento

---

[2] J. Locke, *An Essay Concerning Human Understanding* (Londres: Collins, 1964), libro IV, cap.19, «On Enthusiasm», sec. 14,432.

[3] D. Bonhoeffer, *Letters and Papers from Prison* (Londres: SCM, 1971), p. 361.

condicionante es siempre este: dar a Dios sus derechos; procura llevar a término, como concepto regulador de su vida, aquella verdad de la escritura, que dice: 'De Él y por Él y para Él, son todas las cosas. A Él sea Gloria para siempre' (Ro. 11:36) . . . Dios no es sólo Supremo Legislador y Promulgador de la ley, sino que tambien es Supremo en las esferas de la verdad, de la ciencia y del arte . . . El calvinismo es un sistema que atañe a todo; es un sistema en que todo viene hecho y determinado por Dios. En esta distribución y administración de todas las cosas, Dios permanece supremo".[4]

"Este principio dominante [del calvinismo] no fue sotereológico, no fue la justificación por la fe, sino que fue cosmológico en el sentido más amplio: la soberanía del Dios Trino sobre todo el cosmos, en todas sus esferas y dominios, visibles e invisibles. Se trata de una soberanía primordial que se irradia en la humanidad en una triple derivada supremacía: 1. La Soberanía de Dios en el Estado; 2. La soberanía de Dios en la Sociedad; y finalmente 3. La soberanía de Dios en la Iglesia".[5]

**c.** *Posmodernidad.* La modernidad se propuso terminar con todos los mitos y supersticiones de la época precientífica. La modernidad afirmaba el fin de todo conocimiento que estuviese basado sobre tradiciones y narraciones mitológicas. Lamentablemente, dos guerras mundiales (1914-1918, 1939-1945) y la misma vida moderna terminaron mostrando el "mito" y fracaso del proyecto de la modernidad. El "héroe" del conocimiento no fue capaz de producir el mundo de paz y bienestar universal. La posmodernidad busca destronar todas las pretensiones falsas del proyecto de la Ilustración. La posmodernidad proclama el fin de la "pesadilla" científica. Tratando de eliminar la superstición, la ciencia tuvo que crear un "metadiscurso" (=narración legitimante carente de prueba) que legitimizara su propio proyecto. La narración moderna hablaba del *progreso* hacia la utopía moderna, la promesa de un principio unificador, de una libertad y dignidad que sacaría a la humanidad de la ignorancia y la opresión.[6] La Ilustración afirmaba que las guerras y los conflictos humanos provienen de una mentalidad precientífica, de mitos y dogmas religiosos de gente incivilizada. El proyecto moderno ofrecía un camino objetivo, libre de

---

[4]H.H. Meeter, *La Iglesia y el Estado* (Grand Rapids: TELL, s.f), p. 15.

[5]A. Kuyper, *Lectures on Calvinism* (Grand Rapids: Eerdmans, 1931), p. 79.

[6]Véase Jean-Francois Lyotard, *The Postmodern Condition: A Report on Knowledge* (Minniapolis: University of Minnesota, 1984), pp. 29-36.

emociones que empañen la razón, libre de cuentos que explican el mundo en base a ilusiones y ficción. ¡Veremos la realidad tal como es! ¡Encontraremos la verdad última! Pero la realidad es que en nombre del dios del progreso, el ser humano ha sido explotado y enajenado. La experiencia nazi, la experiencia marxista-leninista de la antigua Unión Soviética, el control de los proyectos científicos por parte de conglomerados que usan la ciencia para aumentar su poder y riqueza, etc. todo esto lleva al posmodernismo a desenmascarar el proyecto moderno como un nuevo embuste religioso. Otra característica de la Ilustración es el mito del «hombre blanco» como salvador de la humanidad y como esencia misma de lo que es ser hombre. Esta narración produjo un racismo y soberbia exacervada:

«La filosofía de Kant presume de que en todo asunto esencial cada persona en todas partes es igual. Cuando el yo de Kant reflexionaba en sí mismo, no sólo se conoció a sí mismo, sino que a *todos* los otros seres humanos, lo mismo que a la estructura de cada y todo otro yo. La pretensión transcendental manifiesta en la filosofía de Kant produce "la carga del filósofo blanco". La presunción kantiana de que todos los yo son iguales, llevó a algunos filósofos a concluir de que ellos eran capaces de construir una naturaleza humana universal. Aun pensadores (como Kant) que jamás abandonaron su ciudad natal serían capaces de hacer afirmaciones autoritativas sobre la naturaleza humana y la moralidad. Deberían ser capaces de evaluar la conducta y práctica de las sociedades a lo largo del planeta, para determinar cuáles eran "civilizadas" y cuáles "barbáricas". Sobre esta base, tenían la autoridad y hasta el deber de instruir a aquellos que tenían por "salvajes", por el bien del progreso de la civilización. La pretensión transcendental da por sentado de que las operaciones de la mente de uno y las costumbres de la propia cultura reflejan lo que es universalmente racional y, por tanto, universalmente humano. Los que han criticado esta postura, contienden que esta presunción no tiene base alguna y que lleva a un esfuerzo arrogante y agresivo de probar lo que se imagina. La historia de la modernidad está llena de ejemplos en que la pretensión transcendental ha llevado a la sociedad occidental a reclamar que la razón misma confirma que ellos poseen el único cuerpo de valores morales válidos, la única forma de gobierno legítima y la única estructura de creencias verdadera».[7]

---

[7]Stanley J. Grenz, *A Primer on Postmodernism* (Grand Rapids: Eerdmans, 1996), p. 79s. Véase también Robert C. Solomon, *Continental Philosophy since 1750: The Rise and Fall of the Self* (Oxford: Oxford University Press, 1988), p. 6s.

Por ejemplo, en los EE.UU. de Norte América, el mito del hombre blanco llevó al anglosajón a tomar por la fuerza a los niños de los indígenas, para llevarlos a internados donde los forzaron a aprender el idioma y cultura del hombre verdadero. El lema era: «Matar al indio, pero salvar al hombre». Ni hablar del trato que se le dio al negro. Por nuestra parte, para poder llegar a ser un ser humano, el latinoamericano tenía que abandonar su cultura y valores, a fin de creer en el mito del «hombre blanco», y ante la «pose» arrogante del occidental, el cristiano acomplejado que cree en el cuento de la supremacía germana o anglosajona, adopta posiciones modernistas que, por ejemplo, niegan la resurrección de Cristo y otras doctrinas cristianas. Así el pastor o estudioso demuestra que es erudito y científico.[8] Pero el posmodernismo habla del fin de la «cosmovisión» globalizante, el fin de la «metanarración». Uno de los precursores del posmodernismo es Friedrich Nietzsche (1844-1900), quien atacó la pretensión moderna de una verdad unificadora. Desde Nietzsche en adelante, la discusión filosófica gira en torno del *lenguaje*. Según Nietzsche, cada vez que formamos un concepto destruimos la variedad multifacética de la realidad. Por ejemplo, en botánica formamos el concepto «hoja» pasando por alto las diferencias que hay entre ellas. De esta forma, nuestro concepto es una falsificación de las hojas reales:

«¿Qué es, entonces, la verdad? Un ejército movilizado de metáforas, metonimias y antropomorfismos. En otras palabras, la suma de relaciones humanas que han sido realzadas, traspuestas y embellecidas poéticamente y retóricamente y, que después de mucho uso, parecen firmes, canónicas y obligatorias a la gente. Las verdades son ilusiones que hemos olvidado lo que eran».[9]

Martin Heidegger (1884-1976) contribuyó a derrumbar el proyecto modernista al superar la dicotomía sujeto-objeto, mente-cuerpo, hombre-realidad mediante su concepto de *Dasein*, esto es, la existencia humana es un «estar en el mundo». El ser humano no es una substancia pensante aparte y sobre el mundo. El ser humano es *Dasein*; por consiguiente, la verdad no es autónoma ni absoluta, es relacional. Sólo encontramos la verdad dentro de la experiencia social e histórica, no desde fuera de ella.[10]

---

[8]En el tiempo del liberalismo el lema era acomodarse a la moda: «En las dos décadas pasadas, los modernistas han hecho . . . esfuerzos suicidas para adaptarse . . . a las demandas de una alta crítica racionalista, a las demandas de la biología y la psicología, de la sociología y la economía, hasta que finalmente perdieren completamente el mensaje del Rey». L. Berkhof. *Op. cit,* p. 596 [TE p. 713].

[9]F. Nietzsche, «On Truth and Lie in an Extra-Moral Sense», en *Portable Nietzsche (Nueva York: Pinguin Books, 1976), p. 46s.*

Hans-Georg Gadamer añade que por ser el hombre un «ser en el mundo», le es imposible evadir su contexto. Los diferentes contextos crean perspectivas distintas que deben entrar en diálogo. Además, el conocimiento no es algo que está fuera de nosotros (objeto), esperando que el sujeto pensante la descubra, el significado se obtiene en diálogo con el mundo.[11] Ludwig Wittgenstein (1889-1951) aporta su concepto de «juegos lingüísticos». Así como el ajedrez tiene ciertas reglas por las que uno participa en el juego, el lenguaje ocurre dentro de sistemas cerrados con reglas propias. Cada comunidad tiene su propio juego. De aquí que el significado surja del contexto en que se usa y es verdad dentro de ese contexto. Esto anula la verdad universal del modernismo y el concepto individualista de la verdad descubierta por el yo pensante en su encuentro con el objeto. La verdad es un fenómeno social, no individualista.[12] El ginebrino Ferdinand de Saussure (1857-1913) hace una diferencia entre la lengua (*langue*) y el habla (*parole*). Mientras que el habla es una ejecución de carácter individual, la lengua (que después fue llamada *estructura*) es «un sistema gramatical virtualmente existente en . . . los cerebros de un conjunto de individuos, pues la lengua no está completa en ninguno, no existe perfectamente más que en la masa . . . la lengua es la parte social del lenguaje, exterior al individuo, que por sí solo no puede ni crearla ni modificarla».[13] Esta concepción social del lenguaje produce el «estudio de la vida de los signos en el seno de la vida social» (p. 60) o lo que se ha denominado como *semiología*. El lenguaje es un fenómeno social cuyo sistema de signos lingüísticos no son más que un asunto convencional y arbitrario, pues en realidad no existe una conexión natural entre *significante* y *significado*. El significante se define en términos de su relación con otros términos dentro del sistema. La característica más precisa del significante es ser lo que otros términos no son. En el lenguaje hay sólo diferencias sin términos positivos. Sea que tomemos el significado o el significante, el lenguaje no tiene ideas ni sonidos que existieron antes del sistema lingüístico, sino sólo diferencias conceptuales y fónicas que han surgido del sistema mismo. El lenguaje es un sistema de relaciones, y las palabras tienen significado dentro del contexto social de esas relaciones. Todas estas posiciones tienen en común que nos alejan del concepto racionalista de la

---

[10]Véase M. Heidegger, *Being and Time* (Nueva York:Harper & Row, 1962), p. 78.

[11]Véase G-H Gadamer, *Truth and Method* (Nueva York: Crossroad, 1984).

[12]Véase L. Wittgenstein, *Philosophical Investigations* (Oxford: Basil Blackwell, 1953) y *Blue and Brown Books*. Preliminary Studies for the Philosophical Investigations (Oxford: Basil Blackwell, 1969).

[13]F. de Saussure, *Curso de lingüística general* (Buenos Aires: Losada, 1945), pp. 57-58.

Ilustración, para traernos a un enfoque del hombre como un ser social y comunitario.

Habría que mencionar a Michel Foulcault (1926-1984), a Roland Barthes (1915-1980), a Jean-François Lyotard, a Jaques Derrida o a Richard Rorty, entre otros. Pero la presente discusión ya sale de los límites del propósito de este libro. Sólo nos queda resumir diciendo que la posmodernidad se define por su campaña contra el proyecto de la Ilustración. La posmodernidad se define por la pérdida de la inocencia, por una profunda sospecha de todo sistema de conocimiento. Cada interpretación de la realidad es una afirmación de poder, es un acto de violencia que trata de imponer una perspectiva universal sobre los demás. Por lo tanto, en lugar de buscar la unidad (verdades universales, cosmovisiones), hay que buscar la diversidad, la diferencia. Hay que abandonar el concepto del ser humano como un ser pensante neutral y sin emociones, para sustituirlo por un concepto «integral» y «holístico» que incluya otras vías de conocimiento y realización. No existe una realidad objetiva que esté «allá afuera» aparte del sujeto que la conoce. En lugar del concepto individualista del hombre autónomo de la modernidad, la posmodernidad busca la participación en la comunidad en armonía con el ecosistema. La verdad no existe, sólo existen verdades que se yuxtaponen, sin subordinarse unas a otras, sin importar si son contradictorias o incompatibles, sin tratar de probar cuál es verdadera. La verdad es ecléctica: uno puede creer en Cristo y en la reencarnación. La verdad es relacional y comunal.[14] El posmodernismo tiende a ser pesimista: no cree en el progreso inevitable; o pragmático: la pregunta es ¿funciona? ¿qué resultados produce?

Por último, presentemos un típico caso de posmodernismo. En los EE.UU. de NA se ha puesto de moda que los médicos oren por sus pacientes. El médico cirujano Bernie Seigel ya había insistido en que la oración tiene propiedades curativas. Pero le tocó a otro médico, a Larry Dossey, poner de moda el tema. Hay que aclarar que el Dr. Dossey no es cristiano, más bien habla de un Ser supremo, al que cada uno según su propia religión debe orar. Como sea, el año 1993 Dossey publica un libro acerca del poder de la oración y la práctica de la medicina. El libro se convierte en best-seller y ahora su autor vive dando conferencias en escuelas de medicina y ya va en su sexto libro sobre el mismo tema. El año

---

[14]«La condición posmoderna...se manifiesta en la multiplicación de centros de poder y actividad y en la disolución de todo tipo de narración totalizante que pretenda gobernar todo el campo de la actividad y la representación social». Steven Connor, *Postmodernism Culture* (Oxford: Basil Blackwell, 1989), p. 9.

pasado Harvard auspició una conferencia sobre espiritualidad y medicina con una asistencia de 900 personas, entre ellos médicos, pastores y académicos. Las universidades están recibiendo donaciones para proyectos de investigación sobre la oración y añadiendo cursos de oración al currículo. En otra época, esto habría sido imposible. El posmodernismo hace posible que este médico hable de orar, no porque sea cristiano, sino porque la oración funciona y porque en la era actual «la forma en que dividimos nuestra vida, poniendo nuestro intelecto en un lugar y nuestra espiritualidad en otro, no tiene sentido alguno».[15]

## 2. Situación actual

Por cierto, muchos aspectos de los procesos que hemos mencionados fueron extraordinariamente positivos. Fue bajo la presión de la Ilustración que la iglesia se vio obligada a adoptar una metodología disciplinada y exigente que produjo una explosión de investigación y literatura bíblica. La sistemática y la apologética se desarrollaron con gran fuerza. La posmodernidad sirve al sano propósito de frenar los excesos del pensamiento moderno, y muchos de sus énfasis hacen eco de la doctrina cristiana. Otro logro fue la separación iglesia-estado. Por siglos la iglesia romana sometió a reyes e imperios bajo su control. La naturaleza, las ciencias, el arte, todo era visto a través de los ojos del *clero* romano. Es como si el Espíritu y la inteligencia sólo se concentrase en el clero. Esta funesta experiencia hizo que finalmente el protestantismo concluyera que lo mejor era separar al estado del poder de la iglesia. Si a este proceso le llamamos secularización, entonces ¡gracias a Dios por ella![16] Los hombres tenemos todos un afecto malsano por el poder. Cuando la iglesia institucional comienza, a través del clero, a sojuzgar a la sociedad, por lo general se corrompe y se desvía de su vocación. Son los creyentes los que deben de ser sal de la tierra e influir en la sociedad, pero la iglesia institucional debe de tener mucho cuidado con la tentación del poder. Por esto, el pensamiento reformado ha desarrollado el concepto de la «soberanía de las esferas», según el cual las diferentes áreas de la vida se ven como entidades que dan cuenta a Dios, estando bajo la autoridad de su palabra y de su Cristo. El Estado y la Iglesia no tiene un poder avasallador sobre la sociedad.[17] Con

---

[15]Larry Dossey, citado en *Publishers Weekly: Religion Bookline* (Julio 15, 1996), p. 5.

[16]En este sentido se usan los términos, cuando alguien dice, por ejemplo, que tiene un «trabajo secular», esto es, la persona sólo afirma que no trabaja en una institución religiosa.

[17]Véase H. Henry Meeter, *The Basic Ideas of Calvinism* (nueva edición revisada por P.A. Marshall. Grand Rapids: Baker, 1990), A. Kuyper, *Lectures on Calvinism* (Grand Rapids: Eerdmans, 1931).

todo, se debe aclarar que cuando el protestantismo habló de independizar al estado del poder de la iglesia, de ninguna manera se quería decir que ahora el estado también quedaba *libre de Dios*. Sólo se trataba de que la iglesia como institución social y terrena no tuviese control sobre el quehacer del estado. En la opinión reformada, el estado quedaba así en dependencia directa de Dios, a quien debía dar cuenta por sus acciones. El hombre quedaba en libertad de pensar, investigar y vivir su fe en la presencia de Dios, sin la mediación del clero. Pero las cosas se radicalizaron, y hoy vivimos principalmente en un mundo que ya no es cristiano, sino que en muchos aspectos es definidamente anticristiano. Así que, cuando hablamos negativamente de la secularización nos referimos al intento del ser humano por independizarse totalmente de Dios. *La "secularización" es la absolutización de la confianza en el hombre y lo natural como única realidad existente y autosuficiente.* Dios está muerto o es irrelevante.[18] El hecho es que ya no vivimos en una época en la que cada disciplina y compartimiento de la vida humana, estaba de una u otra forma dentro de la iglesia. Esto nos despierta al hecho de que el hombre actual tiene su propio proyecto de salvación, ha optado por su propio camino de perfección, ha elaborado su propia misión. Esto no es nuevo, en la Escritura el término «carne» no sólo es usado para apuntar a pecados de grosera inmoralidad, sino que también es "el ser mismo del hombre en cuanto se sitúa en contra de las posibilidades de Dios".[19] Esta vieja enfermedad hoy impera en forma abismante. El hombre moderno ya no se hace la pregunta de cómo un pecador caído podrá perfeccionarse a sí mismo, porque el principio del superhombre tiene como su base la negación de que el hombre está corrompido.

## LOS DESAFÍOS

Hemos descrito brevemente el contexto en el que tenemos que hacer misión. Este transfondo nos dice que la iglesia debe despertar al hecho de que ya no vive en la Edad Media, en la cual, de una u otra manera, cada ciudadano era tenido como un cristiano. Tampoco vivimos en el tiempo de la Reforma. El término mismo de «Reforma» da por sentado que en el tiempo de Lutero y Calvino el asunto en discusión era cómo restaurar a la iglesia a una condición más bíblica. Como todos estaban dentro de la iglesia, la cuestión era cómo purificarla. Se entendía la misión de la iglesia

---

[18]Para distinguir el sentido positivo del negativo, algunos llaman «secularización» a la independencia que el Estado tiene de la Iglesia, y «secularismo» a la doctrina que enseña que el mundo material es la única realidad existente.

[19]H. Seebass. *DTNT*, vol. I, p. 230.

principalmente como una actividad dirigida hacia su interior. La crisis también podía describirse en términos de si alguien pasaba de la iglesia Romana a la Protestante, o vice versa, pero no tanto de pasar del mundo a la iglesia, o de la iglesia al mundo.

Hoy América Latina se debate entre: **1.** un trasnochado proyecto iluminista (todavía vivo y activo en muchos sectores), **2.** un posmodernismo nihilista o pragmático, **3.** una creciente secularización de la sociedad y **4.** una iglesia que en gran medida sigue al mundo en su corrupción o sus proyectos paganos, o bien se pega la «volada espiritualista del avestruz». Pasemos a ver este último punto.

## 1. Responsabilidad en la misión versus escapismo espiritualista

Un peligro particularmente nocivo para la iglesia en América Latina es lo que podría llamarse el espiritualismo escapista. Demos, primero, una descripción general. Se trata de la propensión a evadir deberes y compromisos mediante el uso de una espiritualidad falsificada. Esta espiritualidad apócrifa cumple una función cosmética de cubrir nuestro pecado, para presentarlo como virtud. Tomemos un ejemplo muy doméstico. Pensemos en un niño agresivo y rebelde cuya mala conducta causa problemas dondequiera que va. Cuando los padres son confrontados con el problema, responden: "estamos orando". Esta respuesta podría estar correcta, si viene acompañada de acción y reflexión cristiana. Se convierte en espiritualismo escapista cuando los padres saben que la conducta del niño tiene como causa una relación matrimonial quebrada que no quieren remediar. O quizá los padres simplemente no demuestran amor ni interés por el niño, no se instruyen a sí mismos para saber cómo ser padres verdaderamente *cristianos*, y nada hacen por educar a su hijo en los caminos del Señor, sólo dicen "confiar en sus promesas". En estos casos la oración y la supuesta confianza en Dios no es más que un subterfugio para eludir la responsabilidad personal:

> "El privilegio de la oración tampoco nos libra de la obligación de obedecer. Al contrario, en la oración hemos de pedirle a Dios que nos fortalezca para cumplir con las tareas que requiere de nosotros. La bendición del acceso a Dios no tiene el propósito de eximirnos del uso regular y diligente de todos los medios que Dios ha señalado para nuestra santificación práctica. Su propósito es más bien darnos la oportunidad de buscar la bendición divina en el uso de todos los medios de gracia. Nuestra responsabilidad es pedir a Dios que obre en nosotros 'tanto el querer como el hacer para que se cumpla su buena voluntad' (Fil. 2:13). Nuestro deber es no apagar el Espíritu por

negligencia o desobediencia, especialmente después de haber orado pidiendo su dulce influencia (1 Ts. 5:19). Nuestro deber es usar la gracia que ya nos ha dado».[20]

En lo social la iglesia muestra la misma actitud evasiva. En palabras de Roger Greenway:

«La pobreza, los barrios en condiciones paupérrimas y el desempleo demuestran que la vida en la ciudad se ha deteriorado violándose el shalom. A menudo los cristianos no logran comprender de que Dios espera que ellos se preocupen por la pobreza, el sufrimiento y la injusticia. En lugar de preocuparse de la miseria humana, los cristianos le temen al fantasma del "evangelio social" y no se involucran en obras seculares. Pero el descuido de la dimensión "horizontal" de la vida para favorecer exclusivamente la "vertical" no es en modo alguno cristianismo bíblico. Dios nos manda procurar el shalom de la ciudad, y ello incluye el bienestar físico y material de sus habitantes».[21]

El apóstol Pablo fue un gran ejemplo de ciencia y celo juntos (cf. Ro. 10:1). Sus esfuerzos y preocupación por la edificación de la iglesia llegan al grado de hacerlo exclamar: *«hijitos míos, por quienes vuelvo a sufrir dolores de parto, hasta que Cristo sea formado en vosotros»* (Gá. 4:19). El texto expresa la intensa y difícil lucha que Pablo sostiene en su intento de alcanzar el objetivo de Efesios 4:13ss., en medio de los peligros del legalismo. La Escritura habla de que nosotros somos responsables de nuestra propia vida espiritual. El apóstol Juan dice que todo aquel que tiene la esperanza de llegar a ser como Cristo en su Venida, *"se purifica a sí mismo"* (1 Jn. 3:3). Santiago sostiene que el deber del cristiano es *"guardarse sin mancha del mundo"* (Stg. 1:27). Pablo también exhorta: *"limpiémonos nosotros mismos de toda suciedad de cuerpo y espíritu, llevando a término la santidad en el temor de Dios"* (2 Co. 7:1). Incluso existe otro pasaje paulino que no podría ser más fuerte en cuanto a nuestra responsabilidad. Habiendo presentado a Cristo como ejemplo de humildad y servicio (Fil. 2:5-11), Pablo vuelve a la exhortación que dejó inconclusa en 1:27, diciendo:

*«llevad a cabo vuestra propia salvación con temor y temblor»* (Fil. 2:12).

---

[20] A.W. Pink, *A Guide to Fervent Prayer* (Grand Rapids: Baker, 1981), p. 64.

[21] Roger Greenway, *Apóstoles a la ciudad* (Grand Rapids: Desafío, 1996), p. 34.

Ahora bien, su énfasis en que ellos mismos deben de producir su propia salvación surge del hecho de que el apóstol ya no está con ellos. Pero eso no debe ser excusa, dice Pablo, para no trabajar en la propia santificación y salvación. Pablo les dice que la salvación de ellos no puede depender de que él tenga que estar siempre junto a ellos, trabajando por ella. No, la comunidad de Filipos es responsable de su propio bienestar espiritual, a ellos les toca trabajar en su propia salvación.

Ahora veamos la crisis que esta actitud ha causado en: **1.** los líderes de la iglesia (pastores), **2.** los profesionales cristianos y **3.** nuestra juventud. No sólo los creyentes, el *liderazgo* de nuestras iglesias también muestra señales que apuntan a una indolencia abismante. Todo pastor que esté de lleno envuelto en el ministerio, se dará cuenta de que necesita vivir en una constante preparación, para *trabajar* en forma más eficaz, para *entender* mejor los problemas que enfrenta, para *hacer reino de Dios*. Es precisamente la praxis pastoral la que pondrá en evidencia nuestras carencias y defectos, pues cada vez que queramos llevar adelante la causa de Cristo, nos daremos cuenta que enfrentamos cosas que nos dejan perplejos, que nos faltan respuestas, que ni siquiera entendemos bien las preguntas, que nos falta preparación. En estas condiciones, sólo la falta de interés en un *trabajo práctico* efectivo podría explicar el poco entusiasmo en una mejor educación ministerial. El que desee predicar mejor se interesará en los idiomas bíblicos, en la hermenéutica y la homilética. Es el trabajo pastoral lo que debería darnos hambre por los estudios de apologética, sistemática, psicología, historia, etc. La otra alternativa es recurrir al espiritualismo escapista, a la religiosidad, a la superstición. Frente a una tarea tan colosal, el pastor puede optar por el camino fácil de mantener a la congregación en los rudimentos de la fe, cerrar los ojos a la realidad y lanzarse a un misticismo que barnice la miseria. Debajo de esa religiosidad se esconderá una desdicha e indigencia espiritual horrible. Más bien deberíamos aprender que el esfuerzo, el estudio y el trabajo es parte de la vida y del ministerio cristiano.

El problema no está sólo en el cristiano común o en los pastores, es el *profesional* cristiano el que también está crisis, pues frente a la increíble influencia del pensamiento anticristiano, uno se pregunta también dónde están los profesionales, académicos y científicos cristianos que representen una opción coherente y válida, *pero desde una óptica bíblica y cristiana*. Una buena parte ha perdido todo sentido de misión. Demos unos ejemplos. Supongamos que un creyente tiene una empresa constructora con la que realiza ampliaciones, remodelaciones, etc. Se le acerca otro creyente para preguntarle si alguna vez ha pensado en cómo su actividad profesional *particular* podría estar al servicio del reino. Entonces el hermano responde algo como esto:

Si yo estoy haciendo mezcla para estucar una pared o si estoy pintando una fachada, ¿qué tiene eso que ver con el reino? Como ingeniero constructor yo sólo me limito a ofrecerle a mis clientes servicios técnicos de construcción, y nada tiene eso que ver con Dios.

Imaginemos ahora que un creyente se acerca a un psicólogo cristiano con el desafío de que su ocupación sirva al reino de Dios. Entonces este profesional responde algo como:

Cuando estoy enseñando, por ejemplo, a un matrimonio un mecanismo para poder escucharse mutuamente, ¿qué tiene eso que ver con Cristo? Como profesional no me está permitido mezclar la religión con mi práctica.

¿Están correctas estas posturas? ¿Se puede pensar en la religión cristiana como un compartimiento más de la vida? Cuando el esposo llega a casa, se despoja del rol de trabajador para asumir el de esposo y padre, deja un papel para asumir otro, sin que ambos estén estrechamente conectados. ¿Es ser cristiano algo como ser padre o tener una profesión? ¿Somos cristianos sólo los Domingos? Esta no ha sido jamás la postura de la tradición reformada. John Murray nos dice, por ejemplo:

«La norma de pensamiento y la regla de la conducta son para nosotros obligaciones divinas. Para nosotros la regla y la norma consisten en las irreductibles exigencias y demandas de la soberanía divina, y estas demandas irreductibles son que la soberanía de Dios y de su Cristo sean reconocidas y aplicadas en la esfera total de la vida, del interés, de la vocación y de la actividad. Esto quiere decir que las demandas de la soberanía divina hacen que sea imposible evadir la obligación que tenemos de luchar con todo nuestro corazón y alma y fuerza y mente para establecer un orden que lleve a cabo todas las demandas de la majestad, autoridad, supremacía y reinado de Dios. Y ésto, en una palabra, no es más que la fructificación plena del reino de Dios dondequiera que estemos y en la extensión total del pensamiento, palabra y acción humana».[22]

---

[22] J. Murray. "The Christian World Order", *The Presbyterian Guardian* (Octubre, 1943), recopilado en *The Collected Writings of John Murray* (Edimburgo: Banner, 1976), p. 357s.

El cristianismo no admite ser arrinconado, porque el cristianismo es *Cristo*, quien reclama para sí toda la vida y todo aspecto de ella. Muy pronto se nos olvida que nuestro lema *Soli Deo Gloria* requiere que: *"sea que comáis, bebáis o hagáis cualquier cosa, haced todas las cosas para la gloria de Dios»* (1 Co. 10:31).[23] Si esto es así, la pregunta que surge es: ¿de dónde sacan tantos creyentes semejante dicotomía por la que "la religión" está separada del resto de su vida? ¿Cómo pueden concebir esos dos mundos distintos que casi no se conectan uno con el otro? ¿Cómo puede un creyente orar *"venga tu reino"* y a la vez no someter toda su vida a Cristo? Parte de la respuesta está en la forma en que la iglesia se acomoda a la presente atmósfera en la que nos ha tocado vivir. El pecado del hombre lo ha llevado a montar todo un sistema férreo para sacar a Dios de la vida humana. Este sistema redefine al hombre y toda su problemática. El problema del ser humano en ningún modo se construye con referencia a Dios, sino que se elabora a partir de meros parámetros antropológicos. El problema del hombre está *sólo y nada más* que a nivel horizontal: es un problema habitacional, es un problema de salud, es un problema hormonal o químico, es un problema económico, es un problema de la distribución de la riqueza, y, por tanto, un problema político, etc. Nadie niega que el ser humano tiene serios problemas en todas esas áreas, pero el materialismo reinante reduce la realidad sólo a estas cosas, excluyendo cualquier consideración de lo transcendente como ilusorio. De esta manera, poco a poco el creyente es llevado a concluir que el problema que la Escritura presenta es más bien un problema periférico. En la medida que deja de pensar en el hombre y su condición en términos *teológicos*, sentirá cada vez menos urgencia de solucionar el problema del que habla la Biblia. Y así, poco a poco terminará pensando que el problema que plantea la Escritura es un problema ficticio, tan irreal como lo es el Dios del cual allí se habla. El iluminismo (*Aufklärung*) relega a Dios al plano que denominan "religioso", el cual nada tiene que ver con la vida pública, los negocios y el estado, ni siquiera con la familia, pues lo religioso es algo personal y subjetivo. De esta manera, el creyente no sólo se ve envuelto en una dicotomía personal, sino que ahora ha empezado a definir al prójimo que tiene delante de sí en simples términos horizontales y antropológicos. El creyente dice: soy psicólogo, y sólo veo en mi prójimo una persona que necesita salud mental; o: soy constructor, y tengo ante mí alguien con una necesidad habitacional. Como sea, en ningún caso tengo ya a un pecador que necesita reconciliarse con Dios por medio de Cristo, pues el mundo ha dictaminado que cualquier

---

[23]Véase lo dicho en el Cap. III sobre el principio reformado y la misión.

concepto como «Dios», «pecado», «redención», «salvación» entran en el terreno privado.

Como el mundo actual parte del postulado de que Dios no existe, redefine el concepto de pecado, ya no en términos de un agravio a la soberanía divina, sino sólo como la violación de algún derecho humano o un daño al prójimo. El problema planteado por las Escrituras se desvanece, porque Dios se hace cada vez más lejano. La confianza en Dios pasa a convertirse en fe en el hombre. Y en la medida en que Dios sale del escenario, el pecado se convierte sólo en un problema social. Por contraste, la Escritura afirma que la primera responsabilidad del ser humano es: «*Amarás al Señor tu Dios con todo tu corazón y con toda tu alma y con toda tu mente y con todas tus fuerzas*» (Mr. 12:30). Esta es la obligación de todo ser humano, y no se trata sólo de un compromiso personal que el cristiano debe mantener sólo para sí. Si amar a Dios es el deber principal de la raza humana, el *cristiano* debería sostener que el principal problema humano es el incumplimiento de este principio. El ateísmo se convierte en un pecado, y la sistemática relegación del cristianismo al terreno privado se convierte en rebeldía. Con todo, la fuerza de la secularización hace que el creyente se despreocupe cada vez más de la primera parte de la ley, que le dice: *«Yo soy Yhwh tu Dios . . . no tendrás otro Dios que no sea yo»* (Ex. 20:2s.), para poner todo el énfasis en el pecado contra la humanidad. Solo importa el problema de que el hombre mata, el hombre adultera, el hombre hurta, etc., pero sin referencia a Dios. De esta forma se olvida que en la Escritura toda agravio contra el prójimo es ante todo una ofensa contra Dios. Citemos dos textos que hablan del pecado:

> «*Cuando alguien peca*
>     *y comete una infidelidad contra Yhwh,*
> *defraudando a su prójimo*
>     *en algo que se le dio para que lo guardara o cuidara;*
> *o si roba u oprime a su prójimo,*
>     *despojándolo de lo que es suyo;*
> *o en caso de que encuentre algo que se perdió,*
>     *y niega tenerlo;*
> *o si comete perjurio en cualquiera de las cosas*
>     *en las que el ser humano suele pecar,*
> *se hace culpable . . .* » (Lv. 6:2-4[5:21-23]).

> «*Cuando un hombre o una mujer*
> *cometan cualquier pecado contra su prójimo,*
> *traicionando así a Yhwh,*
> *tal persona es culpable.*

*Deberá confesar su pecado*
*y restituir por entero el perjuicio que causó,*
*con un recargo del veinte por ciento,*
*todo lo cual deberá entregarlo a la persona que perjudicó»*
   (Nm. 5:6-7).

Estos dos textos son un ejemplo de la clara preocupación que tiene la Escritura por la justicia social, pero hay que observar que el pecado contra el prójimo también se define como *"una infidelidad contra Yhwh"*, como una traición a Dios. Por tanto, hay que insistir en que el creyente no deja de ser creyente, cuando labora en la industria o trabaja en la oficina. Si el constructor del que hablábamos es consecuente con su fe, debería tratar de reponderse preguntas como estas: ¿cómo darle a mi profesión una perspectiva cristiana práctica y teorética? ¿qué lugar ocupa mi quehacer profesional dentro del propósito redentor de Dios? ¿estoy acomodado al mundo de valores de clase, sexo y prosperidad, o estoy haciendo reino? ¿estoy satisfecho con sólo ampliarle la casa a un cliente o quiero también que ese hombre conozca a Cristo?Por su parte, el psicólogo cristiano no está interesado en una salud mental que no lleve a la gente a los pies de Cristo, quiere que sus pacientes también puedan restaurar su comunión con Dios. Todo esto lo hacen, porque los creyentes se definen a sí mismos como hombres salvados por Cristo y testigos suyos, y porque definen a su prójimo ante todo en términos de su relación con Dios. Juan dice claramente:

*«En este hecho hemos conocido el amor,*
*en que él* [=Cristo] *puso su vida por nosotros.*
*Así también nosotros debemos poner nuestras*
*vidas por los hermanos.*
*Pero si el que tiene bienes materiales*
*ve a su hermano pasando necesidad*
*y cierra contra él su corazón,*
*¿cómo mora el amor de Dios en él?»* (1 Jn. 3:16s.)

Este texto muestra el equilibrio y el orden correcto de las cosas. Aquí se ve un compromiso claramente social y material, pues toda conversión que no nos lleve al servicio es un fraude: *"¿cómo mora el amor de Dios en él?"*. Pero no se trata de una obligación que surge de postulados ateos, no es un compromiso con el hombre que va de la mano con la negación de Dios. Por el contrario, aquí se postula que conocemos lo que es amar por la cruz: *"en que Cristo puso su vida por nosotros"*. En otras palabras, el amor de Cristo se convierte en el estímulo y brújula que nos guía en nuestra relación para con el prójimo. Es Dios el que nos abre las profundidades del amor, es él quien nos enseña lo que es amar. Por esto, el que realmente ha conocido al

Señor se compromete con el que sufre, pero motivado y encaminado por el Señor:

> «La ciudadanía en el reino de los cielos ocupa el primer lugar en la proclamación cristiana. Los cristianos tienen responsabilidad en todas las áreas de la vida, y las consecuencias de la reconciliación van mucho más allá de lo que la iglesia cree. Asuntos como las injustas estructuras sociales y la opresión que es fruto del racismo encarnado en prácticas como el apartheid, la discriminación racial y males semejantes en la sociedad, deben ocupar la atención de todos los cristianos. Deben ser objeto de nuestra justa ira, y la iglesia cristiana debería tener su eliminación como una meta de primerísima importancia. Pero luego de reconocer todo esto y de confesar nuestro pecado de no haber aplicado el evangelio en una forma consistente a las injusticias de la sociedad, debe reiterarse la verdad de que la reconciliación con Dios es el corazón del evangelio y la fuente de donde fluyen la dirección y el impulso para realizar los cambios sociales que honren a Dios. Si se pierde esta verdad, la iglesia en realidad no podrá decirle al mundo nada nuevo o importante».[24]

Es natural que agreguemos que toda labor diaconal que la iglesia realiza, la hace motivada por su amor a Dios, la hace como comunidad salvada de la condenación y de la corrupción que trae el pecado. Esta salvación le llega a través de la cruz de Cristo y la morada de su Espíritu. Por tanto, la iglesia, sea sus miembros o su comunidad, no quedaría contenta con sólo dar desayuno a los niños de una población pobre, por ejemplo. La iglesia sabe bien que su propio cambio y salvación se produjo a partir de una acción divina, de un encuentro con Dios, y quiere que todos esos niños y sus padres conozcan al Señor. Es una contradicción suicida pretender mover siquiera un dedo en favor del bien social sin a la vez mover otro en favor de la evangelización. El apóstol Juan espera que ayudemos al necesitado, no porque pensara que el hombre se salva a sí mismo, sino porque el amor de Dios mora en nuestros corazones. En este tiempo posmoderno, el horóscopo, las cartas astrales, el yoga, la psicología, la nueva era, la meditación transcendental, etc. buscan crear tranquilidad, paz y virtudes. La iglesia también está interesada en producir virtudes, pero sólo como fruto del Espíritu a causa de la fe en Cristo y su Palabra. No nos basta, entonces, lograr que un matrimonio se ame, queremos que se ame *en Cristo*. Tampoco buscamos un progreso social construido en base a la negación de Dios. No estamos satisfechos con solo restaurar la armonía entre los seres humanos

---

[24]Roger Greenway, *Op. cit.,* p. 78.

en meros términos horizontales, que terminan reforzando la autonomía y rebeldía del hombre para con Dios. Queremos que todos nuestros esfuerzos por el bien social surjan y se alimenten de la doctrina del evangelio, que empiecen y terminen en el Señor. Subrayemos el hecho de que a la verdadera iglesia no le interesa la prosperidad sin Dios, pues el bienestar sin el Señor no es más que otra forma de rebelión. Así como el ser humano se subleva contra Dios sumiéndose en la inmoralidad, las drogas, etc., también lo hace mediante una vida altruista e irreprensible, a fin de demostrar que no necesita a Dios para solucionar los problemas del hombre.

Finalmente, nuestra *juventud* también está en crisis. Si las iglesias secularizadas mueren intoxicadas de antropología e intelectualismo sin vida, muchas iglesias conservadoras quieren mantener la fe cerrando los ojos. Cuántos jóvenes han crecido en iglesias en que el pastor sostenía un evangelio obscurantista, donde pensar era pecado. Los jóvenes que lograron ingresar a la universidad, encontraron allí argumentos coherentes, disciplinas sólidas. Esto hizo que poco a poco fueran sintiendo un creciente menosprecio hacia la iglesia. Terminaron apartándose de ella. Otros no llevaron hasta el final las consecuencias lógicas de la secularización. No abandonaron la iglesia, pero se convirtieron en creyentes paralizados, totalmente inofensivos para el mundo. Otros se tornaron peligrosos: ¡en el país de los ciegos, el tuerto es rey! Al menospreciar con razón la teología superficial que les impartieron, despreciaron también la oración y la fe en Dios, proponiendo el evangelio de la sociología, de la psicología, de la política, etc.

Preguntemos ahora ¿por qué estos jóvenes no pudieron realizar el trabajo de integración entre Biblia y ciencia? La razón está en que en la universidad aprendieron mucho de la ciencia naturalista, pero nunca tuvieron una sólida formación teológica ni cristiana. Nunca conocieron el poder del evangelio, nunca *vieron* dentro de la iglesia verdaderos cristianos. Conocieron más bien un cristianismo legalista, irreflexivo, beato. No tuvieron la oportunidad de ser alimentados espiritualmente por pastores preparados con seriedad, llenos de amor e integridad. No supieron lo que es el poder del Espíritu Santo ni la nueva creación en Cristo. Recibieron sí mucha palabrería, mucho activismo y avivamiento mentiroso de tantos ganapanes que hay en el ministerio. *«Mi pueblo fue destruido, porque le faltó conocimiento»* (Os. 4:6).

## 2. Examinándolo todo

En armonía con el fuerte énfasis que la Escritura pone sobre nuestra propia responsabilidad, la iglesia debe despertar a la realidad de que esta época (pos)moderna exige como nunca antes que, para cumplir con su misión, los cristianos nos preparemos en todo sentido y a todo nivel. J.G.

Machen ha refutado el peligro del escapismo evangélico en su *Cristianismo y cultura* (Rijswijk: FELiRe, 1974), y advirtió, ya en su tiempo, que para ganar un espacio en las actuales condiciones, el cristianismo debe ser capaz de ofrecer una alternativa clara y sólida a todas las áreas del saber humano:

«el cristiano no puede sentirse satisfecho en tanto que alguna actividad humana se encuentre en oposición al cristianismo o desconectada totalmente del mismo. El cristianismo tiene que saturar, no tan sólo todas las naciones, sino también todo el pensamiento humano. El cristianismo, por tanto, no puede sentirse indiferente ante ninguna rama del esfuerzo humano que sea de importancia. Es preciso que ella sea puesta en contacto de alguna forma, con el evangelio. Es preciso estudiarla sea para demostrar que es falsa, sea para utilizarla en activar el Reino de Dios. El Reino debe ser promovido; no sólo en ganar a todo hombre para Cristo, sino en ganar al hombre entero».[25]

Si el cristiano trata de evadir esta responsabilidad, dejará que "todo el pensamiento colectivo de una nación o de un mundo sea controlado por ideas que, por la fuerza de la lógica, impiden que el cristianismo sea considerado como algo más que una ilusión inocua".[26] Después Machen dice que lo que hoy es tema de especulación y controversia académica en las universidades, mañana serán fuerzas que lo controlarán todo, derribando imperios. Por eso, las concepciones anticristianas deben de combatirse antes de que se adueñen del mundo. América Latina pide a gritos profesores, eruditos y científicos cristianos *comprometidos de corazón con Cristo* en medio del campo de batalla de las universidades, la política, el comercio, etc.

## 3. Reteniendo lo bueno

No sólo debemos estudiar y redimir en Cristo las ciencias, las artes, la tecnología, etc., sino que debemos aceptar de buena gana toda contribución que venga de todas las disciplinas humanas. En el ambiente evangélico hay mucho recelo hacia las contribuciones de la sociología, la historia, la psicología, la administración moderna, etc. Y con razón, porque muchas de sus propuestas y análisis son definitivamente anticristianos. Así que, es sano no ser ingenuo en un mundo anticristiano. Es más, no ser precavido sería suicida. No obstante, hay que evitar que la dosis justa de cautela se convierta en una paranoia que termine convirtiéndonos en un arca de Noé. Calvino enseñaba que Dios no ha abandonado completamente al hombre caído,

---

[25] J.G. Machen. *Op. cit.,* p. 11.

[26] *Op. cit.,* p. 12.

sino que derrama constantemente su gracia común[27] a todos los inconversos e incrédulos. Así que, concluye:

«Por lo tanto, cuando al leer los escritos paganos veamos en ellos esta admirable luz de la verdad que resplandece en sus escritos, ello nos debe servir como testimonio de que el entendimiento humano, por más que haya caído y degenerado de su integridad y perfección, sin embargo no deja de estar aún adornado y enriquecido con excelentes dones de Dios. Si reconocemos al Espíritu de Dios por única fuente y manantial de la verdad, no desecharemos ni menospreciaremos la verdad donde quiera que la halláremos; a no ser que queramos hacer una injuria al Espíritu de Dios, porque los dones del Espíritu no pueden ser menospreciados sin que El mismo sea menospreciado y rebajado . . . ¿Creeremos que existe cosa alguna excelente y digna de alabanza, que no proceda de Dios? Sintamos vergüenza de cometer tamaña ingratitud . . . tales ejemplos deben enseñarnos cuántos son los dones y gracias que el Señor ha dejado a la naturaleza humana, aun después de ser despojada del verdadero y sumo bien».[28]

Es tétrico que los pastores y profesionales de América Latina se conformen con una explicación superficial de la fe, evitando introducirse en los laberintos del pensamiento (pos)moderno, eludiendo la responsabilidad de servir al mundo con una teología y una visión cristiana que sea capaz de responder *cristianamente* a los desafíos de hoy (cf. 1 Co. 10:4ss.). Es aquí donde nos damos cuenta que es suicida abogar por bajar el nivel académico de los seminarios.

Las disciplinas del saber humano actual tienen todas la particularidad de empezar ignorando o negando a Dios. Por esto, la iglesia deberá estar lo más alerta posible a toda tecnología y ciencia que se pone a nuestro servicio. Las ciencias sociales (historia, psicología, antropología, etc.) llevan la marca inescapable de un mundo cuya gran presuposición es que Dios no existe. Este peligro nos podría llevar a la increíble situación de estar enseñando a la gente la doctrina cristiana mediante métodos y conceptos que no sólo parten del supuesto de que Dios no está presente ni activo en este mundo, sino que a cada paso son una negación de su presencia. Tomemos un ejemplo: Imaginemos que se quiere enseñar al pueblo la doctrina de la

---

[27]Respecto al tema de la «gracia común», véase L. Berkhof. *Systematic Theology* (Grand Rapids: Eerdmans, 1949), pp. 432ss.[TE pp. 514ss].

[28]J. Calvino. *Institución de la Religión cristiana* (Rijswijk: FELiRe, 1968), II.ii.14s.

resurrección. Supongamos también que para su estudio, el pastor usa el principio de *analogía* como parte de su metodología. Es decir, al abordar el tema se parte habiendo aceptado primero que el principio de *analogía* es la norma que en forma absoluta juzga toda verdad. Digamos, de paso, que el principio de analogía sostiene que para que un hecho sea considerado verídico o probable tiene que cumplir el requisito de ser *semejante* a los hechos que el interprete conoce en su propia situación de vida. De una u otra forma todos usamos este principio, que no es malo, si no se le convierte en una camisa de fuerza. Absolutizar esta norma equivale a partir, otra vez, de simples postulados antropocéntricos, que nos empujarían a razonar de esta manera: Si en mi mundo particular no veo que la gente resucite, entonces mi experiencia dictamina que la resurrección de Cristo no puede haber sido un hecho histórico. Así, todo depende del estado en que se encuentre la experiencia y conocimiento del hombre. Pero no de cualquier hombre ni de todos los hombres. La única experiencia o mundo válido es el mundo del académico europeo (en este caso, Ernst Troeltsch, 1865-1929), desde el cual se dicta lo qué es o no es posible. Si se presiona este principio al extremo, incluso estaríamos obligados decir que para que algo sea posible, ya debió haber ocurrido anteriormente, y nada nuevo podría ocurrir. No existe lo extraordinario ni distintivo. Siguiendo la metodología adoptada antes de empezar el estudio, el pastor concluye de que hoy debemos decir que Cristo resucitó *espiritualmente*. No es que haya vuelto literalmente a la vida, el principio de analogía nos dice que eso no puede ocurrir. Lo que ocurrió es que resucitó *figuradamente*, se convirtió en el ideal que inspira a sus seguidores. ¡Cristo vive como vive el Che Guevara! ¡Cristo vive como un ideal!

Contrario a todo esto, la clave para entender el mensaje del evangelio es precisamente la fe de que Dios sí ha introducido algo "nuevo", del todo nuevo. Dios ha formado una "nueva creación" en Cristo. El evangelio introduce en el mundo algo único, fresco, nunca visto. Pero si realizamos nuestra investigación con postulados exclusivamente antropológicos no podremos enseñarle al pueblo que Cristo resucitó. ¿Cómo lo haremos, si nuestra *metodología* o instrumental hermenéutico descarta de antemano sólo pensar en que alguien pudiera alguna vez resucitar? O ¿Cómo vamos a anunciar que Cristo ha enviado su Espíritu para transformar nuestras vidas, si a cada paso de nuestro quehacer, la metodología que empleamos da por sentado que dependemos de nosotros mismos y que el universo no tiene otra dimensión que no sea la del mundo natural? Bien decía Lutero que "la fe y la confianza del corazón hace ambas cosas, a Dios y a los ídolos". Es por eso que, antes de hacer uso de toda la contribución que las diferentes disciplinas del quehacer humano nos brindan, ¿no deberíamos primero exorcisarlas, separando el trigo de la cizaña? En lugar de usar ingenuamente las ciencias sociales ¿no deberíamos primero realizar la ardua y agobiante tarea de *integrarlas* a los presupuestos y dogmas cristianos?

Hoy muchos cristianos viven paralizados y neutralizados por la secularización. El incrédulo no acepta que Dios envió a su Hijo para morir en la cruz para salvarnos. También le resulta inaceptable creer que haya resucitado.[29] El ambiente es tan sofocante que muchos cristianos tienen miedo al ridículo. Quizá el creyente se atreva a hablar de la ética del cristianismo, pero su fe en los hechos redentivos capitales serán para él un asunto para susurrar discretamente entre los cristianos. De esta forma se da muerte a la misión y la iglesia deja de ser la *ecclesia militans*:

> «La Iglesia . . . es una Iglesia militante, . . . que está moralmente obligada a llevar a cabo una incesante lucha contra el mundo hostil, en todas las formas en que éste pudiera manifestarse, sea dentro o fuera de la Iglesia, y contra todas la fuerzas espirituales de las tinieblas. La Iglesia no puede gastar todo su tiempo orando y meditando, no importa cuán necesarias e importantes sean estas cosas, ni tampoco puede interrumpir su trabajo, a fin de gozar plácidamente de su herencia espiritual. Más bien debe estar entregada con todas sus fuerzas a pelear las batallas de su Señor, peleando una batalla tanto ofensiva como defensiva».[30]

El Credo de los apóstoles es la confesión de la iglesia, la que, nos guste o no, incluye la fe en ciertos *hechos*. Creemos que Jesús fue concebido por el Espíritu, que nació de María, que padeció bajo el poder de Poncio Pilato, que fue crucificado, muerto y sepultado, que resucitó y subió al cielo, etc. Estos hechos son los puntos de apoyo de nuestra fe. Creer en Cristo incluye

---

[29]«El cristianismo es la proclamación de un hecho histórico: que Jesucristo resucitó de entre los muertos. El pensamiento moderno no tiene cabida para esta proclamación. Impide a los hombres escuchar el mensaje». J.G. Machen. *Op. cit,* p. 17.

[30]L. Berkhof. *op. cit., p.* 565 [TE p. 674s.]. «Si la ciudad moldea la iglesia, podemos asegurar de que la iglesia dejará de ser la sierva de Dios con poder redentor para la salvación de los hombres, sino que se habrá convertido en esclava del pensamiento y el estilo de vida secularizado de la sociedad urbana. En muchas formas esto ya ha ocurrido, pues vemos lo silenciosa e inerte que puede ser la iglesia precisamente en los centros de nuestra civilización en donde se toman las decisiones y se planean los acontecimientos que afectan la vida de millones. La iglesia como un todo no sabe qué decirle a la ciudad, y el creyente individual queda igualmente perplejo por la influencia que tiene el espíritu de la secularización. Por lo tanto, este libro clama por una renovación dentro de la iglesia. Renovación que es el prerequisito al apostolado urbano. Sin la renovación de la iglesia hay poca esperanza para la ciudad». R. Greenway, *Op.cit.,* p. 10.

creer que *"murió por nuestros pecados, conforme a las Escrituras; y que fue sepultado, y que resucitó al tercer día conforme a las Escrituras»* (1 Co. 15:3s.). Ese es el apoyo de nuestra fe, y no nos está permitido lanzarnos a una fe ciega, a una fe en la fe. En palabras de Pannenberg:

«Uno se ve tentado a dejar en paz los enunciados de la profesión de fe [del Credo] y retirarse al acto personal de fe, a la confianza en Jesús y su mensaje de amor, y al Dios anunciado por él, que es el amor. Pero para la antigua cristiandad el amor de Dios sin la resurrección de los muertos hubiera sido una palabra vacía, y la confianza en Jesús hubiera parecido un salto en el vacío, carente de fundamento, si no se hubiera atenido al poder de Dios presente en él y revelado en su resurrección . . . Tanto si la resolución de creer se torna en garantía de la verdad de aquellos contenidos, sobre los que se apoya la confianza en Jesucristo y en el Dios revelado en él, como si la fe se hace autónoma e independiente frente a ellos, se viene a parar en lo mismo: la fe se fundamenta en ambos casos en el creyente y su decisión de creer, en lugar de hacerlo en el contenido, sobre cuya fidelidad podría confiar. La fe es rebajada a una obra de auto redención cuando es comprendida y exigida en este sentido, esto es, como el salto de una 'opción' ciega que no tiene otro fundamento que ella misma. Pero una fe que no está fundada más allá que en sí misma, . . . queda cogida y aprisionada dentro del propio yo, incapaz de dar fruto. Por tanto, la realidad del Dios, en quien confía la fe cristiana, no se puede tener sin los llamados 'hechos' a los que hace referencia la confesión apostólica y por los cuales él se ha identificado como este Dios».[31]

Lo dicho termina en un clamor desgarrado, en un grito que desafía a los pastores y líderes a prepararse mejor *para la misión*, a convertirse al Señor, a buscar la santidad, a ser de verdad iglesia. De otra manera, la iglesia seguirá desangrando miembros, hasta morir. ¡Ay de ti iglesia secularizada! ¡Qué espantosa es tu inercia! Es inmovilidad angustiante, vacío total de sentido, ausencia de significado. Para algunas congregaciones la muerte ya ha sido decretada, es imposible salvarlas, van camino al fin. ¡Cuán insportables son tus cultos! Los allí presentes intuyen la verdad, la terrible verdad de que todo no es más que un embuste, en el que se simula creer, cuando nadie cree; donde se finge ser cristiano, cuando en la realidad la vida está llena de carnalidad, luchas de poder, envidia, adulterio, codicia. Es una escena patética, que mueve a la náusea. La muerte rondea tus cultos. ¡Dios tenga de

---

[31] W. Pannenberg. *La fe de los apóstoles* (Salamanca: Sígueme, 1975), p. 22s.

ti misericordia! ¡Que si el mismo Dios no te salva, nada parará tu descenso al infierno![32]

## LA MISIÓN DE LA IGLESIA ES OBRA DE DIOS

Este es lugar para prevenir contra la idea iluminista de que el conocimiento es mágico, que el conocimiento por sí mismo da a luz un nuevo mundo. El posmodernismo ha demostrado que esto es falso, que cada descubrimiento trae consigo la posibilidad diabólica de la destrucción, porque el conocimiento y el poder van juntos. El conocimiento permite crear sistemas de poder que se sustentan en base a un pretendido conocimiento. De esta forma, la ciencia es hermana de la *ideología*. En el ejercicio del poder, el sistema privilegia selectivamente las cosas que lo perpetúen, excluyendo cualquier evidencia que debilite el sistema. De la misma forma, el conocimiento teológico en sí no produce reino. Por sí sólo produce parásitos arrogantes que se sirven de la iglesia. Nada puede remplazar a la persona de Jesucristo, nada puede tomar el lugar de la fe y la piedad, la obediencia y la obra del Espíritu. Con todos los avances del mundo de hoy es claro que el problema no es tanto falta de conocimento o de recursos, como un problema de orientación y de corrupción. Sólo Jesucristo nos puede liberar del grito: *"Yo sé que en mí, es decir, en mi naturaleza pecaminosa, nada bueno habita. Aunque deseo hacer lo bueno, no soy capaz de hacerlo"* (Ro. 7:18, NVI95). Pero reconocido todo esto, sigue en pie el tremendo desafío que la iglesia tiene en América Latina, una iglesia que no se caracteriza precisamente por algún exceso de vida intelectual.

Al hablar de la misión como *nuestra* responsabilidad y al exhortar con fuerza a que aceptemos toda contribución que pudiera venir de las diferentes disciplinas del saber humano, podríamos vernos tentados a adoptar puntos de vista que no den cabida al actuar de Dios o que contradigan su Palabra. En nuestra desesperación por cumplir, podríamos echar mano a todo lo que se nos ponga por delante.[33] Esto me recuerda un

---

[32]Hoy día se adquiere cada vez mayor conciencia de que la razón principal de la impotencia de la iglesia en la ciudad secularizada es la falta de un verdadero discipulado entre la mayoría de los miembros de la iglesia. Pocos merecen el nombre de 'cristiano, siervo de Jesucristo'. El materialismo ha hecho que sea prácticamente imposible distinguir entre los miembros de la iglesia y el resto de la humanidad. El modo mundano de pensar y proceder se ha adueñado en gran parte de la iglesia. Esto hace que la iglesia tenga poco que decirle a la ciudad secularizada, al menos con credibilidad. A Dios gracias, que existen excepciones a esta regla. Pero ningún observador honesto y entendido podrá negar que la suprema necesidad de la iglesia es un redescubrimiento radical de lo que significa ser cristiano". R. Greenway, *Op.cit,* p. 70.

afiche que un colega tenía en su diario mural con el título «No es suficiente». El texto decía:

«No es suficiente para los sacerdotes y ministros del futuro que sean gente decente, bien preparada, ansiosa de ayudar a su prójimo y capaz de responder creativamente a los problemas candentes de su tiempo. Todo esto es muy valioso e importante, pero no constituye el corazón del liderazgo cristiano. La pregunta decisiva es: ¿Son los líderes del futuro verdaderos hombres y mujeres de Dios, gente con un ardiente deseo de vivir en la presencia de Dios, escuchar la voz de Dios, contemplar la belleza de Dios, tocar la Palabra encarnada de Dios y gustar completamente de la infinita bondad de Dios?[34]

Es por esto que debemos estar alertas al hecho de que no importa cuánto subrayemos nuestra responsabilidad en la misión de la iglesia, jamás deberemos olvidar que la salvación es, de principio a fin, *obra de Dios*. Es por esto que Pablo, al decirle a los hermanos de Filipos que a ellos les corresponde ahora producir su salvación, agrega de inmediato:

*«porque Dios es quien obra en vosotros, no sólo el querer, sino que también el hacer, por su benevolencia»* (Fil. 2:13).

Y así como 2 Corintios 7:1 exhorta a los corintios a que lleven a término su santificación, en Filipenses 1:6 se usa el mismo verbo para afirmar que *«el que empezó en vosotros la buena obra, la llevará a su término hasta el día de Jesucristo»*. La *Confesión de Westminster* nos dijo que *nosotros* tenemos una inmensa tarea que realizar «hasta el fin del mundo», pero de Cristo tenemos la promesa: *«Y he aquí yo estoy con vosotros todos los días, hasta el fin del mundo»* (Mt. 28:20). La iglesia debe siempre recordar que la misión es ante todo la *Misio Dei*, la misión de Dios mismo, y que es Él quien se encarga de realizarla en nosotros y a través de nosotros. Esto significa que la iglesia depende de Cristo a cada momento, y que dicha misión sólo se lleva a cabo en la medida que hombres y mujeres sean verdaderos instrumentos en las manos del Salvador:

---

[33]Un ejemplo de cómo las ciencias sociales pueden introducir elementos anticristianos en la iglesia se ve en algunas concepciones o aplicaciones del principio de «unidades homogéneas». Para una crítica, véase C. René Padilla. *Misión integral* (Grand Rapids: Nueva Creación, 1986), pp. 136ss. Por otra parte, a pesar de la excelente contribución que la Teología de la Liberación ha hecho a la vida cristiana, haciéndonos ver cuán grande preocupación tiene la Escritura por los pobres y la justicia social, en muchas formas permanece siendo un evangelio secularizado.

[34]Henry Nouwen. *In the Name of Jesus.*

*"Permaneced en mí, y yo en vosotros. De la misma manera que el sarmiento no puede dar fruto por su propia cuenta, así tampoco vosotros, si no permanecéis en mí. Yo soy la vid, vosotros sois los sarmientos. El que permanece en mí y yo en él, éste produce mucho fruto, porque separados de mí nada podéis hacer»* (Jn. 15:4s.).

¿Acaso no dice la Escritura que somos *"hechura suya, creados en Cristo Jesús»?*[35] Está, pues, claro que es Dios quien nos da vida en Cristo (Ef. 2:5) y nos acerca a su pueblo (2:13). Es el Señor el que finalmente da el crecimiento, no importa cuánto trabaje el hombre (1 Co. 3:7). Por esto Pablo afirma que no se trata de que él y sus colaboradores sean competentes por sí mismos, sino que su competencia viene de Dios (2 Co. 3:5) y que si él ha trabajado más que todos es sólo porque la gracia de Dios trabajó a través de él (1 Co. 15:10). Es Dios quien *"nos hizo competentes para participar de la herencia de los santos en luz, el cual nos libró del poder de las tinieblas y nos trasladó al reino de su Hijo amado»* (Col. 1:12s.). De tal manera que, aunque a la iglesia se le ha dado una misión inescapable, de todas formas resulta cierto que a fin de cuentas es Cristo el que *"desde el principio hasta el fin del mundo, de toda la raza humana, congrega, protege y preserva para sí, mediante su Espíritu y Palabra, una comunidad elegida . . . »*.[36] Aunque debemos hacer incapié en el uso de todo medio y contribución moderna, y aun cuando es de vital importancia que la iglesia traiga todas las disciplinas del saber humano al servicio del Reino, todavía es del todo cierto que: " . . . el gran medio con que la Iglesia cuenta para llevar a cabo su tarea, no es la educación, la civilización, la cultura humana o las reformas sociales, aunque todas estas cosas tengan importancia subsidiaria, sino que es el Evangelio del Reino".[37]

---

[35] Ef. 2:10, cf. Stg. 1:18; 1 P. 1:3.

[36] *Catecismo de Heidelberg.* Preg. 54.

[37] L. Berkhof. *Op. cit,* p. 596 [TE p. 712].

# Guía de estudio

## CAPÍTULO I: LA IGLESIA

### LA POSICIÓN ROMANA OFICIAL

1. Al hablar de la iglesia ¿cree usted que es necesario tomar en cuenta el concepto romanista, y por qué?
2. ¿Cómo define a la iglesia el romanismo?

### 1. El Papa como fundamento de la iglesia

3. Qué es lo que afirma Vaticano I sobre el lugar que Cristo le dio al apóstol Pedro en relación a los demás apóstoles?
4. ¿Dónde se encuentra la unidad del clero y de la iglesia, según Vaticano I?
5. Según Vaticano I?¿qué obtiene el sucesor de Pedro?
6. ¿Qué quiere decir «vicario de Cristo», según Vaticano I?
7. ¿Qué poder tiene el Papa sobre la iglesia, según Vaticano II?

### 2. La salvación sólo está en la iglesia romana

8. Según el romanismo, ¿qué naturaleza tienen los sacramentos?
9. Según el romanismo, ¿sólo bajo qué condiciones son legítimos y eficaces los sacramentos?
10. Según el romanismo, ¿cómo se define y transmite la ordenación al ministerio?
11. Según el romanismo, ¿qué relación tiene Roma con la salvación?

### 3. Sólo la iglesia romana es la verdadera y única iglesia de Cristo

12. ¿Qué se quiere decir con «donde está Pedro, allí está la iglesia»?
13. ¿En qué situación estamos los protestantes y el ecumenismo, según Roma?

### 4. La forma de gobierno como parte de lo que *es* la iglesia

14. Según Roma, ¿qué papel juega su forma de gobierno y por qué?
15. ¿Es mala en sí la forma de gobierno episcopal? Fundamente su respuesta.

### 5. Externalismo e institucionalismo

16. Defina el peligro del externalismo.
17. Aunque la iglesia romana ha progresado en su definición de lo que es la iglesia, ¿qué error persiste?

### 6. Consecuencias de una doctrina institucionalista de la iglesia

18. ¿Qué consecuencias negativas puede tener el institucionalismo?
19. ¿Qué tendencias externalistas e institucionalistas puede usted observar en su congregación local y en su denominación?

## LA POSICIÓN DE LA REFORMA

1. Mencione los principios reformados y sus conclusiones.

### 1. El llamamiento eficaz

2. Defina lo que es el llamamiento eficaz.
3. ¿Cómo se convierte una persona en un hijo de Dios?
4. ¿Cómo define Romanos 1:7 a sus destinatarios?
5. Según 1 Corintios 1:9 ¿a qué fueron llamados los cristianos?
6. ¿De qué es sinónimo el apelativo «llamado» de Judas 1?
7. Defina quiénes son los llamados en 1 Corintios 1:22-24.
8. Según 2 Tesalonicenses 2:13-14, ¿a qué estado nos introduce el llamamiento eficaz?
9. Según 1 Tesalonicenses 2:12, ¿a dónde nos introduce el llamamiento?
10. Según 1 Timoteo 6:12, ¿a dónde nos introduce el llamamiento?
11. Según el llamamiento eficaz, ¿de quiénes está compuesta la verdadera iglesia?

## 2. El Espíritu y el cuerpo de Cristo

12. Según Romanos 8:9, ¿cuál es el requisito indispensable para ser un cristiano?
13. Según 1 Corintios 12:13, ¿cómo es que llegamos a ser parte de la iglesia?
14. ¿Se pueden aplicar los atributos de la iglesia a todos los que profesan ser cristianos? Fundamente su respuesta.
15. ¿Es la iglesia como institución idéntica y coextensiva con el cuerpo de Cristo? Fundamente su respuesta.

### REFLEXIÓN PERSONAL:

Debo meditar si *yo* soy realmente parte del cuerpo de Cristo o si sólo pertenezco a la membresía institucional de la iglesia.

## 3. La santidad de la iglesia

16. Según C. Hodge, ¿por qué la iglesia es santa?
17. ¿Se puede aplicar el atributo de santidad a una denominación en su totalidad, y por qué?
18. ¿Es la santidad requisito fundamental de todo creyente verdadero, y por qué?
19. ¿Qué enseña Romanos 6 sobre la nueva vida en Cristo?
20. Explique por qué el énfasis institucionalista es muy pernicioso.

### REFLEXIÓN PERSONAL:

La verdadera iglesia tiene la *santidad* como atributo esencial, ¿es este atributo parte de mi vida? Si no lo es, ¿cómo debo responder al Evangelio?

## 4. La perpetuidad de la iglesia

21. ¿Cómo responde el romanismo a la pregunta sobre lo que es esencial a la iglesia, y que no puede faltarle sin que de inmediato deje de ser iglesia?
22. ¿Cómo responde la Reforma a la pregunta sobre lo que es esencial a la iglesia, y que no puede faltarle sin que de inmediato deje de ser iglesia?
23. ¿Qué consecuencias tiene la posición reformada en cuanto a la perpetuidad de la iglesia?
24. Conteste la objeción de que el Nuevo Testamento llama *iglesia* a todos los que así lo profesaban en alguna comunidad dada.

## REFLEXIÓN PERSONAL:

¿Estoy cómodo con sólo profesar que soy creyente? ¿Qué testimonio da mi vida acerca de mi profesión? ¿Está la realidad de mi persona encondida y segura detrás de la organización y sus actividades?

## 5. La iglesia visible e invisible

25. ¿Qué diferencia desea hacer la terminología la «iglesia visible e invisible»?
26. ¿Basta gozar de las ventajas externas de estar o haber nacido dentro del pueblo de Dios?
27. Para que los sacramentos tengan sentido y eficacia, ¿qué tiene que pasar?
28. Según Filipenses 3:3s., ¿quiénes son los verdaderos judíos?
29. ¿Cómo se convierte la requísima tradición y tremendo potencial de la iglesia reformada en una fuerza que haga que nuestra congregación y denominación cumpla con la misión y propósitos de Dios?
30. ¿Cómo se convierte la estructura y tecnología en una herramienta poderosa para la misión?
31. ¿Qué efectos trae abrazar el secularismo?
32. ¿Cuál es el problema y solución que Pablo plantea en Romanos 2:26-29?
33. ¿Con qué propósito se habla de la iglesia como invisible?

## REFLEXIÓN PERSONAL:

¿Es posible que yo sea miembro, pastor, anciano, diácono, profesor o teólogo, pero no cristiano?

## 6. Las «*notae ecclesia*» y la misión de la iglesia

34. ¿Cuáles son las marcas de la iglesia?
35. ¿Por qué surgen las *notae ecclesiae*?
36. ¿Cuáles son las dos cosas enseñan las *notae* a la iglesia?
37. Mientras que Roma insiste en que la iglesia es capaz de acreditarse a sí misma como verdadera y fidedigna, ¿qué introdujo el concepto de las marcas de la iglesia?
38. ¿Qué efecto tiene la secularización sobre las marcas de la iglesia?
39. ¿Qué efecto tiene el orgullo denominacional y el formalismo nominal en las marcas de la iglesia?

## REFLEXIÓN PERSONAL:

¿Cómo está mi congregación *local* en relación a las marcas de la iglesia? ¿Cómo está mi *denominación* en relación a las marcas de la iglesia? ¿Qué debemos reformar para ser más iglesia?

## 7. La misión como «marca» o parte de la naturaleza de la iglesia

40. ¿Es la misión de la iglesia algo periférico en cuanto a su propio ser? Fundamente su respuesta.
41. ¿Para qué fin existe la iglesia?
42. ¿Cuál es la marca infalible de una iglesia?

## REFLEXIÓN PERSONAL:

¿Lleva mi congregación *local* la marca de ser una iglesia en misión? ¿Lleva mi *denominación* la marca de ser una iglesia en misión?

## 8. La liturgia como «marca» o parte de la naturaleza de la iglesia

43. ¿Dónde demuestra la iglesia sus marcas?
44. ¿Tiene la disciplina alguna relación con el culto? Fundamente su respuesta.
45. ¿A dónde pertenecen la Palabra y los sacramentos? Fundamente su respuesta.
46. ¿Qué significados tiene la palabra *iglesia*?
47. ¿Qué efectos causa en la asamblea y su liturgia, el abandono de la correcta administración de la Palabra y los Sacramentos?
48. ¿Por qué se debe desconfiar de toda renovación litúrgica que no surja de la Palabra?
49. ¿Bajo qué circunstancias el culto tiende a autojustificarse?
50. ¿En qué momento la verdadera iglesia se hace visible?
51. ¿Qué pasa con el cristianismo de los que no se congregan ni comprometen en la iglesia local, y por qué?
52. ¿Qué conciencia crea el culto en la iglesia y por qué?
53. ¿Es el culto un acontecimiento público? Fundamente su respuesta.

## REFLEXIÓN PERSONAL:

¿Muestra mi congregación local las *notae* en su culto dominical? Si no las exhibe, ¿qué medidas debemos tomar? ¿Muestra la asistencia a los cultos y actividades de mi congregación que en el pueblo hay conciencia de que son en esencia una comunidad litúrgica?

## 9. Consecuencias de la doctrina reformada

54. En general, ¿Se ve en mi congregación las consecuencias de la doctrina reformada y por qué?

55. ¿Está mi congregación entregada a llevar a los inconversos a Cristo y a asegurarse de que los creyentes crezcan en la fe? Fundamente su respuesta.

56. ¿Se le exige a los miembros de mi congregación una profesión creíble, que no sea contradicha por la vida y el carácter? Fundamente su respuesta.

57. ¿Se practica la disciplina en mi iglesia a nivel local y denominacional?

# CAPÍTULO II: LA MISIÓN DE LA IGLESIA

## DEFINICIÓN DE LA MISIÓN

### 1. La misión como proclamación: Objetivo subordinado

1. Indique cuáles son los verbos que el NT usa para apuntar a la predicación del Evangelio.
2. Según todo lo visto, ¿cuál es el *contenido* de la predicación de la iglesia?
3. Conteste si la predicación es una de las tareas de la iglesia y añada alguna evidencia escritural.

### REFLEXIÓN PERSONAL:

¿Están los hermanos de mi congregación local predicando el evangelio a los que no conocen al Señor? ¿Existe en mi congregación un plan adecuado de evangelización?

### 2. La misión como la acción de producir una nueva creación: Objetivo final

4. Explique por qué la predicación no es el objetivo final de la misión.
5. Según Juan 20:31, ¿es la fe un medio o un fin?
6. Según Juan 17:26, ¿con qué fin Cristo ha revelado al Padre?
7. Según Colosenses 1:28, ¿con qué fin predica Pablo a Cristo?
8. Según Efesios 1:4, ¿con qué objetivo nos escogió Dios?
9. Según Efesios 5:27, ¿qué busca Cristo con su obra de redención?
10. ¿Tiene importancia definir la misión como algo más que sólo proclamación? Fundamente su respuesta.
11. Si la misión es producir la nueva vida de santidad y amor que el Espíritu crea por el Evangelio ¿qué implicancias tiene ésto para los que deseen llevar a cabo el imperativo de la misión?

### REFLEXIÓN PERSONAL:

¿Está nuestra predicación orientada a producir una nueva vida que abandone el pecado? ¿Entiendo yo la importancia de tener como fin, no sólo predicar, sino producir nuevas criaturas en Cristo?

### 3. El Evangelio es el único medio de salvación

12. Explique por qué el Nuevo Testamento subraya tanto la importancia de la predicación.
13. Explique por qué no se puede conciliar el evangelio con la secularización.

## REFLEXIÓN PERSONAL:

¿Está la predicación de mi iglesia centrada en la persona y obra de Jesucristo o está desviada a contenidos secularizados? ¿Entiendo cabalmente la importancia suprema de tener a Cristo como el centro y contenido de mi discurso teológico y de mi predicación?

## 4. Definición de la misión de la iglesia

14. Según Bannerman, ¿cual es el gran objetivo para el cual se estableció una iglesia aquí en la tierra?
15. Escriba el texto lema (Col. 1:28), que nos sirve como la declaración de misión.
16. Resuma las cuatro cosas que enseña Colosenses 1:28.
17. Según 2 Timoteo 3:17, ¿qué fin que se busca con la Escritura?
18. Según Filipenses 1:10s., ¿cuál es el fin del crecimiento espiritual?

## REFLEXIÓN PERSONAL:

¿Qué está haciendo mi congregación para delegar la responsabilidad de la misión en sus niños y jóvenes? ¿Estamos perfeccionando en Cristo o en el poder humano? ¿Es mi congregación una iglesia clasista, racista, etc.?

## CRISTO Y LA MISIÓN

## Cristo como origen y paradigma de la misión de la Iglesia
## 1. Dos creaciones distintas

1. ¿Qué implican las afirmaciones: «cuando *todavía* éramos pecadores, Cristo murió por nosotros» (Ro. 5:8) y «cuando *todavía* éramos enemigos, fuímos reconciliados» (Ro. 5:10)?
2. ¿Por qué Pablo se ve forzado a entrar en el tema de la representatividad jurídica que Cristo tiene para con?
3. Según Romanos 5:12, ¿qué dos cosas entraron en el mundo por Adán?
4. ¿En qué forma Adán era *«tipo del que había de venir»*, esto es, de Cristo?

## REFLEXIÓN PERSONAL:

¿Entiendo bien el hecho de que tanto Adán como Cristo tienen en común de que son representantes jurídicos en un pacto con Dios?

5. Explique las consecuencias que la representatividad de Adán trae sobre toda la humanidad.
6. Explique las consecuencias que la representatividad de Cristo trae sobre la nueva humanidad.
7. Según 1 a los Corintios 15:21-22 ¿qué fue lo que Cristo introdujo por primera vez dentro de este mundo?

## REFLEXIÓN PERSONAL:

¿Entiendo bien las terribles consecuencias de estar todavía en la antigua creación representada por Adán? ¿Estoy unido a Cristo por la fe y por su Espíritu, de tal forma que soy parte de la nueva humanidad redimida? ¿Me he dado cuenta del transcendente significado de la resurrección de Cristo?

## 2. Humillación y exaltación de Cristo

8. ¿Qué significa que Cristo se hizo carne?
9. ¿Qué cambio introduce la resurrección de Cristo?

## REFLEXIÓN PERSONAL:

¿Qué esperanza y cambio vital significa Cristo en tu vida personal, de la iglesia y el mundo?

## 3. El nuevo hombre está en Cristo

10. Explique qué se quiere decir con eso de que Cristo es *primicias de los que durmieron* (1 Co. 15:20).
11. ¿Con qué tema se continua en el capítulo 6 de Romanos?
12. Según Romanos 6:3 ¿qué efectúa el bautismo?
13. Explique a qué se refiere Pablo con la frase *nuestro viejo hombre* (Ro. 6:6).

## REFLEXIÓN PERSONAL:

¿Qué cosa se me asegura cuando se dice que Cristo es las primicias? ¿Cuándo y dónde morí a la antigua creación de pecado?

14. Explique cuál es el aspecto futuro de la nueva creación.
15. Explique cuál es el aspecto presente de la nueva creación.
16. Según la figura de los esclavos que Pablo usa, explique quién era nuestro amo y cuál era su paga, antes de unirnos a Cristo.
17. Según la figura de los esclavos que Pablo usa, explique quién es nuestro amo y cuál es su paga, después de unirnos a Cristo.
18. Si en la nueva creación tenemos el poder para vencer el pecado (el indicativo), ¿cuál es nuestro deber y meta como creyentes?
19. Según Romanos 7:6 ¿cuál es nuestra fuente de poder?
20. ¿Qué hemos confirmado con este estudio de nuestra unión con Cristo?

# REFLEXIÓN PERSONAL:

¿Estoy realmente unido a Cristo, de manera tal que en mi vida diaria se puede verificar que soy siervo de la justicia? ¿Sirvo a Dios en la nueva vida creada por el Espíritu?

# CAPÍTULO III: TEOLOGÍA REFORMADA Y MISIÓN

## DEFINICIÓN CONFESIONAL DE LA MISIÓN

### 1. A quién se entregó la misión

1. Escriba a quién se entegró la misión, según lo que dice la Confesión.
2. ¿Qué malentendido hay respecto al término «católico»?
3. ¿Cuál es la traducción del término «católico»?
4. En la patrística ¿Qué contraste se quería efectuar con la frase «iglesia católica»?
5. Escriba lo que afirma el Credo sobre la iglesia.
6. ¿Qué quiere decir la Confesión cuando afirma que la misión fue entregada a la «católica y visible iglesia»?
7. ¿De qué hecho brota la catolicidad de la iglesia?

### REFLEXIÓN PERSONAL:

¿Está mi congregación local entregada a la predicación del evangelio? ¿Es mi congregación una iglesia verdaderamente católica?

### 2. Las herramientas para la misión

8. Explique qué quiere decir la Confesión por «ministerio».
9. ¿Para qué fin están los pastores, teólogos, diáconos, ancianos, etc. en la iglesia?
10. ¿A qué se refiere la Confesión cuando habla de los «oráculos»?
11. ¿Qué quiere decir el Credo cuando afirma que la iglesia es «apostólica»?
12. ¿Qué importancia tiene la Biblia en la misión de la iglesia?
13. ¿A qué se refiere la Confesión cuando habla de las «ordenanzas»?

### REFLEXIÓN PERSONAL:

Si soy pastor o teólogo, ¿estoy dirigiendo todos mis esfuerzos y actividades hacia el objetivo de la misión? Como creyente, ¿estoy usando constantemente la Biblia como el medio fundamental de llevar a cabo la misión? ¿Estamos usando adecuadamente todas las ordenanzas y medios de gracia, para edificar a la iglesia?

### 3. Definición de la misión

14. Según la Confesión, ¿cuál es la razón de ser de la iglesia?
15. Defina la misión como una tarea hacia *adentro* y hacia *afuera*.
16. ¿Qué falencia tienen las congregaciones en relación a los recién convertidos y cuáles son sus consecuencias?
17. ¿Qué es importantísimo entender respecto a las conversiones que produce la evangelización?
18. ¿Qué cosas se necesitan para lograr que el nuevo creyente se integre a la iglesia?

## REFLEXIÓN PERSONAL:

¿Tiene mi congregación local un plan de evangelización y otro de edificación para las personas que por primera vez se acercan a Cristo? Como creyente, ¿estoy participando en las actividades de evangelización y edificación?

## 4. El «cuando» de la misión

19. Según la Confesión, ¿cuándo debe llevarse a cabo la misión?

## 5. El «hasta cuando» de la misión

20. Según la Confesión, ¿hasta cuándo deberá la iglesia estar trabajando para cumplir con la misión?

## 6. Consuelo y seguridad

21. ¿Qué seguridad y consuelo podemos tener de que lograremos el objetivo de la misión?
22. ¿Qué promesa hallamos en 1 Corintios 1: 8-9?

## REFLEXIÓN PERSONAL:

¿Está mi vida entregada a llevar a cabo la misión ahora en esta vida? ¿Estamos delegando a las nuevas generaciones la tarea de la misión? ¿Trabajamos confiando en nosotros mismos o en la fuerza y fidelidad del Señor?

## EL PRINCIPIO REFORMADO Y LA MISIÓN

1. Según el Catecismo Menor, ¿cuál es el fin principal del ser humano?
2. Defina el principio fundamental de la teología reformada.
3. Según 1 Corintios 10:31 y Colosenses 3:23, ¿cuál es el principio regulador de nuestra vida?
4. En un mundo que ha caído en un estado de pecado y de miseria, ¿en que se convierte la afirmación de que el fin principal del ser humano es glorificar a Dios?
5. Según el Catecismo (preguntas 32-36, 37, 38), el plan de redención o misión de Dios tiene tres etapas, enumérelas.
6. ¿Qué dones recibe el creyente en la etapa denominada como «en esta vida»?
7. Según el Catecismo, ¿cuándo es que somos renovados en todo nuestro ser y capacitados para morir al pecado y vivir para la justicia?
8. ¿Cuales son los medios de gracia que debemos usar constantemente para transformar y ser transformados por el Señor?

**REFLEXIÓN PERSONAL:**

¿Busco en mi vida dar la gloria a Dios en todo lo que pienso, digo y hago? ¿Experimento diariamente el don de ser justificado, adoptado y santificado por el Señor? Si no es así, hay *buenas nuevas* para mí: El evangelio me invita a clamar a Dios, reconociendo mi pecado y miseria, pidiendo que por la fe, Él me una a Cristo y derrame abundantemente su Espíritu sobre mí.

# CAPÍTULO IV: LUCAS 14 COMO ILUSTRACIÓN DEL CUMPLIMIENTO DE LA COMISIÓN DE MATEO 28:18-20

## MATEO 28:18-20

1. ¿Cuál es la misión según Mateo 28:19?
2. Según Mateo 28:18, ¿cuál es el fundamento y presuposición objetiva de la misión?
3. ¿Qué alcance tiene la frase *«a todas las naciones»*?
4. Según Mateo 28:19-20, ¿de qué manera debemos hacer discípulos?
5. ¿Qué promesa añade Mateo 28:20?
6. ¿Qué significa todo esto para nosotros, según la cita de Ridderbos?

## REFLEXIÓN PERSONAL:

Evaluar mi vida y congregación a la luz de Mateo 28:18-20.

## LUCAS CAPÍTULO 14

1. Explique la manera equivocada de entender la tarea de hacer discípulos.

## 1. Contexto en el que se desarrollan los hechos kerygmáticos

2. ¿En qué contexto ocurren los hechos de los que habla Lucas capítulo 14?
3. Según el primer indicio del discipulado que da el ejemplo de Cristo, ¿en qué diversos lugares debe penetrar el cristiano con el evangelio?

## REFLEXIÓN PERSONAL:

Al igual que Cristo, ¿soy ejemplo en palabra y obra en medio del ambiente profano en el que me toca trabajar, estudiar, etc.?

## 2. Cristo como paradigma del discípulo: Lucas 14:2-11

4. ¿Qué nos enseña la parábola que Jesús relata?
5. ¿Cómo es que la *vocación* que cada cristiano recibe de Dios le puede librar de las ansias de poder?
6. ¿Cómo explica usted la compatibilidad que hay entre el legítimo anhelo por ser anciano (1 Ti. 3:1) y el llamado a no desear *«los primeros asientos»*?

## REFLEXIÓN PERSONAL:

¿Prevalece mi vocación de servicio por sobre mi tendencia a dominar?

## 3. Llamamiento al discipulado: Lucas 14:12-14

7. ¿Qué es lo que Jesús corrige en Lucas 14:12-14?

## 4. El llamamiento encuentra la oposición de un académico: Lucas 14:15

8. Explique la diferencia entre el punto de vista del invitado y el de Jesús.

## REFLEXIÓN PERSONAL:

¿La forma en que actúo muestra que mi esperanza en el reino futuro empieza por mi conducta justa aquí en este mundo?

## 5. La respuesta de Jesús: Lucas 14:16-24

9. Explique cómo es que la participación de la salvación futura se conecta con nuestro diario vivir.
10. ¿Qué elementos se incluyen en el llamamiento a la salvación según el tercer indicio?
11. Según el cuarto indicio, ¿cómo es que la salvación es también un llamado a servir al que sufre?
12. En contraste con un pseudo llamamiento o conversión, ¿cómo definiría una auténtica conversión a Cristo?

## REFLEXIÓN PERSONAL:

¿He incluído en mi vida los elementos que se presentan en el llamamiento a la salvación, según el tercer indicio? ¿Qué tipo de conversión he tenido a la luz de mi conducta diaria?

## 6. Reforzamiento adicional de lo que es hacer discípulos: Lucas 14:25-35

13. Según el quinto indicio, ¿cómo debe ser la evangelización cuando invitamos a la gente a la salvación?
14. ¿Qué exige el llamamiento a la salvación?

## 7. La iglesia como discípulo de Cristo: Lucas 14:34-35

15. ¿Cuál es la razón de ser de la iglesia?

## REFLEXIÓN PERSONAL:

Pienso en el tipo de evangelización que se da en mi congregación, ¿exige entrega total a Cristo o sólo promete bendiciones? Si el llamamiento exige renunciar a todo, ¿podemos responder «te ruego que me excuses» y ser cristianos?

# CAPÍTULO V: LA MISIÓN HACIA DENTRO Y HACIA FUERA

## INTRODUCCIÓN

1. Según Romanos 8:29, ¿a qué nos ha predestinado Dios?
2. Según Colosenses 1:22, ¿con qué fin se llevó a cabo la obra de reconciliación?
3. ¿Qué se entiende por misión hacia adentro y misión hacia afuera?

## LA MISIÓN HACIA DENTRO

### La vocación de la Iglesia: Fundamento de la misión hacia dentro

4. ¿Cómo es que la vocación de la iglesia se convierte en el fundamento de la misión hacia dentro?

## REFLEXIÓN PERSONAL:

¿Está orientada mi vida a lograr el supremo llamamiento de Dios en santidad y amor? ¿Estoy siempre en misión respecto a mi vida, la de mi familia y mi congregación?

## LA MISIÓN HACIA FUERA

1. Sobre la misión hacia fuera: ¿Qué ocurriría y por qué, si la iglesia convierte su propia santidad en la única misión?

### 1. La vocación de la Iglesia: Fundamento de la misión hacia fuera

2. ¿Cómo es que la vocación (=santidad) de la iglesia se convierte en el fundamento de la misión hacia fuera?
3. Según Filipenses 2:14, ¿con qué fin debemos ser irreprochables y puros?
4. ¿Qué papel juega la disciplina en la misión?
5. ¿Qué se entiende por catolicidad?
6. ¿Qué relación tiene la unidad con la misión?
7. ¿Qué pide Cristo en Juan 17:15ss.?
8. ¿Qué cosas amenazan la unidad?

## REFLEXIÓN PERSONAL:

¿Soy en mi matrimonio, familia y congregación un elemento de unidad o un agente de discordias? ¿Qué cosas debo corregir para no ser causa de división en mi iglesia? ¿Puede el mundo ver que somos uno en Cristo?

# CAPÍTULO VI: LA MISIÓN DE TODOS LOS CREYENTES

## EL TESTIMONIO ESCRITURAL

1. Según Efesios 4:11, ¿qué dones ha dado Cristo a la iglesia?
2. Según Efesios 4:12, con qué fin se dieron los dones del v. 11?
3. Según Efesios 4:12, ¿para qué se equipa a los santos?
4. ¿Qué enseña Efesios 4:11-12 sobre el ministerio de todos los creyentes?
5. ¿Con qué fin puso Cristo a los pastores y ancianos en la iglesia?
6. ¿Cuál es el problema de las iglesias de hoy?
7. Según 1 Pedro 2:9, ¿con qué fin nos ha salvado Dios?

## REFLEXIÓN PERSONAL:

¿Qué cargos y actividades estoy realizando dentro de mi congregación, a fin de edificar el cuerpo de Cristo? ¿Están todos los estamentos de mi congregación organizados de tal manera que todo sirve al objetivo único de la misión?

## EL TESTIMONIO CONFESIONAL

## 1. El sentido de pertenencia a la iglesia y la misión

1. Según el *Catecismo de Heidelberg*, ¿qué tipo de miembro es el creyente en la iglesia?
2. ¿Es normal encontrar la salvación fuera de la iglesia?
3. ¿Cuál es la iglesia donde uno encuentra la salvación y por qué?

## REFLEXIÓN PERSONAL:

¿Estoy bautizado? ¿Me he hecho miembro de la iglesia? ¿Estoy íntimamente ligado a la vida y marcha de mi congregación? ¿Soy asistente regular? ¿Doy mi diezmo todos los meses?

## 2. La misión de todos los creyentes

4. Según la *Confesión de Westminster*, ¿qué deberes y servicios tenemos los cristianos los unos para con los otros?
5. ¿Qué enseña 1 Pedro 4:10 respecto a nuestros deberes para con nuestros hermanos?
6. Según la *Confesión Belga*, ¿cuál es nuestro deber hacia la iglesia?

## REFLEXIÓN PERSONAL:

¿Qué cosas estoy haciendo para ayudar en todo a mis hermanos? ¿Estoy haciendo a otros partícipes de los dones espirituales y materiales que Dios me ha dado? ¿Visito a mis hermanos y cuido de ellos?

# CAPÍTULO VII: LOS DESAFÍOS DE LA MISIÓN

## DIOS, EL MUNDO CAÍDO Y LA IGLESIA

### 1. Breve transfondo

1. Según Burckhardt, ¿cuál fue la característica principal del Renacimiento?
2. ¿Qué pretendía predecir Bacon?
3. ¿Qué ideas introduce Descartes?
4. Según Kant, ¿cuál es el criterio del conocimiento?
5. Describa el mito de la modernidad.
6. ¿Cómo ayudó la iglesia a crear el racionalismo?
7. ¿Cómo responde el posmodernismo al proyecto de la Ilustración?
8. ¿Cuál es el mito del hombre blanco?
9. Resuma el proyecto posmodernista.

### 2. Situación actual

10. Enumere los aspectos positivos de las épocas descritas.
11. ¿Cuál es el uso positivo del término secularización?
12. ¿Qué se entiende por secularización en sentido negativo?
13. ¿En qué contexto hacemos misión?

## LOS DESAFÍOS

1. ¿Entre qué fuerzas se debate hoy América Latina?

### 1. Responsabilidad en la misión versus escapismo espiritualista

2. En general, ¿qué es el escapismo espiritualista?
3. ¿Qué enseña Pablo sobre nuestra responsabilidad en la misión?
4. ¿Describa la crisis del liderazgo?
5. ¿Describa la crisis del profesional cristiano?
6. ¿Es correcta la postura de aquellos que desarrollan muchas áreas de su vida sin tomar en cuenta el evangelio, y por qué (cf. J. Murray)?
7. Explique cómo el mundo redefine toda la problemática humana.
8. ¿Es el pecado sólo un asunto social?
9. ¿Qué equilibrio nos entrega 1 Juan 2:16s.?
10. ¿Describa la crisis del joven?

**REFLEXIÓN PERSONAL:**

Ante la avasalladora fuerza de la (pos) modernidad, en ocasiones la iglesia ha reaccionado de dos formas: se ha refugiado en sus templos y en una religiosidad mística que evita el trabajo de tener que analizar la cultura y sus postulados, o bien ha asimilado todo lo que el mundo ofrece a través de la psicología, la tecnología, la sociología, etc. sin revisarlo a la luz de la fe. Frente a este problema: a. ¿Qué caminos sugiere usted para evitar este dualismo? b. Analice brevemente si su congregación y/o denominación se inclinan hacia alguno de los extremos recién indicados. c. En relación con esto, ¿cómo perciben nuestro testimonio nuestros compañeros de trabajo?

## 2. Examinándolo todo

11. ¿Qué desafío nos plantea J.G. Machen?
12. ¿Qué sucede cuando la iglesia evade su responsabilidad?

## 3. Reteniendo lo bueno

13. ¿Qué dice Calvino sobre las contribuciones de los incrédulos?
14. ¿Cómo hay que usar las diversas disciplinas humanas?
15. ¿Qué dice Berkhof sobre la iglesia militante?
16. ¿Qué nos dice Pannenberg sobre los *hechos* que menciona el Credo?

## LA MISIÓN DE LA IGLESIA ES OBRA DE DIOS

1. ¿Qué nos advierte la posmodernidad sobre el conocimiento?
2. ¿Qué cosas son irremplazables?
3. Según Filipenses 1:6, ¿cuál es nuestra esperanza final?
4. ¿Qué nos enseña Juan 15:4s.?

**REFLEXIÓN PERSONAL:**

¿De qué manera esta época afecta mi propia fe, mi práctica de oración y demás medios de gracia? ¿Qué pienso de la necesidad de colegios cristianos para nuestros niños?

# Índice general

CAPÍTULO IV: LUCAS 14 COMO ILUSTRACIÓN DEL CUMPLIMIENTO DE LA COMISIÓN DE MATEO 28:18-20

CAPÍTULO V: LA MISIÓN HACIA DENTRO Y HACIA FUERA

CAPÍTULO VI: LA MISIÓN DE TODOS LOS CREYENTES

## CAPÍTULO VII: LOS DESAFÍOS DE LA MISIÓN

# Índice de citas bíblicas

## ANTIGUO TESTAMENTO

# NUEVO TESTAMENTO

# Índice de materias

# Índice de palabras griegas